W9-DCF-433

02/2012

EL ÚLTIMO SECRETO DE FRIDA K.

Gregorio León

EL ÚLTIMO SECRETO DE FRIDA K.

X Premio Internacional de Novela «Emilio Alarcos Llorach»

algaida

Un jurado compuesto por Josefina Martínez de Alarcos, Juan de Lillo, José María Merino, Luis Mateo Díez, David Torres, Eugenia Rico y Miguel Ángel Matellanes designó a *El último secreto de Frida K.*, de Gregorio León, ganadora del X Premio Internacional de Novela Emilio Alarcos Llorach, que fue convocado por el Centro Asturiano de Oviedo, con la colaboración del Excmo. Ayuntamiento de Oviedo y la Caja Rural de Asturias.

Primera edición: 2010

© Gregorio León, 2010
© Algaida Editores, 2010
Avda. San Francisco Javier, 22
41018 Sevilla
Teléfono 95 465 23 11. Telefax 95 465 62 54
e-mail: algaida@algaida.es
Composición: Grupo Anaya
ISBN: 978-84-9877-458-0
Depósito legal: M-30.076-2010
Impresión: Huertas, I. G.
Impreso en España-Printed in Spain

ÍNDICE

A Ella, que me susurra todas estas
historias, después de pintarse los labios.
Y a mi madre, obviamente.

La Santa Sede, a través del boletín de la oficina de prensa, ha mostrado su preocupación por la expansión que está teniendo en Latinoamérica el culto a la llamada Santa Muerte. En México, por ejemplo, crece la devoción a esta figura, un esqueleto solo vestido por una túnica. Narcotraficantes, policías o abogados acuden a ella para pedirle favores. Su santuario, situado en el barrio de Tepito (a pocos metros del corazón administrativo del Distrito Federal), es un lugar de peregrinación, como pueda serlo la tumba del Apóstol Santiago. El Vaticano avisa a sus feligreses del peligro de que se extienda este culto, que califica de satánico.

El País, 24 de febrero de 2006

Ayer, rodeada de polémica, fue inaugurada en el Palacio de Bellas Artes la exposición «Frida. 1907-2007. Homenaje Nacional». Decenas de manifestantes se concentraron a las puertas del recinto cultural y gritaron ¡cucarachas, cucarachas! a los miembros del PAN, partido que se impuso en las últimas elecciones, impugnadas por fraudulentas. Los manifestantes quisieron así recordar que Frida Kahlo militó en las filas comunistas para combatir contra la derecha y el fascismo.

El Universal, 21 de junio de 2007

UNO

TODO HA OCURRIDO MIENTRAS EL OBISPO LE HACÍA el amor a Zoila. El esqueleto está completamente destrozado, como si hubiera pasado por allí una manada de rinocerontes. Los huesos se mezclan con jirones de la túnica que antes cubría al esqueleto. Varias velas han sido aplastadas con violencia, y la cera forma ahora una especie de boñiga blanquecina.

Para cuando el Obispo ha podido agarrar lo primero que ha encontrado a mano, de la imagen de la Santa Muerte apenas queda un polvillo que inunda el altar.

Nada más entrar a la parroquia, al inspector Machuca le ha azotado un vaho caliente. No contesta al saludo marcial que le hace Figueroa. Se concentra en analizar la situación. No sabe qué le escandaliza más, si el esqueleto hecho papilla o ver al Obispo en paños menores.

El Obispo tiene toda la furia del mundo concentrada en los ojos. Está tan enfadado que ni siquiera es capaz de abrir la boca. El único que habla, después de dar una vuelta por la parroquia, cámara en ristre, es Figueroa.

—Algún cabrón nos quiere joder.

Con su pelo largo, su pendiente clavado en la oreja, Figueroa más parece un cantante que un policía. Pero Machuca ha tenido la mala suerte de que nadie le dé talento ni para lo uno ni para lo otro, y de que se lo hayan asignado como compañero de trabajo en la comisaría.

—En nombre de Dios —lee por vez primera el inspector.

Entre los huesos machacados sobresale una tarjetita de papel con la frase, escrita con letra pulcra, muy cuidada.

—Quien ha hecho esto es un tipo de letras, un hijo de puta culto —piensa el inspector Machuca, tras realizar el primer examen.

Lo segundo que piensa es que alguien odia a la Santa Muerte más o menos como él odia a la fiscal Chacalita.

—¿Quién diablos ha cometido esta barbaridad?

El Obispo no sabe si la pregunta va dirigida a él o se la ha hecho el inspector a sí mismo. Pero él tampoco tiene una respuesta. A esa hora debería estar viendo los pechos desnudos de Zoila, y sin embargo, lo único que ve es la imagen de la Flaca hecha pedazos.

Huele a patio de gallinas y a incienso. Al inspector Machuca le cuesta trabajo pensar. Y mucho más en esas circunstancias, con la imagen de la Santa Muerte completamente destrozada. Pero hace un esfuerzo y se vuelve a repetir la pregunta. ¿Quién ha podido hacer aquello? Alguien con buena caligrafía, y con muchos huevos, o mucho odio. Había que tener valor para entrar allí. Allí, donde la palabra clave es cuerno de chivo; allí, donde todo se vende y se compra, empezando por la vida; allí, donde lo único que te vale es estar protegido por la Santa Muerte. Todos le rezan, amparados por La Flaca, la única esperanza cuando ya no hay esperanza. Cuando ya no puedes esperar la caridad de Dios o de los hombres.

Pero la Flaca está, ahora, hecha cisco.

Machuca no se quiere ni imaginar cuál va a ser la reacción del barrio cuando la noticia se extienda. Porque primero llegará la incredulidad, pero después... Después puede pasar cualquier cosa. Sin conocerlo, el inspector siente compasión por el tipo que ha cometido ese estropicio. El Obispo sigue evaluando el desastre, sin saber dónde poner las manos, estrujándose los dedos. Nunca lo había visto así, medio desnudo. Tiene las carnes flojas y se le descuelgan unos michelines que la sotana le disimula. Viéndolo así, es difícil que cualquier fiel le hiciera caso, y sin embargo, desde hace varios meses es el apóstol del barrio bravo.

—Si quieren pleito, habrá pleito.

Los ojos, llenos de ira, subrayan la frase. El Obispo la repite varias veces. Parece que es incapaz de decir o pensar otra cosa. De nuevo, Machuca le mira las manos. Ahora no se ofrecen generosas, repartiendo los dones de la Santa Muerte, que todo lo arregla, lo posible y lo imposible. Ahora se cierran formando un puño. Sea quien fuera, pagará por ello, decía ese gesto.

El inspector se desentiende del Obispo. Los ojos recorren la zona principal de la parroquia. Sorprende a Figueroa persignándose ante el altar destrozado de la Santa Muerte. Lo ha hecho de una manera muy rápida, como si no quisiera que nadie se diese cuenta. El inspector duda durante varios minutos si lo que ha visto es de verdad o solo una ilusión de su mente. ¿Es que hasta Figueroa le tenía devoción a la Santa? Machuca aparta esa idea de la cabeza. Saca un cuadernito del bolsillo trasero del pantalón y toma unas notas, por mero trámite. Cuando salga de allí, no sabrá por dónde empezar porque es un caso totalmente nuevo. Una cosa es que maten a un tipo, se entierra y ya está. Un muerto más. Pero un ataque al Santuario de la Santa Muerte es más grave.

Quiere creer que aquello no era otra cosa que una broma macabra.

En nombre de Dios, relee la tarjetita. Sonríe. Tonterías, esto son tonterías. A fin de cuentas, él tiene cincuenta y tres años y una hija muerta. No puede creer en Dios. De hecho, no cree en nada. Si acaso, solo en su equipo, y su equipo pierde todos los partidos, parece identificarse completamente con el inspector Machuca, que ahora agarra el trocito de papel. Lo examina y después levanta los ojos. Tiene delante al Obispo, que lo invita a entrar en su despacho. Figueroa ve entrar a su jefe, con gesto resignado. El Obispo da un par de vueltas alrededor de una silla antes de descartarla. Luego se detiene frente a un estante de libros, como si quisiera buscar allí la frase oportuna que requiere la situación.

Pero no le hace falta buscar en ningún sitio. Después del impacto inicial, la imagen de la Santa Muerte convertida en nada, la sangre empieza a correrle por las venas a la velocidad de siempre. Y la velocidad de siempre es alta, como sus pensamientos.

—Nunca pensé que Roma llegara tan lejos.

El inspector lo mira, sin entender. El Obispo se da cuenta.

—Pero ya no somos solo una piedrecita en el zapato que calza Roma. Somos un enemigo al que hay que eliminar.

Machuca aún entiende menos estas palabras del Obispo, a pesar de que las ha lanzado con mucho aplomo, como si fuera capaz de borrar de su mente el panorama que hay detrás de la puerta de su despacho. Por si acaso, para recordárselo, un rumor de voces se mezcla con gritos de rabia.

—Y le diré una cosa, inspector. Toda esa gente adora a la Santita, son devotos, pero no les costará nada convertirse también en sus soldados. Soldados de la Fe.

El Obispo ha levantado su dedo índice para darle más fuerza a su advertencia. Machuca no sabe si va dirigida a él o al mundo entero. El inspector asiente con la cabeza. Comprendo, quiere decir con ese gesto. Pero no entiende nada, y además se le está haciendo tarde, así que abandona el despacho del Obispo, después de desearle buenas noches.

Figueroa está tomando fotos del esqueleto. A través del visor contempla en qué ha quedado reducido, casi en polvo. Incluso a él le llega a impresionar la imagen. Machuca lee, de nuevo, la tarjetita. En nombre de Dios. Mira al altar. No puede encontrar relación entre una cosa y otra. A Machuca no le gustan los acertijos, ni las complicaciones. Si le cae un muerto, se lo quita de en medio enseguida, la culpa es del narcotráfico, o de los celos. Asunto resuelto, caso cerrado. Ni su sueldo era tan alto ni le quedaban tantos años de vida como para meterse en profundas indagaciones. Él no era detective, solo un policía cansado. Por eso, observando el panorama, frunce el ceño. Han matado a la Niña Blanca, han matado a la Niña Blanca, grita una vieja, fuera de sí. Machuca la mira con extrañeza. El comisario es consciente de que está en problemas. Sabe que un muerto es preferible a ese esqueleto hecho talco. Que estuviera Dios o no por en medio le importaba un carajo.

Pero algo tiene que hacer. Por ejemplo, irse.

Y se dispone a hacerlo cuando empieza a cerrarle el paso un cinturón de hombres. Han aparecido ya por el Santuario, a pesar de que es la una de la mañana. Pero no hacen falta periódicos que pocos o casi nadie podrá leer. El barrio se rige por sus propios canales de comunicación, y la noticia del ataque a la Santa Muerte ya no la conocen solo el inspector, el Obispo y Figueroa. Corre de boca en boca, de casa en casa. Por eso ya hay un grupo de hombres esperando a Machuca. Lo miran silenciosos. Identifica a alguno de ellos, por ejemplo a Toti. No es difícil distinguirlo, porque siempre lleva puesta una camiseta del Real Madrid. Ni siquiera ha cumplido dieciocho años, pero ya anda pegando tiros por ahí, amparado por la Santa Muerte, que lleva tatuada en la espalda. Dicen que es un buen pistolero, el mejor que tiene el Zar, que lo quiere como a un hijo. Morirá joven, concluye Machuca. Lo que le extraña es que a su lado no aparezca el Chino. Van siempre juntos, haciendo sus travesuras por todo el Distrito Federal.

Reconoce otros rostros, los ha visto en alguna de las redadas que ha hecho por allí, en busca de laboratorios de pirateo. Era un trabajo inútil, pero tenía que hacerlo aunque solo sea para guardar las apariencias.

Llegan desde todas las calles, sin parar, hasta que Machuca se ve rodeado por una masa compacta. En sus ojos se repite la misma rabia que ha visto en los ojos del Obispo. Lo único que los diferencia es que el Obispo no va armado y ellos sí, a ninguno le falta su cuerno de chivo, el fusil AK-47 que conviene siempre llevar encima por si las cosas se ponen feas en el barrio bravo. Si quisieran, podrían hacerle a Machuca lo que en nombre de Dios, habían hecho con el esqueleto. Vaya, aquí están los solda-ditos, se dice el inspector, estudiándolos con sus ojos cansados.

Le dirigen miradas de reproche, como si él fuera el responsable de lo ocurrido. Nunca le había gustado aquel barrio, no era conveniente meterse allí, ni a buscar DVD piratas, ni nada. Los hombres siguen observándolo, ina-mistosos. Machuca calcula los metros que lo separan de la calle. Son demasiados.

Figueroa cruza una mirada con el inspector. Parece que piensa lo mismo.

—¿Nos vamos?

Machuca tarda unos segundos en responder. No lo hace hasta que comprueba que lleva bien guardado en el bolsillo derecho del pantalón la tarjeta con la frase de marras.

—Sí, hay que ponerse a trabajar.

Y aquellas palabras están más bien dirigidas a todos esos hombres que no dejan de mirarlo. No lo entiende, él nunca se había metido con ellos. Ellos tenían su negocio y

Machuca, el suyo. Perro no come perro. Él era un tipo listo, no creía ni en Dios ni en la justicia, quería llegar a viejo. Así que la conclusión era tan fácil como sumar dos y dos. Vive y deja vivir. El barrio no tenía motivo de queja. Por eso entiende aún menos por qué lo miran de esa forma.

La muchedumbre concentrada en la casa de la Santa Muerte estalla en un grito unánime:

—¡Se ve, se siente, la Santa está presente!

Machuca aprovecha para alejarse del altar. Con un poco de suerte, llegará al coche. Tiene que abandonar esa parroquia. Los gritos se hacen más fuertes, pero le dejan abrir la puerta. Se sube al Mustang, arranca el motor y pisa el acelerador.

Una frase rebota en su cabeza: en nombre de Dios. Tonterías, se repite. Abre la ventanilla para tirar la tarjetita. Anda en esa operación cuando el teléfono móvil se pone a ejecutar su extraña danza sobre el salpicadero. Contesta, aunque conoce de sobra el número. Es de la comisaría.

—¿Está seguro?

—…

—De acuerdo. Ahora voy.

El inspector suelta un *puta madre*, tan fuerte que queda vibrando varios segundos en el interior del Ford Mustang.

Hoy no es su día. Acaban de encontrar otro altar destrozado. Alguien le había declarado la guerra a la Santa Muerte.

En nombre de Dios.

Dos

CUANDO SU JEFE LE DIJO QUE TENÍA QUE VIAJAR A México, Daniela Ackerman arrugó la nariz. No le traía buenos recuerdos del país. Hacía tres años que había vivido una historia de amor, o lo que fuera aquello, y todavía le sangraba en alguna parte de su cuerpo. Una relación que la había llevado a odiar la comida picante, a tirar a la basura todos los boleros de Luis Miguel y a una baja laboral de un mes, la única que se había pedido en toda su vida. Después de Marcelo había sido incapaz de enamorarse de nuevo. Todavía se le removía algo por dentro cuando veía en televisión imágenes del Distrito Federal. Era una cicatriz que todavía latía. Y ahora Vargas quería que tomara el primer avión y volara hacia allí, donde había sido tan feliz y tan desgraciada.

Su jefe apartó de su mesa de nogal unos papeles que le estorbaban, se aclaró la voz y se dispuso a contarle de qué iba el nuevo caso en el que iba a trabajar.

—Hace un año comenzaron los preparativos para celebrar el centenario del nacimiento de Frida Kahlo. Ella mentía sobre su edad. Quiso hacer creer al mundo que había nacido el mismo año del comienzo de la Revolución Mexicana. Pero no nació en 1910, sino tres años antes. Hace unos meses, al realizar unas reformas en la Casa Azul, los albañiles descubrieron un cuarto que estaba tapiado. Aparte de telarañas, encontraron tres baúles. Pues bien, ahora que se celebra en todo el país su nacimiento, en México se han atrevido a abrir los tres baúles cerrados hasta hoy. Se creía que contenían documentos muy comprometedores para Frida, dada su vinculación al Partido Comunista. Los dos primeros estaban cargados de objetos personales, de dibujos, de datos nuevos sobre el historial clínico de la mexicana… Pero lo interesante lo guardaba el tercero: cartas, muchas cartas, cartas que Frida escribió y recibió sin parar. Y una de ellas se la remitió León Trotsky. Hacía referencia a un cuadro, nunca catalogado, porque nunca había existido. Durante todo este tiempo la gente que ha leído el documento no ha parado de darle vueltas a la cabeza. La carta muy extensa, de nueve hojas, habla de un cuadro que Frida había dedicado a Trotsky, un cuadro que Frida había ocultado a la historia. ¿O era una pura invención, como la fecha de su nacimiento con la que había jugado para despistar a sus biógrafos? La misiva lleva fecha de 1937. En ese momento, Trotsky todavía era huésped de Diego Rivera y Frida Kahlo en la Casa Azul, aunque por poco tiempo, y no por el propósito de Ramón Mercader de quitárselo de en medio, no, es que su romance con la mexicana había acabado. De eso habla su carta, de sus amores y de este cuadro que Frida quiso regalarle.

Vargas le extendió un *dossier* en el que venía detallada toda la información que acababa de transmitirle. Ella le dedicó una mirada distraída. Vargas captó la expresión escéptica que apareció en el rostro de Daniela. No sabía si la culpa la tenía el cuadro de Frida o los recuerdos de Marcelo. Se inclinó por lo segundo.

—¿No lo has olvidado, verdad?

Ella levantó los ojos de las páginas del *dossier*. Siempre le incomodaba hablar de cosas del pasado, y más cuando estaban relacionadas con hombres. Había parcelas de su vida en las que nadie, ni siquiera Vargas, podía entrar, por mucho que fuera algo más que su jefe.

Vargas prefirió dejar el tema. Era mejor hablarle a Daniela Ackerman del cuadro.

—Y el asunto se complica porque, a los pocos días de difundirse esa información, robaron un cuadro de una galería situada en la calle Revolución. El hecho no tendría nada de particular si no fuera porque el hombre que la dirige es un experto en la obra de Frida Kahlo, y en los últimos años ha vendido alguna de sus obras a precios astronómicos.

—¿Cómo se produjo el robo? —preguntó Daniela.

—De lo más sencillo: un coche se paró delante de la galería, se apeó un tipo y otro se quedó esperando, con el motor en marcha. A los cinco minutos escaparon con el botín.

—O sea que iban a tiro fijo.

—Sí, sabían perfectamente lo que buscaban. De hecho, no se llevaron nada más de la galería, a pesar de que tenía material muy interesante.

—¿Qué descripción hizo de los ladrones el galerista?

—La policía llegó tarde para tomarle declaración. Para cuando apareció por la galería, el hombre no estaba ya para muchas explicaciones: le habían partido el cráneo con un objeto contundente.

Daniela no pudo reprimir un gesto de repugnancia.

—Lo más extraño —prosiguió Vargas— es el objeto que se empleó para darle matarile al galerista: una reproducción de la Santa Muerte.

—¿Santa Muerte?

—Sí. Es una creencia que se ha extendido en México. Le rinden culto narcotraficantes y policías, por igual. Está representada por la imagen de un esqueleto al que visten con traje de novia.

A Daniela Ackerman se le escapó una sonrisa burlona.

—Ríete, pero esta especie de religión tiene en México ya más de cinco millones de fieles. Para estos tiempos en que la fe cotiza a la baja, no está mal. Mira, ahí tienes una fotografía de la Santa Muerte.

La imagen era estremecedora. Se trataba de un esqueleto vestido con un traje de novia, blanco. Las falanges de la mano derecha agarraban una guadaña. Con la izquierda sostenía un globo terráqueo. A Daniela se le quitaron las ganas de sonreír. Viendo la fotografía aún le quedaron menos ganas de viajar a México, pero Vargas no le iba a dar elección. Abrió el portafolios forrado en cuero que siempre tenía en su escritorio y sacó un billete de avión.

—¿Sabes lo que dicen de la Santa Muerte? —le preguntó su jefe, acomodándose en el sillón que presidía su despacho.

—Adelante.

—Que es muy vengativa y que hay que cumplirle porque si no se enfada.

—No te preocupes. Si vencí a Marcelo, no voy a dejarme ganar por una mujer vestida de novia. Mi problema nunca han sido las mujeres, sino los hombres.

Ahora fue Vargas el que sonrió. Le gustaba ver a Daniela con esa determinación. Era la mejor detective que tenía en su empresa, con diferencia. Era verdad que tenía momentos en los que le flaqueaban las fuerzas, por culpa de los hombres o de las pasiones, o simplemente por culpa de cruzar sola la frontera de los treinta años. Pero por mucho que a Daniela Ackerman los accidentes del amor o los sentimientos le echaran a la cuneta, porque en esta vida uno nunca está libre de pisar una mancha de aceite y salirse en la curva más tonta, siempre volvía al camino sin perder su olfato de sabueso. Y para dar con el cuadro atribuido a Frida Kahlo iba a tener que agudizarlo. Ni Vargas ni la propia detective podían imaginar hasta qué punto.

Vargas se giró en el sillón y examinó la pantalla del ordenador que tenía a la izquierda. Había recibido un correo nuevo. Lo leyó con atención. Pero Daniela Ackerman no quería que se distrajera en ese momento. No paraba de darle vueltas a la cabeza y tenía muchas dudas.

—¿Qué más sabemos de ese cuadro, aparte de que no está catalogado?

—Poca cosa. Según se lee en esa carta que Trotsky le escribe a Frida, en él aparece la pintora, en uno de sus autorretratos, pero con la particularidad de que sostiene en la mano derecha un colibrí, que en México es el símbolo del amor.

—¿Cuánto dinero hay en juego?

—Mucho. El cliente que nos ha pedido ese cuadro tiene dinero para pagarte todos los hombres que tú necesites en las próximas ocho vidas.

—Eso no es una respuesta.

—Te doy otra a cambio: un diez por ciento. Eso te corresponde por encontrar el cuadro de Frida Kahlo. Y un diez por ciento de tres millones de euros es mucho.

—¿Y cómo es posible que nadie haya tenido noticia hasta ahora del cuadro? La obra de Frida está tan obsesivamente analizada que me parece increíble cualquier novedad a estas alturas de la película.

Daniela le pidió fuego a Vargas, que le acercó el encendedor. Después volvió a consultar la pantalla del ordenador.

—En efecto, es un cuadro que nunca ha sido catalogado, del que jamás se ha tenido noticia alguna. En la base de datos no aparece ningún cuadro de Frida Kahlo que haya sido robado, simplemente porque no puede robarse lo que no existe. Mira, Daniela, el cuadro que tienes que encontrar no es un cuadro cualquiera, y no solo porque no existe. Piensa que le pudo costar la vida a Trotsky. Y quizá también a un pobre galerista. Al menos eso es lo que me dice Freddy Ramírez.

—¿Quién es Freddy Ramírez?

—Ya lo conocerás. Te está esperando en la capital de México.

Daniela quiso pensar que Vargas estaba de broma, pero enseguida descartó la idea. Que el cuadro que buscaban le había costado la vida a Trotsky lo había dicho con mucha seriedad.

—¿Y dices que se llama Freddy Ramírez? Tiene nombre de dibujo animado o de mariachi.

—Es el hombre que más ha amado a Frida después de Diego Rivera y Trotsky.

TRES

EL HOMBRE TENÍA TODA LA PINTA DE HABER RECIBIDO una paliza la noche anterior. El brazo derecho en cabestrillo, una de las piernas completamente enyesada, hematomas dibujándole en el rostro una extraña cartografía. Parecía esperar solo la llegada de un sacerdote para darle la extremaunción. Pero los sacerdotes no llevan el pelo largo y rubio, pensó, al ver entrar en su habitación a Daniela.

—¿Freddy Ramírez?

—El mismo, señorita.

La voz hacía juego con aquel cuerpo magullado. Era apenas un susurro afónico.

Daniela insistió en el examen del hombre. O lo había atropellado un camión, o como ella sospechaba firmemente, había tenido un encuentro desagradable con alguien que no le quería bien. En México es muy normal que pasen estas cosas. Freddy Ramírez se dio cuenta de la mirada escrutadora de la muchacha.

—Fractura abierta de tibia y peroné, y un brazo dislocado. Fue un coche. Pero estoy fuera de peligro… De momento.

Daniela pudo oír por vez primera sus carcajadas, un jajaja que parecía no tener fin, como si estar medio muerto en una cama al hombre le pareciera el chiste más divertido que le hubieran contado en su vida.

—Todavía no sé quién lo conducía, pero al menos tengo algo claro: no era ninguno de mis amigos.

Y explotó en una nueva carcajada, más fuerte que la anterior. Estaba claro: era un gordo feliz.

—Mire, señorita, aquí en México lo primero que se debe aprender es que a la muerte hay que tenerla como una más de la familia. No una más, sino el miembro más distinguido. Por eso el Día de Difuntos es un día de fiesta. Le voy a contar un chiste muy mexicano: "¡Qué suerte tuvo! ¡De tres balas que le dispararon, solo una lo mató!"

Daniela no pudo imitar la carcajada sonora que estuvo a punto de tirar abajo todo el andamiaje de poleas que sostenía a Freddy Ramírez, pero al menos esbozó la primera sonrisa de la mañana. Sí. Era un buen chiste. El único que iba a escuchar en el Distrito Federal.

Por fin Ramírez dejó de reírse de su suerte, fuera la que fuera (y aquel hombre parecía haber vivido tiempos mejores). Se puso repentinamente serio. Fue como una señal para que entrara en la habitación una mujer vestida con ropas muy severas, de movimientos insólitamente ágiles, que depositó en la mesilla un servicio de café. Hizo una reverencia y se fue, con aires de fantasma.

—Mi hermana es la única mujer que me soporta. Esta es su casa. Durante un tiempo no debo volver a la mía. Quienes intentaron atropellarme pueden tener la idea de acabar el trabajo que comenzaron. Y aunque no lo crea —y ahora abrió la mano para abarcar un espacio amplio, suficiente para recoger su lamentable estado— mi situación puede empeorar.

Ya no tenía ganas de reír. Era como si de pronto se hubiera dado cuenta del aspecto que tenía. Se removió inquieto en la cama. No era grato estar allí como un tullido. Al menos, no le habían cortado los dedos, como tantas veces le habían amenazado. Estaba con el peroné hecho papilla, tenía varias costillas rotas, pero todavía era capaz de escribir sus historias en el ordenador. De momento, los cabrones que quisieron matarlo no se habían salido con la suya.

—En fin, ya ve que el periodismo es una profesión arriesgada —reflexionó Freddy Ramírez, moviendo de nuevo su corpachón. Daniela no le calculó menos de cien kilos.

—No es la única. La mía también me trae sorpresas de vez en cuando.

—¿Y a qué se dedica exactamente?

—Busco objetos que se creen perdidos para siempre.

—¿Como los tesoros que están hundidos en el mar?

—Más o menos. Y ahora estoy buscando un cuadro que pintó Frida Kahlo. ¿Qué sabe usted?

—¿A qué se refiere?

—La mexicana pintó un autorretrato para Trotsky, que no aparece en ningún catálogo. El cuadro existe, pero es como si se lo hubiera tragado la tierra o alguien nos hiciera creer eso. ¿Qué sabe usted de ese cuadro?

—Que Trotsky no lo quiso. Pero otra gente sí que lo quiere.

—Cuénteme.

No. Daniela no se daba por vencida con facilidad. Es terca la *chava* esta, pareció decirse Ramírez al observar la forma en la que le sostenía la mirada, impasible, sin atreverse a parpadear.

Freddy Ramírez hizo gruñir la cama con un nuevo movimiento. Eran muchos días allí tirado, como si de verdad estuviera desahuciado. Quiso acomodar el pie derecho, suspendido de una polea. Intentaba ganar tiempo. La rubia aquella no se iba a ir de la habitación con las manos vacías, de eso estaba seguro. Al menos estaba avisado. Vargas lo había llamado desde España y le había dicho que no se hiciera el listo con Daniela y que le contara todo lo que sabía, e incluso lo que no sabía, de la pintora mexicana y sus amoríos.

La detective vio cómo Ramírez, chasqueando la lengua, le preparaba una respuesta. Daniela le ayudó a soltarla.

—Dicen que Frida y Trotsky fueron amantes.

Ramírez le mentó la madre al sistema de poleas y cuerdas que lo tenía amarrado a la cama. Después miró a Daniela, con sorpresa.

—¿Quién le ha dicho eso?

—No importa la fuente.

—La fuente es lo único que importa, señorita. La fuente. El buen periodista debe tener dos cosas: cojones y fuentes.

—Por eso he recurrido a usted.

La frase pareció halagar a Ramírez, que concedió a Daniela un gesto amable. Además, la hormiguilla que sentía en la pierna derecha empezaba a remitir. La sangre volvía a circular, a la velocidad de siempre.

—Alrededor de Frida se han inventado tantos rumores que ya no se sabe qué es verdad y qué es mentira. La lista de amantes que tuvo, o no tuvo, pero en todo caso se le atribuyen, es tan larga como el listín telefónico. Que si anduvo con hombres, que si anduvo con mujeres. Quédese con esto, porque es lo único real: Frida pintó, Frida sufrió y Frida amó, amó a un solo hombre que se llamaba Diego Rivera. Lo demás son *chingaderas*.

—¿Quién pudo inventar que Frida y Trotsky andaban liados? Además, Frida quiso regalarle a Trotsky uno de sus autorretratos.

—Eso no prueba que fueran amantes.

—Ni tampoco lo contrario.

—¿Por qué está empeñada en demostrar que Frida y Trotsky se enrollaron? Es usted muy chismosa…

—No me gusta el cotilleo.

—Pero anda de preguntona por el mundo. Y eso no es un buen negocio. Míreme a mí.

Freddy esbozó una sonrisa suficientemente generosa como para que Daniela Ackerman entendiera que los dos habían encontrado un punto de contacto, una zona de complicidad que los unía. Uno era periodista; la otra, detective. Los dos estaban expuestos a demasiados riesgos como para ponerse zancadillas. A su manera, eran socios. Los unía la posibilidad de acabar abandonados en un vertedero, ni siquiera reconocibles por los perros.

—Usted es muy linda, y no me gustaría que le pasara nada. Yo, a fin de cuentas, soy un gordo feo al que ninguna mujer es capaz de mirar. ¡Qué más da si alguien tiene la idea de bajarme! Pero usted… Piense que en México los únicos que no deben estar preocupados por la vida son los muertos.

Daniela revolvió en su bolso. Extrajo una libretita y un bolígrafo con la capucha mordida, como si perteneciera a un niño de preescolar. En un paquete de tabaco encontró un cigarrillo. Le aplicó la llama de un encendedor que llevaba el nombre de una peluquería de la Gran Vía y se lo llevó a los labios. Ella era bonita, ya lo sabía, no hacía falta que nadie se lo dijera. Además, ella no estaba allí respirando aquel aire viciado de medicinas y carne estancada, para que le dijeran que era una mujer atractiva, sino para encontrar alguna pista, la primera, que le permitiera saber algo del cuadro que le costó la vida a Trotsky.

—No dirá que no se lo advertí.

Y Freddy Ramírez tomó aire. Abrió su ordenador portátil, que descansaba en la mesilla que había junto a la cama, y se dispuso a leerle el primer capítulo de lo que llevaba escrito.

Cuatro

Ciudad de México, 1940

—MALDITA NOCHE DE PERROS.
La frase había sonado dentro del Buick como un insulto. La había repetido dos veces, como si para matar a alguien uno pudiera elegir un decorado lleno de florecitas, un sol luminoso y una niña linda dando saltos retozones en medio del campo. El Güero debería saberlo, a estas alturas de la película, después de haber matado a una docena de hombres.

Maldita noche de perros, repitió por tercera vez. Los rayos eléctricos culebreaban en el cielo, anunciando el estallido de un trueno, que el Güero sentía cada vez más cerca. En algún sitio había leído que las posibilidades de morir alcanzado por un rayo eran mayores en la Ciudad de México que en cualquier otra parte del mundo. El Güero le tenía más miedo a morir atravesado por un rayo que a un tipo lo mandara para el otro barrio. Y era cierto, hacía una noche para quedarse en casa.

Pero había que trabajar. Con un poco de suerte, todo saldría bien, y podría a sacar a esa novia que tenía desde hace unas semanas del Tiboy, la casa de citas donde la había conocido. Solo la quería para él, y los que lo habían contratado le prometieron muchos pesos si la operación salía bien. El Güero intentó olvidarse de los rayos.

Había llegado al número siete de Coyoacán. Allí, le habían dicho, viven Diego Rivera y Frida Kahlo, pero él no había salido a la calle para buscar a ningún pintor. Desde hace tres meses, la Casa Azul alojaba a un inquilino muy particular: León Trotsky. Pensó en sus barbas de chivo y quitó el seguro de la pistola.

Miró la fachada de la casa. Efectivamente, número siete. Consultó el reloj. Las diez y treinta minutos. Todo estaba en orden. Si no fuera por los malditos rayos, una noche perfecta. Pero ya no podía darse más excusas para salir del auto.

Tenía buena planta el Güero, buen porte. Se sentía sin embargo particularmente incómodo con aquel uniforme que le habían obligado a ponerse. Unas ropas militares demasiado ajustadas, en las que entraba con muchos problemas su cuerpo de casi dos metros de altura.

Lanzaba una mirada a la pared de adobe que Trotsky había levantado poco después de llegar a la Casa Azul, con más miedo que un conejo. Ni a la calle salía, eso le habían dicho los que habían preparado todo, los que también le tenían preparado un buen puñado de pesos para que su novia no trabajara más de puta. El Güero hizo un amago de sonreír, imaginando al barbas de chivo untando de mierda sus calzoncillos. Miró de nuevo a la pared de adobe. Inútil. Porque al Güero ni siquiera le hizo falta oprimir con el dedo índice el botón del timbre. La puerta se abrió a las diez y treinta y tres minutos exactos de esa noche de perros. Agarró con fuerza la Browning que llevaba en la mano derecha.

Detrás de la puerta se encontró con un hombre que no pudo reconocer inmediatamente. A fin de cuentas, solo lo había visto caminar despreocupado por el jardín principal de Coyoacán, sin imaginar siquiera que alguien lo estaba espiando, el Güero encerrado en su coche, intentando retener los rasgos del tipo que le abriría la puerta de la Casa Azul. Estudió sus facciones. No las recordaba tan pálidas, como si él también tuviera miedo a las tormentas. ¿Era el mismo tipo un poco contrahecho que había visto atravesar con pasos largos el jardín de Coyoacán? La respuesta le llegó enseguida, en forma de un gesto cómplice. Vamos para adentro, que se hace tarde, le vino a decir, con una ligera inclinación de la cabeza. Y entonces sí, viendo sus andares un poco estrambóticos, pudo reconocer a Donovan, que actuaría desde dentro de la Casa Azul, según le habían dicho los tipos que lo contrataron, confiando plenamente en la puntería del Güero. A fin de cuentas estaba hablando con uno de los mejores pistoleros de todo el Distrito Federal. Un matón de alquiler al que lo mismo le daba estar al lado de Trotsky que de Stalin. Todo dependía de lo que abultara el saco de pesos que le pusieran delante, y el que le habían puesto ahora era demasiado gordo como para decir que no.

Las dos figuras avanzaron sigilosas por un pasillo que desembocó enseguida en el jardín. Un bicho soltó un chillido histérico, quizá era uno de los monos araña a los que decían que tenía tanto cariño Frida Kahlo. Pero no era el momento de entretenerse con tonterías. El único animal que le interesaba al Güero llevaba barba de chivo y lo esperaba en el piso de arriba. El Güero conocía perfectamente cada rincón de la casa. Después de ascender por los peldaños de una escalera, se encontró con una puerta que Donovan le había dejado entornada. Un leve empujón, y listo. El Güero, tal y como imaginó tantas noches, cruzó veloz un amplio salón, sin tiempo para fijarse en nada, porque ya empezó a oír desde la cocina el sonido de una radio encendida. La criada, la única a la que el matrimonio Rivera no le había dado la noche libre, escuchaba la representación de *Parsifal* que transmitía Radio Cadena Azul desde el Palacio de las Bellas Artes. Antes, al Güero le llegó un fuerte olor a cebolla cocida, que le produjo asco. No se sentía bien allí dentro, así que tenía que acabar el trabajo cuanto antes. No era noche para andar por ahí perdiendo el tiempo. Giró a la derecha y reconoció el pasillo, aunque pensaba que no era tan estrecho. Ni tan largo. Lo cruzó con largas zancadas, que a Donovan le debieron parecer eternas. Empezó a verse acosado por malos presentimientos. No se oía nada, solo el repiqueteo constante de la lluvia sobre las hojas del naranjo del jardín. Un nuevo rayo iluminó el cielo. Donovan apretó con fuerza la Thompson que llevaba colgada. Él era el guardia de Trotsky, nada le podía ocurrir. Por eso él estaba allí, quieto como una estatua, aterido de frío, rezando porque el Güero encontrara por fin el despacho en el que León Trotsky llevaba encerrado desde las ocho de la tarde escribiendo frenéticamente. ¿Qué complicación había surgido? ¿Acaso el tipo este se había equivocado y a lo mejor estaba buscándolo en el dormitorio? Se imaginó, en un nuevo presentimiento fatalista, a Natalia Sedova, la esposa de Trotsky, estallando en un grito pavoroso al descubrir el arma del Güero, apuntándola desconcertado. ¿Dónde coño estaba el bolchevique? Pero el grito que le llegó a Donovan no era un grito agudo. Era un grito animal, un bramido que interrumpió todo, el concierto de Wagner, el sonsonete monótono de la lluvia cayendo sin cesar, e incluso su miedo, porque ahora sí era verdad que el Güero había entrado en el despacho de Trotsky, lo había encontrado con la espalda encorvada, rasgando con desesperación la pluma sobre un papel amarillo, tan absorbido en su tarea que incluso había tardado en levantar la vista, como si no quisiera ver a un tipo con uniforme militar y pelos desgreñados apuntándole con una pistola, como demorando el momento de enfrentarse a él, y aún tras descubrir su estampa de rufián, le parecía todo inverosímil. Que Frida le haya dicho hace seis días que todo ha acabado, y que alguien con tan mala pinta interrumpiera su trabajo. Fueron unas décimas de segundo, solo unas décimas de segundo, pero Trotsky tuvo tiempo de pensar eso, incluso de preguntarse dónde estaba Donovan, el agente que cuidaba de él las veinticuatro horas del día. Fueron unas pocas décimas de segundo, que dieron para mucho, incluso para dar un grito de miedo que interrumpió la imagen que parecía haberse quedado fija, los dos, víctima y victimario, sorprendidos de conocerse. Y de pronto, todo se aceleró, todo cobró vida de nuevo. El Güero levantó la Browning varios centímetros y aún vio, antes de apretar el gatillo, los ojos de Trotsky, insólitamente azules, deslumbrantes, como nunca había visto en su vida, y tuvo tiempo de examinarlos, antes de realizar el primer disparo que levantó en la habitación una nube de cal. Trotsky se abalanzó sobre él, ahora plenamente consciente de que todo era real, que Frida había acabado con él para siempre y que un tipo quería darle la segunda muerte en seis días. Y por eso se preparó para un segundo disparo, que solo pudo impedir el creador del Ejército Rojo arrojándose sobre el invasor, con toda la fuerza que le quedaban a sus sesenta años de vida. El agente Donovan supo que la fiesta había empezado. Oyó el disparo. Y también sabía que ahora le tocaba a él, que él también tenía un papel asignado en aquella obrita de teatro. Y saltó como un resorte, buscando las escaleras que antes había cruzado el Güero. Pero no lo hizo porque fuera el guardaespaldas de Trotsky y de momento, estaba quedando muy mal, esperando ocioso en el jardín a que todo acabara, sino porque había escuchado una ráfaga de disparos y eso no venía en el guión. Por alguna razón, no le había dado buena espina el Güero, con sus aires de suficiencia, su mirada de matachín. Algo estaba fallando. Al tipo se le había ido la mano. Solo tenía que asustar a Trotsky, cagarlo de miedo, para que no le quedaran ganas de permanecer en México ni un segundo más, para que agarrara el primer avión, el primer barco, lo que fuera, y saliera huyendo de allí. Al Güero se le había ido la mano, no podía sacar otra conclusión, viendo sus ojos llenos de orgullo, el que tiene todo hombre cuando ha hecho bien su trabajo. Donovan accedió por fin al despacho de Trotsky. Si el Güero, como estaba convencido, lo ha ultimado, su vida valdría menos que un peso.

Le costó ver qué había ocurrido. Los disparos del Güero habían creado una nube de polvo. Por fin pudo apreciar algo, un montón de picotazos en la pared, como hechos por un pájaro carpintero. De Trotsky, ni rastro, hasta que un resuello de agonizante se escapó de debajo del escritorio. Trotsky estaba vivo. Donovan había hecho mal en juzgar al Güero, que ahora se entretenía en el salón. ¿Por qué no huía a toda velocidad de la casa? ¿Era aquello una mierda de ataque, que ni siquiera había servido para quitar de en medio a Trotsky? No. También eso estaba en el guión. El Güero hurgaba desesperadamente entre varios lienzos, hasta que dio con el que buscaba. Donovan le concedía tiempo para que hiciera la segunda parte del trabajo, la más importante. No le hizo caso a Trotsky, que le exigía con voz desfallecida que fuera en busca del asaltante. Pero en vez de eso, el agente Donovan agarró un teléfono y pidió una ambulancia para Trotsky, que lo insultaba. Dictó al auricular del teléfono unas palabras urgentes, la dirección de la casa en la que había sido agredido Trotsky, o eso pensaba. Porque Trotsky no estaba herido, solo paralizado por el miedo. Donovan colgó el teléfono y solo entonces agarró con fuerza la Thompson y salió del despacho, haciendo disparos desesperados que solo alcanzarían a dañar el lienzo que se llevaba el Güero, el lienzo que había buscado atropelladamente en el salón, escondido para todo el mundo, menos para él. Ahora estaba en sus manos. Salió de la Casa Azul, sin dejar de escuchar el silbido de las ráfagas de ametralladora que le lanzaba Donovan. Pero sabía que ninguna iba destinada a él. Ninguna. Y mucho menos cuando subió al Buick, arrancó el motor y le dio un fuerte pisotón al acelerador.

Su primer pensamiento fue para su novia. Hasta hoy había trabajado en una mercería que hacía de casa de citas, el famoso Tiboy. Se la presentó un amigo canadiense (¿o era francés?) que se hacía llamar Jacques. Hasta hoy ella trabajaba de puta, pero solo hasta hoy. Con los pesos que le van a dar por robar el cuadro, ellos dos podrán ser felices. Encendió la radio. La única emisora que podía sintonizar en aquel trasto viejo ofrecía música clásica. El locutor anunció la última pieza de Wagner, con la que se cerraba, eso dijo, una noche mágica en la Ciudad de México.

El Güero no encontró ninguna razón para llevarle la contraria.

Freddy Ramírez acabó la lectura y le dio un sorbo a una lata de coca-cola que tenía a la derecha, junto a los restos antiguos de una hamburguesa.

—Lo más raro del asunto, según mis propias investigaciones —dijo el periodista, sin apartar los ojos de la pantalla del ordenador— fue que el agente Donovan, que debía ser el custodio de Trotsky, no llegó a alcanzar con sus disparos al Güero, y eso que era un tío de casi dos metros de altura. Era un blanco fácil. Pero solo fue capaz de destrozar con dos disparos un trocito de tela del cuadro. Nada más. Eso es lo que dice el informe policial. Por eso tengo bien claro que el robo se preparó desde dentro. El Güero solo lo ejecutó. Pero las cabezas pensantes fueron otras.

—¿Quiénes?

—Cabezas trotskistas.

Daniela hace un gesto como preguntándole si le estaba tomando el pelo. Un gesto que evoluciona hasta la rabia cuando Ramírez se desentiende de ella y vuelve a su ordenador.

—No sea impaciente.

CINCO

ES VERDAD QUE LE ESPERABAN UN MONTÓN DE EXPE-
dientes en su despacho. Los periódicos no paraban
de hablar de lo que estaba ocurriendo en la parroquia de Tepito con la imagen de la Santa Muerte. En más
de un editorial la habían acusado de inepta. Aprovecha-
ban cualquier oportunidad para atacarla. Y luego estaba
lo del escándalo de las elecciones. Igual mañana también
la hacían responsable a ella de eso. Pero todo, las elecciones, los problemas del Obispo en su parroquia, el inspector, todo, podía esperar. Había una cosa mucho más importante.

La fiscal Chacalita había decidido hacerse un tatuaje.

Desde hacía tiempo le rondaba esa idea por la cabeza. Mientras aguardaba en la sala de espera del cirujano
pudo hojear una revista de moda. Contenía un reportaje
sobre tatuajes grabados en las partes más inverosímiles del
cuerpo. Lo siguiente fue encontrar un sitio en el que se lo
hicieran bien. Recabó información: el mejor tatuador de la
ciudad era Yeremi.

El sitio en el que hacía sus trabajos podía, sin embargo, indicar todo lo contrario. Era un sótano escondido en una de las calles perdidas de Tepito. Si la fiscal hubiera pensado un poco, jamás habría entrado allí. Pero ya llevaba unos cuantos tragos en el cuerpo. Nunca es demasiado temprano para un buen trago de Herradura, se decía siempre. El alcohol, y sus ganas de parecer cada vez más joven, la empujaron a entrar en aquella cueva.

Yeremi sintió ruidos extraños. Pensó que eran ratas, ratas que querían llevarse su mercancía. Y su mercancía, la que acababa de traerle el Chino, era en ese momento lo más importante del mundo: cocaína de máxima concentración. Cien gramos. Para él y para sus amistades. Yeremi guardó la bolsa antes de alzar la mirada por encima de la cabeza del Chino.

—¿Quién va?

Descubrió una cara que le resultaba familiar, pero no sabía por qué. Tampoco iba a darle muchas vueltas a la cabeza. En el Distrito Federal había veinte millones de caras y lo más normal era que más de una se parecieran. El Chino reaccionó con sorpresa. Pensó que nada le quedaba por hacer allí. Él había traído lo suyo y Yeremi le había pagado al contado, como siempre. Fuera le esperaba el Ford Probe. Se acordó que tenía que echarle gasolina. En un par de horas estaría en pleno trabajo con el Toti, y no quería que le pillara con el depósito vacío.

Pero antes de marcharse notó el peso de la mirada de la fiscal. No se detenía en el rostro, sino en su brazo derecho. Llevaba una camiseta sin mangas que dejaba al descubierto sus bíceps bien trabajados en el gimnasio.

—Quiero que me hagas un dibujo como ese —pidió Chacalita, señalando el tridente que lucía el Chino en su brazo.

—Como usted quiera.

El Chino escapó escaleras arriba. No le daba buena espina esa vieja queriendo ponerse en el cuerpo el mismo dibujo. Chacalita lo siguió con la mirada hasta que su cuerpo se perdió detrás del último escalón.

Yeremi le pidió a la fiscal que lo acompañara a otra sala. Chacalita examinó con atención todos los utensilios. Por un momento se acordó del quirófano en el que la metió su cirujano para ponerle tetas, no hacía de eso ni un año. Con este tatuaje iba a arrasar. Se rio del inspector Machuca. Ni por todo el oro del mundo le dejaría ahora que le tocara un pelo. No, ella jugaba ya en Primera, aspiraba a otra cosa, a hombres como el que había abandonado con prisas el sótano.

—¿Dónde quiere que le haga el tatuaje?

—En el hombro derecho. Y quiero que apunte hacia arriba. Así.

La fiscal Chacalita escogió tres dedos de su mano derecha y se los puso sobre la cintura para componer gráficamente la imagen con la que quería salir de allí.

—Deme unos minutos, por favor.

—No tardes demasiado.

Lo dijo en un tono imperativo que no gustó nada a Yeremi. Él era el mejor en su trabajo y no aceptaba que nadie le metiera prisa. Él no hacía simples tatuajes, sino obras de arte. Le dedicó una mirada displicente a la fiscal antes de clavarle la pistola con la que aplicaba la tinta.

En una hora el trabajo estuvo terminado.

La fiscal se vistió y buscó dinero en su bolso, mientras Yeremi le daba varias indicaciones muy precisas sobre los pasos que debía seguir a partir de ahora. No quería que la vieja lo visitara otra vez diciendo que se le había infectado el tatuaje.

Chacalita colocó encima de la mesa un montón de billetes.

—Esto es mucho dinero. Mi trabajo solo vale dos mil pesos. Aquí hay diez veces más.

—Has hecho un buen trabajo, y te lo mereces. Además, te pago todo eso para que me des la dirección del chico tan guapo que se ha ido hace poco.

Yeremi sacudió negativamente la cabeza. No estaba dispuesto a hacer ningún trato con la vieja. Se perdió en otra habitación, de la que volvió a los pocos minutos. La fiscal seguía allí. Había sacado de su bolso más billetes. Yeremi pensó que estaba loca. Pero también pensó que el mes le había traído muchos gastos y que la vida era muy dura allí en Tepito. A quién le amarga un dulce, caramba. Además ¿acaso el Chino no le cobraba religiosamente hasta el último gramo de cocaína? Cada uno se buscaba la pasta en el Distrito Federal de la mejor manera posible.

—Vive en Jesús Carranza —le dijo, sin atreverse a mirarla, sus manos agarrando el puñado de billetes.

—Gracias.

Chacalita subió por las escaleras. Se sentía tan mareada como cuando entró. Pero en su cerebro se había quedado tatuada, igual que el tridente que le picaba ahora en el hombro derecho, una dirección. Y no quería tardar mucho en hacerle una visita al Chino.

SEIS

AL INSPECTOR MACHUCA NADA LE MOLESTABA TANto como que le interrumpieran a mitad del almuerzo. La comida era sagrada, aunque fuera la de la cantina de doña Lita, a la que acudía casi todos los días.

Sin embargo solía ocurrir. El teléfono le sonaba a mitad de comida. Muchas veces era la fiscal Chacalita quien lo llamaba, con cualquier tontería. Machuca dejaba que el aparato sonara hasta que se cansaran. Pero hoy la persona que lo está llamando no se cansa. Machuca tuerce el gesto, justo en el momento en que ataca un trozo de ternera dura como la suela de un zapato. Pero en aquella cantina no se podía esperar ni platos exquisitos ni higiene.

El móvil insiste. Machuca reconoce el número. Lo llaman de la comisaría. A esa hora, el único que puede importunarlo es Figueroa. Al final no tiene más remedio que abrir el móvil.

—¿Sabes lo que significa la palabra descanso?

Pero Figueroa no se da por aludido. Lo que ha descubierto es demasiado importante como para preocuparse por las malas pulgas del inspector. Nadie le obliga a ir a la fonda asquerosa en la que come todos los días.

—Hace media hora recibí una llamada aquí en la comisaría. Era un tipo con una voz rara y, sin presentarse, me dictó una dirección de Internet. Me exigió que la abriera, que era urgente. Y colgó. Pensé que era una broma, algún cabrón con ganas de joder, pero, por si acaso, me metí en Internet. Un hijo de puta ha colgado un video. Dura tres minutos, el tiempo que utilizan en matar a una muchacha. El tipo me dijo que la encontraríamos en el *Monte de las hormigas.*

—¿*Monte de las hormigas*?

—Sí, es la traducción de la palabra azteca de Azcapotzalco.

—¿Me estás diciendo que alguien ha matado a una muchacha y la ha tirado en Azcapotzalco?

—Así es, en la refinería. El muy cabrón me dijo que allí estaba la chica y que fuéramos a buscarla si teníamos huevos.

Machuca, sosteniendo en el aire un trozo de carne, duda entre colgarle el teléfono a Figueroa o darle una semana de vacaciones. Lo que tenía que hacer era mandarlo a la mierda. Ahora le venía con la historieta esa del video y las hormigas.

—¿Nunca te han dicho que todo lo que sale en Internet es mentira?

Figueroa niega con la cabeza. Viendo cómo le han pegado a la muchacha, le parecía imposible que lo que veía fuera irreal. La imagen era tan perfecta que las gotazas de sangre que le arrancaban a la chica parecía que iban a traspasar la pantalla de quince pulgadas del ordenador.

—El tipo que ha llamado ha añadido algo antes de colgar: que aparecerán más muchachas tiradas en el *Monte de las hormigas* porque así lo quería la Santa Muerte.

Figueroa siente un escalofrío. Como para confirmar las palabras llegadas a través del teléfono hace apenas media hora, comprueba cómo un hombre se abalanza sobre un pecho de la muchacha, quizá ya muerta, y empieza a clavarle la aguja. En pocos segundos Figueroa puede adivinar la silueta siniestra de un dibujito. Una calavera dentada que sujeta un globo terráqueo y una guadaña. La Santa Muerte, la Niña Blanca, la Señora. Pobre chica. A la pobre desgraciada la estaban tatuando después de muerta.

Figueroa siente que ha hecho bien en llamar a Machuca. Seguro que el inspector reconocerá su gran olfato, su indudable perspicacia. Se considera un buen sabueso.

—Apague el ordenador y llévese a su novia a comer a un buen restaurante, y olvídese de esa llamada.

Pero Figueroa no tiene apetito. Con todas esas imágenes enganchadas en la retina, rebobinadas una y otra vez, cree que se le ha quitado el hambre, para siempre. Nota que tiene las tripas revueltas. Le da de nuevo al *play*. Están haciendo una carnicería con la muchacha. Y sin embargo, su jefe come tranquilamente, como si no se diera cuenta de lo que pasaba. Está viejo, se dice Figueroa, en el momento en el que el tatuador desaparece del plano y la cámara enfoca exclusivamente los dos pechos de la chica. Uno de ellos, con el pezón derecho arrancado a mordidas, el otro, tatuado con la imagen de la Santa Muerte.

Machuca cuelga el teléfono. Sigue comiendo, como si tal cosa. Pero cuando llega el postre, algo ocurre. O no le gusta lo que ve, dos bolas de helado duras como pelotas de golf, o ha empezado a cavilar. Los altares a la Santa Muerte estaban siendo atacados, y ahora, algún gracioso salía diciendo que iban a aparecer muchachas arrojadas en la refinería de Azcapotzalco. Y lo peor: no se conformaban con matarlas y dejarlas abandonadas, no, encima las grababan en video y luego colgaban las imágenes en Internet, para que las viera todo el mundo. Machuca ya no se siente tranquilo. Pide la cuenta y se marcha de la fonda sin despedirse de nadie.

Se subió a su Ford Mustang sin saber qué rumbo tomar. De buena gana habría hecho una visita a Cora en el Manhattan. Pero la chica ya le avisó que el jueves no iba a trabajar, porque tenía que resolver unos asuntos urgentes. Pensó en sus pechos, en su piel tersa, en su forma de moverse en la cama, y a Machuca le entraron unos deseos locos de acostarse con ella, como hacía todas las semanas, a cambio de unos pocos pesos. Pero esa noche no le iba a deparar al inspector ni sexo ni fútbol. Mientras almorzaba se había asegurado, leyendo el periódico, que no echaban ningún partido por la televisión.

Tampoco tenía ganas de encerrarse en su casa. Desde que murió su hija Lucía, cada vez le resultaba más complicado estar en ella. Dejó atrás el bosque de Chapultepec. Allí tenía la fiscal Chacalita un apartamento muy amplio, al que un día él tuvo la mala suerte de subir. ¿Qué cara pondría cuando le dijera que tenían una muerta de la que ocuparse?

Casi sin darse cuenta fue dejando atrás las luces del corazón de la ciudad y terminó perdiéndose por la zona norte. Instintivamente iba buscando la delegación de Azcapotzalco. Quería echarle un vistazo a la refinería. Se desvió antes de la salida a Pachuca. Avanzó por el eje 3 norte, atravesó la avenida Tezozomoc hasta desembocar en 5 de mayo. Enfrente estaba el *Monte de las hormigas*.

A pesar del fuerte viento que soplaba, abrió las ventanillas del coche. Le invadió un olor a petróleo. El silencio era absoluto, solo roto por un perro que ladró en la lejanía. El Ford Mustang iba avanzando cauteloso. El camino estaba hecho de arena y tierra muy oscura. Recorrió un par de kilómetros, hasta que los faros del coche barrieron la figura esquelética de unos hierros abandonados, los restos de la maquinaria utilizada en la refinería. Machuca se bajó del Mustang, recordando lo que le había dicho Figueroa con mucha insistencia: en un giro de la cámara que grababa a la muchacha mientras la mataban, pudo vislumbrar la silueta de unos hierros retorcidos. Machuca no había visto esas imágenes. No se fiaba de Internet, prefería comprobarlo todo con sus propios ojos. Por eso andaba ahora con una linterna en la mano. La tierra empapada de petróleo amortiguaba sus pisadas.

Por un momento se quedó parado, intentando captar algún detalle. Aspiró profundamente el aire de la noche. Notó cómo el tufo a petróleo se mezclaba con otro olor al que se acostumbró siendo muy joven, desde que empezó a trabajar de policía: el olor que deja la muerte.

Ya no le hacía falta la linterna, sino solo el olfato para llegar a la verdad. Y el olfato esta vez tampoco le mintió.

Junto a una estructura de hierro oxidado descansaba para siempre el cuerpo ya en descomposición de una mujer desnuda. Le aplicó la linterna. Llevaba el pecho tatuado con la imagen de la Santa Muerte. Pero no fue eso lo que más impactó a Machuca. No.

El inspector la conocía. Se llamaba Ivonne.

Bailaba todas las noches en el Manhattan. Igual que Cora.

El viento agitaba salvaje su pelo muy oscuro.

SIETE

LA NOTABA ALGO RARA Y TARDÓ UN POCO EN DARSE cuenta de la causa. Se había alisado el pelo. Ya no lo llevaba rizado. Estaba frente al espejo, retocándose el maquillaje. A su espalda, de pie, se encontraba Machuca, paseando sus ojos por los hombros desnudos de la bailarina. Quizá en otro momento, quizá en otras circunstancias, la habría acariciado. A fin de cuentas, él también era, con más derecho que nadie, propietario de ese cuerpo. Pero el inspector no se había colado en el camerino de Cora para sobarla. Tenía asuntos más importantes que tratar con ella.

—¿Cómo es que te cambiaste el peinado?

—De vez en cuando hay que atreverse con cosas nuevas. Además, los clientes lo agradecen.

—Me hablas de tus clientes para herirme ¿no?

—No, no lo hago para lastimarle ni para nada. Usted me conoció aquí. Sabe a lo que me dedico.

Sí, Machuca sabía perfectamente cuál era el trabajo de la chica que ahora se esmeraba en pintarse los ojos, pero no aceptaba que ella se lo recordara. El inspector quería creerse la mentira de que Cora solo estaba para él.

—Y usted ¿por qué aparece por aquí? Hoy no es jueves. No le toca.

—Traigo noticias. Ayer encontramos un cadáver.

—En esta ciudad eso no es noticia.

—Es una mujer y la conocías.

Cora dejó suspendido en el aire el lápiz de ojos y se giró bruscamente. En ese momento, alguien tocó con los nudillos en la puerta, pero ni siquiera esperó una respuesta para asomar su cara. Era un rostro muy conocido en el Manhattan: el pinchadiscos. Tenía facciones como de haberse quedado estancado en un punto de su crecimiento. Tampoco el cerebro parecía haber completado el proceso.

—¿Te molesta mucho este retrasado? —preguntó Machuca, después de darle con la puerta en las narices.

—No, Félix es muy bueno conmigo.

Otra vez el inspector sintió un alfilerazo en su corazón. ¿Acaso no solo debía preocuparse por todos los clientes que se acostaban con Cora, sino también por ese tonto que se dedicaba a poner una canción tras otra, como si no tuviera que hacer otra cosa en la vida?

—¿Desde cuándo no ves a Ivonne?

Ella se puso a cavilar, y así anduvo durante varios segundos, hasta que se dio cuenta de lo que Machuca quería decirle. Su compañera llevaba varios días sin aparecer por el Manhattan. El inspector leyó en el rostro de Cora la sorpresa que acababa de descubrir.

—Encontré su cuerpo en la refinería. Pero lo peor no es eso. En definitiva, como tú bien dices, un muerto no es noticia en esta ciudad. Pero que ese muerto circule por Internet, sí lo es.

—¿Internet?

—Sí. El cabrón que la mató decidió grabar la escena y la ha volcado en la red. No estuvo solo en la tarea. Le ayudó alguien que se encargó de tatuarle a la pobre chica la imagen de la Santa Muerte en el pecho izquierdo.

Cora sacó de su bolso un paquete de cigarrillos y eligió uno. Cuando Machuca le ofreció fuego, notó cómo el cigarrillo temblaba entre sus dedos finos. El inspector posó su mano derecha en los hombros, en un gesto protector.

—¿Qué me puedes contar de Ivonne, aparte de que le encantaban los tatuajes y que se dedicaba a esto?

Cora dio una larga calada, aspirando con fuerza. Eso pareció tranquilizarla.

—Sí, era una tía rara, la obsesionaban los tatuajes. Era una tía rara. Apenas platicaba con nosotras, ni siquiera cuando coincidíamos, aquí, en el camerino. Mientras que las demás hablaban de novios, de la novela de la televisión o de canciones de moda, ella se quedaba en una esquina, sin levantar los ojos de revistas donde salían famosos. A través de Jacqueline nos llegamos a enterar de que estaba agobiada por las deudas, y que pensaba irse del Manhattan porque el dinero que le pagaban aquí no le era suficiente.

El inspector se quedó meditando unos segundos.

—¿Tenía novio?

—¿Quién puede tener novio trabajando en esto?

—Tú no solo tienes el cuerpo de piedra, sino también el corazón, Cora. Pero el que tú seas así no significa que todas las *teiboleras* del mundo simplemente se dediquen a bailar y acostarse con clientes, como haces tú. Cuéntame, venga, cuéntame más cosas de Ivonne, que no he venido a perder el tiempo.

El inspector hizo un gesto nervioso de consultar el reloj, como diciéndole que no tenía la noche para ella y que, en efecto, no era jueves y estaban hablando de trabajo, exclusivamente de trabajo. Machuca no perdía la mínima oportunidad de mostrarle su superioridad a Cora, pero solo podía hacerlo cuando se presentaba ante ella como el inspector de la comisaría de la delegación del Distrito Federal y no como mero cliente. Solo en un momento como este, ella sintiendo el aliento turbio del policía, Machuca se sentía poderoso. No le gustaba verse pequeño delante de ella. Nadie lo podría entender, y menos en un país como México, pero cuando Cora se desnudaba y le mostraba su cuerpo esculpido en granito, sus curvas perfectas, el inspector se quedaba hipnotizado, y dispuesto a hacer cualquier cosa que ella le pidiera por poseerlo. Con las preguntas afiladas que le lanzaba a Cora, todo volvía a la normalidad: él era el macho. Ella, la hembra que solo está para complacer.

—¿Que si tenía novio Ivonne? —preguntó la bailarina.

Machuca la apremió con la mirada. No quería que Cora lo engañara. Un día le había dicho que sus palabras eran tan reales como sus orgasmos.

—Haré la pregunta de otra manera. ¿Tenía a alguien? ¿Un chulo, un tipo, no sé, alguien? Tengo mis dos oídos totalmente abiertos para escucharte, que seguro que tú sabes. Cuéntame la verdad.

—Ahora recuerdo que más de una noche la han recogido en un coche deportivo.

—¿Un coche deportivo?

—Sí, uno de color blanco, de esos americanos.

—¿Recuerdas la marca?

—Yo no entiendo mucho de eso, pero creo que era un Ford. Ah, y llevaba techo eléctrico. De eso sí que me acuerdo porque un día, después de subirse al coche, Ivonne sacó la cabeza por él para que todo el mundo la viera, como si se sintiera una reina, por encima del bien y del mal. Ese día se había pasado con la coca.

El inspector procesó rápidamente todos los datos que le había proporcionado Cora. Un coche así solo podía ser el del Chino. Además, al narquillo lo había visto en la parroquia del Obispo el día que atacaron a la Santa Muerte. Ivonne tenía el pecho izquierdo tatuado con la misma imagen. Clic. Una pieza acababa de encajar en otra. Clic. Con demasiada facilidad.

—¿Cuándo fue eso? ¿Cuándo viste a Ivonne haciendo la loca en el Ford?

—No hace mucho, creo que la semana pasada. Concretamente, el jueves.

—El jueves es imposible porque tú estabas librando, o eso me dijiste, que no podíamos vernos porque tenías cosas que hacer.

Cora arrugó el ceño e intentó apartar los ojos de la mirada del inspector, pero Machuca se los buscó. Quería comprobar que le decían la misma mentira que sus labios. Cora, la mentirosita, otra vez con sus fantasías. Cora, la misma que le decía que era el mejor amante del mundo después de guardar en su bolso el puñado de pesos que le daba cada semana por media hora de placer.

—¡Ah, es verdad! Es verdad que fue jueves, pero de la semana anterior. A veces una se pasa aquí en el Manhattan tantas horas a oscuras que no sabes si es lunes o domingo.

Su voz sonaba igual que la de un niño que ha sido pillado en falta y está buscando una excusa. Machuca abandonó el camerino sin ni siquiera despedirse de ella. No quería que Cora le contara más mentiras. Ahora le tocaba al Chino.

Ocho

CUANDO SUBIÓ AL FORD MUSTANG, DISPUESTO A abandonar la Zona Rosa, se encontró con un par de llamadas perdidas de la fiscal Chacalita. Pero no se las iba a devolver. Ignoraba si lo había llamado por el asunto de la bailarina descubierta en la refinería, o para proponerle una cena romántica, con velas y música de Céline Dion. Si era para eso, la mandaría a la mierda, que es lo que había hecho la otra vez cuando le propuso una cita así.

Después de girar por Chilpancingo recibió otra llamada. Pensó que era otra vez Chacalita. Pero respiró aliviado cuando identificó el número del Instituto Forense.

—¿Bueno?

—Le habla Fuentes.

Machuca lo imaginó, con su pelo aplastado, sus gafas de culo de vaso, su aspecto enclenque. Le parecía increíble que los informes que escribía un medio enano como él pudieran mandar treinta años a la sombra a cabrones que creían que dominaban el mundo con sus músculos y sus AK-47.

—La occisa, esto lo tengo clarísimo, murió estrangulada, porque se aprecian cercos violáceos impresos en el cuello, productos de la fuerte presión ejercida sobre la zona, aunque no he encontrado en las excoriaciones provocadas por el homicida ningún resto aprovechable, como un trozo de uña o de piel. Tampoco hay restos de semen, ni de nada. La occisa no fue sometida sexualmente y tampoco le dieron opciones de defenderse. Insisto, he buscado algún resto de piel o epitelio entre sus uñas, pero sin éxito. No le dieron ninguna posibilidad de salvarse. Pero sí hay un detalle interesante.

—¿Cuál?

—La tinta usada para realizar el tatuaje del pecho izquierdo. Tiene una extraña tonalidad. No es una tinta usual.

—¿Por qué?

—Porque la hemos analizado y ofrece unos componentes químicos que no se usan ordinariamente en las tintas destinadas a efectuar tatuajes. Entre sus componentes figura un disolvente tóxico del que hasta el momento no teníamos noticia y que no tardaremos en identificar. Ese componente debe de ser el responsable de que la tinta ofrezca unos colores tan vívidos, tan brillantes. ¿Quiere pasarse por aquí y lo comprueba usted con sus propios ojos?

Machuca le contestó que no. Nada le revolvía tanto las tripas como recorrer las salas del Instituto Forense.

—¿Qué efecto puede tener ese componente?

—Es lo que estamos tratando de averiguar. ¿De veras que no quiere darse una vuelta por el Instituto? Le puedo invitar a un café.

—Olvídalo, Fuentes. Otro día será. Pero proporcióname cualquier dato nuevo que descubras.

—A sus órdenes.

El inspector cerró con un golpe seco su teléfono móvil. Lo que acababa de contarle Fuentes lo había dejado muy intrigado. ¿A quién se le había ocurrido mezclar veneno con la tinta que se usa para tatuar? Definitivamente, la gente se había vuelto loca en el Distrito Federal.

Pensó en Ivonne, la bailarina. Se acordó de una frase que le había dicho Cora en su camerino: la chica tenía muchas deudas. Y había aparecido muerta. En México hay mil formas de morir, y una de ellas es no pagar lo que debes. Quizá, reflexionó Machuca, la chica, en efecto, tenía una púa importante, el tipo que le prestó el dinero se lo pudo exigir y al no poder satisfacer la deuda, de prestamista se convirtió en asesino. La mató estrangulándola. Era una posibilidad tan válida como cualquier otra a estas alturas de la investigación. Tampoco podía descartar al Chino.

Arrancó el Mustang. Le pilló un atasco en el eje uno, y tardó casi media hora en salir de él. Menos mal que las cosas estaban más tranquilas en Reforma. Giró por Matamoros hasta llegar a Jesús Carranza. En el número cincuenta y cuatro encontró lo que buscaba: el garaje del Chino abierto. Dentro de él relucía un Ford de color blanco. El techo eléctrico lo tenía descubierto.

Todo allí era un caos. Se amontonaban la chatarra y los trastos. El Chino estaba comprobando el aire de las magníficas Goodyear Eagle. Para su trabajo era fundamental que las ruedas estuvieran en el nivel adecuado, ni demasiado infladas, ni tampoco con poca presión. Tan malo era lo uno como lo otro. Cuando había que salir huyendo después de hacer un trabajo, el Ford Probe tenía que reaccionar como un cohete. Por eso había que darle muchos mimos y tenerlo siempre a punto.

El Chino no se preocupó al ver el rostro del inspector huronear por su garaje. Tenía un Probe de veinticuatro válvulas y ciento sesenta y tres caballos y se sentía el dueño de la ciudad. No se iba a dejar intimidar porque un policía de ojos cansados le hiciera una visita.

—¿Cómo te va la vida, Chino?

—Ahí va la vida. Trabajando duro.

—¿Y tu socio el Toti? ¿Estáis preparando algún golpe? La verdad es que formáis buena pareja. Yo creo que se siente más a gusto contigo que con su novia. Mira que está buena Evelyn. ¡Qué tetas tiene!

El Chino siguió a lo suyo, sin prestar atención a lo que acababa de decirle el inspector. No le gustaba que en la conversación hubiera aparecido el nombre del Toti, y mucho menos el de su novia.

—Tienes el coche como recién sacado del concesionario. Estoy seguro que todavía huele a nuevo.

—Lo cuido.

—Eso es porque no subes a él a mala gente. Eso también ayuda a que el auto nos dure más. Mírame a mí. Tengo el Mustang, a sus quince años, hecho un toro.

El Chino le dirigió una mirada desinteresada al coche del inspector. No estaba mal. Pero jamás se podría comparar con su Ford de músculo americano y motor japonés.

—Dime, Chino. ¿Cómo vas de mujeres? ¿Te estás tirando a alguna?

El narquillo presionó el manómetro del aire un poco más para llegar al número de bares que necesitaban las ruedas. Quitó el tubo de la máquina de presión y hasta que no le puso el tapón a la válvula del neumático no volvió los ojos hacia Machuca. Tenía el semblante relajado.

—¿Por qué me pregunta eso? Ya sabe que cojo todo lo que quiero. Las hembras están para eso, ¿no?

—¿Te gustan las *teiboleras*?

—Bailan bien.

—¿Y también te gusta como follan?

—No sé.

—Dímelo tú. Hace un par de semanas subiste a una en este coche.

El inspector apartó un rollo de cable que le estorbaba, abrió la puerta del conductor y se colocó al volante. Jugó a meter y sacar la mano por el techo eléctrico.

—Hace dos jueves exactos, Ivonne estaba sacando su cuerpo por aquí. Y hoy ese mismo cuerpo está siendo examinado en el Instituto Forense por un tipo que lleva unas gafas así de gordas.

Machuca puso el dedo índice y corazón a un centímetro de distancia, para demostrarle al Chino que Fuentes estaba más ciego que un topo.

—¿Qué me dices, Chino?

El otro se encogió de hombros, como si la cosa no fuera con él. Eso irritó aún más a Machuca. Parecía que el único que se había conmovido por la muerte de Ivonne era él. Ni Cora ni el Chino habían reaccionado con tristeza o abatimiento. Es como si el asesinato de la bailarina viniera en un guión que todos conocían menos él, y lo único que había ocurrido es que ese guión se había cumplido. A lo mejor, en efecto, era solo una muerta más, de las que aparecen en el DF todos los días. Pero era su muerta.

—¿Qué hiciste aquel día después de recogerla en el Manhattan?

—Me la cepillé en el coche.

—¿Tus trabajitos para el Zar no te dan para pagar un hotel?

—No, a un hotel llevaré un día a mi novia, cuando la tenga, no a una puta cualquiera.

—Y después de tirártela, te la chingaste. ¿Quién trabajó el tatuaje?

El Chino hizo un gesto con el dedo índice. Se lo llevó a la sien, con el fin de que el inspector no tuviera dudas de lo que pensaba sobre él: estaba loco.

Machuca dio una vuelta por el garaje. Miraba distraídamente, que a veces es la mejor forma de descubrir la pista clave, definitiva. Pero la única conclusión que pudo sacar es que al Chino le encantaba vivir rodeado de mierda, de cosas tan inútiles y tan prescindibles como su vida.

Le lanzó una última mirada de reproche y se subió a su Mustang.

—Hasta pronto —le dijo, antes de subir la ventanilla del coche.

Camino de su apartamento en Porfirio Díaz empezó a darle vueltas a la cabeza. El Chino encajaba perfectamente como asesino de la bailarina. Estaba soltero, le iba la marcha y no le costaba imaginarlo sacando del Manhattan a una de las chicas. Se acostó con ella y en vez de pagarle se la quiso llevar a la refinería de Azcapotzalco para que alguien le grabara mientras se la chingaba. Todo habría sido muy fácil para Machuca si el tiempo se hubiera puesto de su parte. Con las huellas de las Goodyear Eagle del Ford Probe en la zona en la que apareció la bailarina, el Chino iba directo a la cárcel. Pero el viento estaba soplando con fuerza desde hacía casi una semana, borrando cualquier huella. Echarle la culpa al Chino no iba ser tan fácil como parecía.

Machuca pensó además que era demasiado evidente. Y siempre se repetía una frase en el momento de iniciar cualquier investigación: en un desfile de elefantes uno no se fija en las hormigas, y a veces la clave está en las hormigas. En la muerte de Ivonne el elefante era el Chino, pero no tenía ni idea de quiénes eran las hormigas. ¿Con quién tenía contraída una deuda gorda la pobre bailarina como para que alguien la hubiera querido matar por no pagarla? ¿Quiénes eran las hormigas?

Estaba filosofando sobre eso cuando el teléfono móvil le avisó de que tenía un mensaje. Se lo había escrito la fiscal Chacalita. En él le pedía que lo llamara urgentemente.

NUEVE

Ciudad de México, 1940

LLOVÍA A CÁNTAROS, DE ESA FORMA DESESPERADA CON la que llueve en Ciudad de México. Pero era un concierto tan esperado que no había ninguna razón para perdérselo. Por eso el Palacio de las Bellas Artes estaba a reventar a pesar de que la lluvia arreciaba con fuerza.

Empezó a sonar la obertura de *Parsifal*, de Wagner, la ópera que venía en el programa esa noche. Sin embargo los espectadores se desentendieron de lo que ocurría en el escenario. Se creó un murmullo creciente dentro del Palacio y todas las cabezas se giraron, orientándose hasta uno de los palcos. Allí, vestida con su traje de tehuana, recubierta de alhajas indígenas, el pelo adornado con un tlacoyal de lana negra, puesto a modo de serpentina, sonreía a todo el mundo una mujer: Frida Kahlo. Era una sonrisa tímida, cohibida, que se acomodaba perfectamente a su cuerpo menudo, que apenas se veía desde el balcón que acababa de ocupar. Iba llena de collares, anillos y brazaletes, que tintineaban como si todas las campanas de la catedral se hubieran puesto a repicar a la vez.

Una salva de aplausos, la más grande de toda la noche, explotó desde abajo, y Frida Kahlo no tuvo más remedio que corresponder con una reverencia de agradecimiento. La gente aplaudió durante un minuto largo, intentando al mismo tiempo encontrar al lado de Frida la figura de mastodonte de Diego Rivera. El elefante y la paloma, eso parecía la extraña pareja que formaban los dos pintores. Pero no, la única persona que la acompañaba esa noche era Cristina, su hermana, de la que todos los hombres decían que era infinitamente más bella que Frida, objetivamente más bonita, hasta el punto de seducir al propio Diego Rivera, y sin embargo, era incapaz de igualar el magnetismo que irradiaba Frida, incapaz de robarle todo el protagonismo a la pequeña Frida, que optó por tomar asiento. Se sentía cansada. La última operación a la que se había sometido no había mejorado en mucho su maltrecha columna, hecha polvo desde aquella tarde lluviosa en que la muerte la jaló con fuerza. Pero Frida fue más fuerte.

Los aplausos no cesaron. Fue más de un minuto. Esa noche Frida, diminuta, tullida, sonó con más fuerza que Wagner.

Y a ninguno de los espectadores que llenaba el Palacio de las Bellas Artes se le escapó la mirada luminosa que encendía el rostro de Frida, los ojos llenos de vida, a nadie se le escapó eso, ni tampoco el beso que le dio en las mejillas a su hermana Cristina, la misma que hasta hace unos meses había estado acostándose con su marido, ese elefante adorable llamado Diego Rivera.

Mientras sonaban las primeras notas de *Parsifal*, en la avenida Londres de Coyoacán, frente al número siete, acababa de aparcar un Buick.

Frida estaba disfrutando del concierto, saboreando cada nota. Se había vestido cuidando hasta el más mínimo detalle, sin olvidar unas gotitas de Blue Grass que la hacían oler como una diosa. ¡Tenía tantas ganas de aparecer en público! ¡De respirar el aire de la calle! Pero no había podido hacerlo en meses, los mismos que su hermana Cristina anduvo haciendo algo más que coquetear con Rivera. ¿Cómo pudieron hacerle eso? La pregunta no se la había hecho aquella noche, sus manos cogiendo de vez en cuando las de Cristina, la misma a la que quiso acuchillar cuando la vio salir despeinada de la habitación de su marido. No hizo falta que le preguntara nada, bastó ver sus facciones relajadas, de deseo enteramente satisfecho, para darse cuenta de lo que había ocurrido, no le hizo falta preguntarle qué diablos hacía ella allí, ordenándose el pelo apresuradamente, porque encontró la respuesta en el rostro complacido de Diego Rivera, el mismo que le había descubierto ella desde el primer día en el que se acostaron.

Conocía esa blandura que le descolgaba aún más las facciones a Diego, esa respiración que no terminaba de acompasarse, tardando minutos y minutos en recuperar el oxígeno gastado, sus pulmones pequeñitos, demasiados pequeños para permitir grandes esfuerzos a un mastodonte como él, él, insólitamente feo, y sin embargo, capaz de ejercer un poderoso magnetismo que atraía a todas las mujeres con la misma fuerza que el hierro se va corriendo detrás del imán, una fuerza tan irresistible que ni siquiera pudo librarse de ella Cristina.

Parece increíble que todo eso haya ocurrido, viendo a las dos hermanas allí, intercambiando gestos de amor, caricias que hacen juego con las notas de Wagner. ¿Tan grande era la capacidad de perdón de Frida? Porque aquella historia entre su hermana y Diego no había sido como las demás, las otras. A fin de cuentas, había dos artes para las que Diego Rivera estaba genéticamente preparado: para la creación y para la infidelidad. Y se pasó la vida pintando murales y seduciendo a mujeres. Ni un año respetó a Frida, poniéndole los cuernos a los pocos meses de casarse, sin complicarse mucho la vida, porque le gustaba demasiado la modelo con la que se encerraba horas y horas de extenuante trabajo como para no acostarse con ella. Frida lo perdonó, como tantas veces, hasta que llegó lo de Cristina. Aquello era demasiado. Nunca Frida había sentido tanto dolor, salvo cuando aquel pasamanos del tranvía se le metió por la pelvis, convirtiéndola en un tullida de por vida, cuando solo tenía dieciocho años. Y sin embargo, ahí estaba, dedicándole gestos cariñosos a Cristina, espiada por los espectadores que no querían perderse ni un detalle de la primera aparición pública de Frida después de tantos meses de reclusión, en los que se llegó a comentar que se había suicidado.

¿Qué había producido ese cambio? ¿Por qué esa noche lucía más luminosa que nunca? Jamás había escogido colores tan vivos para sus vestidos de tehuana, a los que era tan aficionada, nunca había recurrido a tantas alhajas para subrayar su belleza incomprensible. ¿Qué había pasado? ¿Era quizá la sensación de victoria, de que, nuevamente, ella había ganado? Porque Rivera había tenido una aventura con su hermana, pero era como las demás, había acabado igual. Cristina no era distinta. Diego la había usado, y después no quiso saber más. Diego se acostaba con muchas mujeres, pero siempre volvía al origen. Y el origen era Frida. ¿Era esa la razón?

A esa pregunta solo podía responder un hombre. Un hombre que ahora oyó un frenazo desde su despacho que le habían preparado en la Casa Azul: León Trotsky.

DIEZ

LA SEGUNDA MUERTA SE LLAMABA JOHANNA Y TAM-
bién era bailarina. Había sido encontrada por un
vecino, que se la había topado mientras hacía su
ronda nocturna paseando el perro. Fue el animal el que se
vio alertado por el aroma fétido de un bulto que yacía
inerte junto a los mismos restos de la refinería en los que
había aparecido la primera. La muchacha no tenía más de
dieciocho años según contaba el periódico. La fiscal Chacalita lo tenía desplegado sobre la mesa. Leyó la página
entera por si acaso había alguna alusión a ella. No sería la
primera vez que *El Universal* la tacharía de incompetente.
Como si ella pudiera hacer algo en el Distrito Federal por
evitar una sola muerte. Aquella, la que venía en la página
treinta y ocho, justo antes de la sección de los deportes,
era tan inevitable como tantas otras. El DF era así.

Levantó los ojos del periódico. Alguien empujaba la
puerta de su despacho. Torció el gesto cuando descubrió
la figura del inspector Machuca. Iba con la ropa empapada. Lo había sorprendido un aguacero.

—¿Se puede? —preguntó.

—Siempre y cuando no me manche la moqueta. Tiene la misma pinta que un perro mojado. Y huele exactamente igual de mal.

El inspector dio una vuelta por el despacho antes de desprenderse de su gabán y tomar asiento.

Chacalita tenía cara de palo. No le sorprendió la bienvenida que le había dado. La fiscal le tenía reservado un oscuro rencor que arrancaba de una noche ya remota, mucho antes de que una chica llamada Cora se pusiera a bailar en el Manhattan. Ella no era todavía fiscal de la Procuraduría General de Justicia de la República, aunque todo el mundo sabía que iba a conseguir ese puesto. Él era lo mismo que ahora, un policía derrotado. Estaban en una cantina cerca del Zócalo y a los dos se les había ido la mano con el tequila. El Don Julio puede ser tan traicionero como el Herradura si no se toma en la dosis adecuada. El inspector sintió cómo Chacalita le hablaba cada vez más cerca, tanto que terminó robándole un beso al que siguieron muchos más. Se levantó para pagar las consumiciones que habían tomado y se marcharon. Subieron al coche de ella. Machuca estaba muy mareado. La noche se puso tonta. Llegaron al amplio apartamento que la fiscal tenía pegado al bosque de Chapultepec, en La Condesa, justamente en la esquina de Vicente Suárez y Campeche. La fiscal tardó cosa de un minuto en quitarse toda la ropa, poseída por el deseo, y aún menos tiempo en dejar a Machuca totalmente desnudo. Se pegó a él, como una pegatina, frotándose furiosamente, buscando ser penetrada hasta lo más hondo. Pero ella, que estaba acostumbrada a que todo el mundo hiciera lo que quería, esta vez no se salió con la suya. El inspector, sin apartar la mirada de las carnes flojas de la fiscal, recogió sus ropas, se dio media vuelta y se fue, sin acabar el trabajo que había empezado. Chacalita nunca se lo había perdonado.

El inspector Machuca examinó el despacho de la fiscal. Estaba tan desordenado como su apartamento. Por todos sitios había carpetas de expedientes sin resolver.

—Se le acumula el trabajo —observó.

—También a usted. ¿Ha leído el periódico?

La fiscal tenía los ojos vidriosos, las mejillas enrojecidas. Machuca encontró la explicación en un vaso de cristal que reposaba sobre la mesa. Solo le quedaba un dedo de un líquido tirando a oscuro que el inspector sabía con absoluta certeza de qué se trataba: Herradura Reposado.

—Sí, vengo precisamente de la refinería. He querido hacer una segunda comprobación. No sé, buscar algún dato, algún detalle, que me pudiera llevar a descubrir qué es lo que está pasando.

—¿Y bien?

Machuca lanzó un resoplido. Pasó los dedos por la mesa de nogal, deteniéndose en uno de los cantos, adornado con leones esculpidos. Parecía un mueble de otro tiempo. El inspector se preguntó de dónde habría salido. Luego se pasó la mano derecha por la cabeza intentando peinar los pelos mojados.

—No he encontrado ninguna rodada en el camino. Hasta el tiempo está en mi contra. Ya ha visto el día tan malo que tenemos. Ha estado soplando el viento con fuerza durante los últimos tres días, barriendo cualquier huella.

—¿Y en el cadáver? ¿Ha visto algo especial?

—Ahí está la cosa. A la chica también le han tatuado el pecho izquierdo con la imagen de la Santa Muerte.

La fiscal Chacalita soltó un gruñido.

—Mire, inspector, que se produzca en la ciudad un crimen más o un crimen menos me trae sin cuidado, pero que ande por en medio la Santa Muerte no me gusta nada. Conozco al Obispo ese. Una vez entró en este mismo despacho exigiéndome que mediara ante las autoridades para que reconocieran institucionalmente a su religión o asociación, o lo que diablos sea eso. No me cae bien. Lo veo capaz de hacer cualquier cosa por conseguir sus propósitos, sean los que sean. Y lo peor es que todavía no los conocemos.

—¿Está insinuando que el Obispo puede tener algo que ver con las dos muertas del *Monte de las hormigas*?

Chacalita hizo oscilar su cabeza en un movimiento ambiguo, un balanceo que no llegaba a significar ni un sí ni un no.

—¿Han aparecido destrozados más altares de la Santa Muerte? —preguntó la fiscal.

—En las últimas cuarenta y ocho horas, no. ¿Acaso ve una conexión entre una cosa y otra?

Esta vez la fiscal fue más clara. Movió la cabeza, en sentido afirmativo. Había sacado la misma conclusión que Machuca: había un hilo, por muy fino que fuera, que conectaba los dos hechos que estaban llenando las páginas de los periódicos últimamente. No le gustaba estar de acuerdo con la fiscal en nada, pero en ese punto su modo de ver las cosas coincidía con el de Chacalita. El inspector incluso había llegado más lejos aún: había fabricado una teoría. Se la expuso mientras la fiscal apuraba el contenido del vaso de un solo trago. Los labios se le quedaron brillantes. Machuca se fijó en que los tenía más gordos de lo habitual. La fiscal había hecho una nueva visita al cirujano para que le inyectara ácido hialurónico. Desde hacía unos meses estaba empeñada en parecer más joven y hacía cosas raras.

—Allá va mi impresión, fiscal. Alguien se está dedicando a vengar cada uno de los ataques que sufre la Santa Muerte. De hecho, la primera muchacha apareció justo un día después del asalto a la parroquia del Obispo, en Tepito. La segunda, también.

—¿Y por qué saca la conclusión de que las muertes son obra de un solo individuo?

—El tatuaje del pecho izquierdo es el mismo.

—¿Y eso?

Machuca se levantó y fue a buscar el gabán. Metió las manos en los bolsillos. Había tenido cuidado de que ese papel no se mojara. Se lo había remitido por fax Fuentes. El inspector desplegó la hoja.

—La tinta usada en las dos muertas es la misma. Usa un componente especial capaz de crear colores tan brillantes como los utilizados para tatuar la Santa Muerte en el pecho de las desgraciadas.

Chacalita le echó un vistazo rápido al papel y se lo devolvió al inspector sin prestarle mucha atención, como si tampoco tuviera en gran estima a Fuentes y no se fiara de sus informes.

—¿Tiene el ordenador encendido?

—Sí. ¿Por qué? —preguntó la fiscal.

—Creo que hay algo que le puede interesar.

La fiscal se giró hacia el ordenador, sin mucho convencimiento.

—¿Qué es lo que tengo que buscar?

Machuca le dio la misma dirección de Internet en la que Figueroa había encontrado las imágenes de la muerte de las dos chicas. Había sido su colaborador el que había apreciado una diferencia entre la primera y la segunda: en la última, casi al final de la grabación, aparecía un mensaje: *Me obliga el diablo*. La fiscal Chacalita siguió las instrucciones del inspector y jugó con el ratón del ordenador hasta que encontró el mismo detalle con el que se había topado Figueroa.

—*Me obliga el diablo* —leyó—. ¿Qué significa esto?

—Alguien ha querido firmar su obra maestra metiendo al diablo por en medio.

—¿Y qué es eso de *Me obliga el diablo*?

—Según Figueroa, que sin duda entiende más de informática que usted y yo, es una clave de alguien que está jugando a despistarnos, una frase encriptada, creo recordar, por utilizar palabras de Figueroa, que cree que quien está detrás de ese mensaje es una persona más bien joven.

La fiscal miró a Machuca con un rostro sin expresión, como si el inspector le hablara de ciencia ficción. Tardó más de un minuto en hablar.

—¿Y por qué deduce que esto es cosa de jóvenes que usan la informática para jugar a volvernos locos?

—Hay un detalle interesante que avala mi teoría. Ivonne, la primera de las muertas, se subió al coche del

Chino poco antes de aparecer en Azcapotzalco con el cuerpo tatuado.

—No siga por ese camino.

—¿Por qué?

—Usted sabe, como yo, que el Chino es uno de los hombres del Zar. Y eso son palabras mayores.

Claro que Machuca sabía perfectamente lo que representaba en el DF el nombre del Zar. Era él, y nadie más, el que decidía sobre la vida y la muerte, el que poseía los destinos de tantas almas empezando por la suya, que era un pobre policía con una hija muerta.

Le costó darle la razón a la fiscal de nuevo: en efecto, no era buena idea meterse con el Zar. Pero la realidad era que había suficientes indicios para sospechar del Chino.

El teléfono que Chacalita tenía sobre la mesa repiqueteó. Ella lo atendió con displicencia y alguna palabrota. Toda la ciudad conocía que la fiscal tenía malas pulgas. Se levantó del sillón. Machuca aprovechó la ocasión para examinar su cuerpo. Por mucho que se pusiera en manos de la cirujía, aquello no tenía arreglo. Se felicitó por haberle dicho que no aquella vez que se le puso a tiro.

—Además, usted me dijo que cuando se produjo el primer ataque a la Santa Muerte le habían rodeado un montón de chicos jóvenes con caras hostiles. ¿Cómo me dijo que los había definido ese Obispo?

—Soldados de la Fe.

La fiscal reprimió a duras penas una carcajada.

—Así que Soldados de la Fe… Bueno, cualquiera de ellos podría haber cometido esos crímenes de Azcapotzalco. ¿No le parece?

Asintió. El inspector Machuca no tenía muchas razones para llevarle la contraria a la fiscal ni para colocarse a su lado en esa teoría. No era más que eso, una teoría. Y con teorías no se metía a nadie en la cárcel, o no convenía hacerlo.

—Disculpe, pero tengo que hacer cosas más importantes.

—¿Qué piensa hacer con las muertas?

—De momento, nada. Tráigame pruebas y veremos. Pero yo no tardaría demasiado tiempo en interrogar al Obispo. Y olvídese de las teorías informáticas, de mensajes encriptados y de toda esa mierda. Pruebas, solo pruebas.

Pero, por la forma urgente en la que lo empujó hacia la salida, el inspector tuvo claro que lo que menos le apetecía a la fiscal era que apareciera de nuevo por el despacho con algo que tuviera que ver con el caso, fueran pruebas que incriminaran a un obispo o a un cardenal. Antes de abandonarlo reparó una vez más en las montoneras de expedientes que atestaban la sala. Eran carpetas y más carpetas que la fiscal Chacalita no tenía la menor intención de abrir. Lo único que abre esta mujer son botellas de Herradura, se dijo Machuca, antes de despedirse de ella con un gesto breve.

ONCE

CUANDO ENCENDIÓ EL MOTOR DE SU MUSTANG, EL
inspector Machuca le dio vueltas a la conversación
que acababa de tener con la fiscal. Cada vez la veía
más pasota. Todo le importaba un pimiento. Se preguntó
qué había hecho él para merecer la compañía de gente tan
rara, y no lo decía solo por Chacalita. A Figueroa también
había que echarle de comer aparte. Con sus chistes malos,
con sus ideas infantiles, con el miedo siempre pegado al
culo. Quizá por eso llegaría un día a viejo. Igual él también, con un poco de suerte, lo conseguiría. A fin de cuentas tampoco era tan difícil sobrevivir en México DF. La
clave era no meterse en líos. Aún recuerda la frase que le
soltó uno de sus superiores cuando empezaba en esto de
intentar arreglar el mundo persiguiendo a malhechores:

—El DF te viene demasiado grande. Esta es una ciudad para listos o para locos. Y tú no eres ni una cosa ni
otra. Además, hay mucha contaminación.

Afortunadamente, Machuca no se vio muy afectado
por esas palabras. Entonces era joven y pensaba que se

podía comer el mundo. Su hija Lucía vivía. Tenía una mujer que lo quería. Ahora, sin embargo, la única chica con la que tenía algo que ni siquiera se podía llamar relación era Cora.

Quiso verla. No había nadie que lo esperara en casa y le apetecía sentir cerca el cuerpo siempre caliente de la bailarina. Así que, en vez de tirar para Porfirio Díaz, enfiló hacia la Zona Rosa. Afortunadamente, no se encontró mucho tráfico en Insurgentes.

Esperó a que acabara su número sobre la tarima del Manhattan. Apoyado en la barra, abrió bien las orejas. Igual alguien sacaba a colación el nombre de Ivonne o de Johanna. Sus muertes estaban todavía recientes. Pero es como si no hubieran ocurrido. Allí dentro se tomaban los mismos tragos de siempre y miraban a las bailarinas con los mismos ojos de siempre.

Cora acabó el baile en medio de silbidos. El único que la aplaudió con fuerza fue Félix desde su puesto de pinchadiscos. Puso mala cara cuando vio que el inspector Machuca entraba con ella en su camerino.

—Cada vez bailas mejor, Cora.

—Dios me dio esa habilidad para moverme.

Y no solo sobre la tarima, reflexionó Machuca. En la cama se movía con la misma elasticidad de pantera. Recordó el último polvo que había echado con ella y se excitó. Igual le proponía que se acostaran hoy, aunque no era jueves. Llevaba dinero fresco en el bolsillo y no le importaría gastárselo en ella. Pero antes debía hacerle unas preguntas.

—¿Te han contado ya lo de Johanna, no?

—Sí, ayer me enteré.

—¿Y qué me puedes decir de ella? ¿También era rara, como Ivonne?

—No sé qué decirle, inspector, a Johanna no llegué a conocerla. Era nueva, pero no parecía mala chica.

—¿Qué tipo de hombres la frecuentaban?

—Lo típico, clientes dispuestos a pagarle. ¿Qué quiere que le diga?

—¿Le viste alguna vez con el Chino?

—No, al Chino solo lo vi con Ivonne. Pero eso ya se lo dije. ¿Sospecha de él?

—¿Tú lo harías?

—Yo solo soy bailarina, no policía.

—Esa no es una respuesta.

—Sí lo es, la única que puedo darle.

—Otra cosa. Quiero que estés con los ojos bien abiertos, y no lo digo porque alguien pueda lastimarte. En Azcapotzalco han aparecido dos bailarinas y no me gustaría encontrar una tercera ¿entendido? A lo que iba, sigo sin resolver el robo de la galería Babel. Se cargaron al empleado.

—¿Quién?

—No lo sé. Solo te puedo decir que la galería apareció llena de casquillos de AK-47. Pero necesito más datos. Cualquier cosa, cualquier detalle que puedas pillar aquí, que te diga un cliente antes o después de quitarse la ropa, me lo cuentas. Estoy buscando la cinta en la que supuestamente se grabó todo. Alguien se la ha llevado y no fue el mismo que perpetró el robo.

—¿Por qué?

—Porque la central a la que anda conectada la cámara de seguridad informa que el aparato estuvo funcionando con normalidad hasta el 23 de enero, o sea, tres días después de que robaran el cuadro.

—¿Tan importante es?

—Los periódicos dicen que sí, que era de la pintora esa tan famosa, Frida Kahlo. ¡Pero vete tú a saber! Los periódicos mienten más que las mujeres.

Ella lo miró con desdén. No le gustaba el comentario que le acababa de dejar Machuca en el camerino. Él se dio cuenta y ensayó un gesto de disculpa. Lo reforzó con una sonrisa.

—Esta noche quiero verte.

—Pero hoy no es jueves, inspector.

—No importa. Prefiero que estés conmigo a que lo hagas con cualquiera de esos hombres de abajo. Cualquiera de ellos puede ser el asesino, y no me gustaría que te pasara nada.

—No se preocupe.

Y es verdad, Machuca veía a Cora con tanta fuerza, tan segura de sí misma, que no podía imaginarla dejándose dominar por ningún hombre. Solo él era capaz de controlarla. Nadie la conocía como él. Eran muchos pesos los que le había dado y la conocía perfectamente, tanto como para no fiarse de ella.

Le dio un beso en la boca, pillándola desprevenida. Ella sonrió, con tristeza.

DOCE

—A UN PUTICLUB O A UNA SACRISTÍA. USTED ELIGE.
La frase se la había soltado Freddy Ramírez
la última vez que lo había visto, en su casa,
después de leerle un capítulo más de la historia que estaba
escribiendo sobre los amores de Frida y Trotsky.

La investigación se le había quedado a Daniela Ackerman en un punto muerto, tanto como para pensar que
ya nada le quedaba por hacer en México DF. Eso ya lo había sentido una vez en su vida, hacía tres años y dos meses.
¿Dónde estaría metido ahora Marcelo? ¿De verdad se había convertido en el mejor abogado de la capital, como le
prometió cientos de veces? Qué importa. Marcelo era solo
un mal recuerdo, el peor recuerdo.

Antes de salir a la calle se miró en el espejo. No le
gustó el aspecto que tenía. Llevaba solo una semana en
México y ya echaba de menos al doctor Orenes. Lo había
conocido por casualidad, como la mayoría de las cosas
buenas que nos pasan en la vida. Coincidieron en la cuarta
planta de la FNAC de Callao. Ella andaba buscando *El*

Manco Moretti, un libro de un tal Diego Pedro López Nicolás. Orenes lo conocía. Intercambiaron algunas palabras. Él le contó algo de su profesión. Daniela se guardó a que se dedicaba ella. Y pasado un tiempo terminó en su consulta. Le habían aparecido unas manchas solares en la cara y en el dorso de las manos y acudió a su clínica para quitárselas. El resultado fue tan bueno que a partir de ese momento Daniela Ackerman empezó a hacerle visitas regulares. Y aunque había cruzado la peligrosa frontera de los treinta años, gracias a los buenos tratamientos que recibía iba frenando la amenaza de las arrugas.

Antes de darse un último vistazo en el espejo, se sintió culpable. Se acordaba más del cirujano que de su padre. Tenía que haberse despedido de él antes de viajar a México. Lo tenía muy abandonado. Es verdad que él se portó muy mal con ella, cuando era niña, pero ni siquiera eso era motivo para que Daniela jamás lo llamara para preguntarle, al menos, cómo estaba.

Salió del Fontán, muy triste.

Ahora estaba buscando la parroquia del padre Zanetti. Freddy Ramírez le había dejado anotada la dirección. Y le había avisado. Cuidado con el padrecito. ¿Y eso, es un tipo peligroso?, había preguntado ella. No, no… le digo que tenga cuidado porque le gusta a todas las feligresas. Yo no creo en Dios, le respondió ella.

La calle era abandono y sordidez. Un hormiguero de gente se concentraba alrededor de los puestos callejeros. El olor a aceite requemado empezaba a marear a Daniela, que no terminaba de dar con la dichosa parroquia. ¡Vaya mierda de detective que estoy hecha!, se reprochó, imaginando la mueca decepcionada que le dedicaría su jefe si la viera así de perdida.

Cuando ya estaba a punto de desmayarse, aplastada por el calor y los olores, encontró el cartelito que tanto andaba buscando: Parroquia de San Antonio. La iglesia de los narcos. Eso le había dicho, enigmáticamente, Freddy Ramírez. Enseguida le encontró sentido a la frase del pobre periodista. Le bastó con ver su imagen reflejada en el mármol veteado del suelo, los pesados cortinajes, la madera noble de que estaban hechos los bancos que se alineaban a izquierda y derecha. Más que una parroquia, aquello parecía el *hall* de un hotel, de cuatro estrellas, como mínimo.

Daniela avanzó por el pasillo central. El retablo no le defraudó. Allí había casi más oro del que se necesita para abastecer a todas las joyerías de la calle Serrano durante un mes. Daniela miraba todo aquello con un punto de asombro y al mismo tiempo de aprensión. No le iban los curas ni ese rollo. Examinaba con atención el contenido del retablo, sabiéndose observada.

—¿Qué anda buscando?

Llevaba el pelo engominado. La cara le brillaba. Seguramente acababa de afeitarse, y antes de salir del baño, se había aplicado una crema cosmética. Le sonrió seductoramente. Más que de una sacristía, parecía sacado de una revista de moda.

—En cualquier caso, venga a lo que venga, bienvenida.

Le dio la mano. Notó un tacto suave que hacía juego con su sonrisa amplia.

—Necesito que me ayude en una investigación. Vengo de España buscando algo que creo que anda por aquí. Algo que tiene mucho valor.

El padre Zanetti la miró sorprendido. Hizo un mohín extraño. Aquello podía ser un asunto bueno o malo, pero en cualquier caso, estaba tan intrigado que no pudo evitar invitarla a un café.

—Aquí cerca hay una cafetería estupenda.

A Daniela le sorprendió aquel comentario. Sería que los curas mexicanos son muy modernos, o que no pisaba una iglesia desde niña, porque pensaba que el padre Zanetti le pediría que entrara en la sacristía, y allí la animaría a que le contara qué estaba buscando en la ciudad. Pero el único que entró en la sacristía fue él, para volver a los pocos minutos despojado de las ropas severas con que la había recibido. Un cura con vaqueros. ¡Vaya! Si no fuera por el alzacuello pensaría que me lleva al café para intentar ligarme, pensó Daniela, sus tacones resonando rítmicamente sobre el mármol pulido. Estuvo a punto de decírselo. Yo esperaba que usted fuera un cura de sotana y latines. Pero optó por guardarse ese comentario.

Al salir de la iglesia, Daniela se fijó en la presencia de un tipo exageradamente alto. Era imposible no fijarse en él, midiendo lo que medía, quizá dos metros, o incluso más. Parecía un jugador de baloncesto retirado. Él también se dio cuenta de la extraña pareja que acababa de salir de la parroquia. Y los siguió, a prudente distancia, hasta que llegaron a la cafetería.

Quedaba una mesa libre. La televisión estaba a todo volumen, igual que las conversaciones. Ella pidió un solo, él un café con leche y un botellín de agua. Nadie miró con extrañeza al padre Zanetti. Parecía un cliente habitual.

—¿Cómo me ha dicho que se llama?

—Daniela, Daniela Ackerman.

—Ackerman, Ackerman… un apellido poco usual para una española ¿no le parece?

—Mi abuelo era alemán, pero acabó viviendo en España.

—¿Y eso?

—Perdió una guerra. Y cualquier sitio era mejor que Berlín después de cómo la dejaron entre Hitler y los rusos. Así que optó por venirse a Madrid, donde no le fue mal.

—¿A qué se dedica usted, señorita?

—Acabé la carrera de Derecho, pero nunca he ejercido. No era mi vocación. Y encima, todavía sufro pesadillas pensando que tengo que presentarme al día siguiente a un examen, de Penal, o de Mercantil. Cuando me di cuenta de que mi futuro no estaba en un bufete, me colé en una agencia de detectives recién montada. Al principio me dedicaba a llevar los cafés. Pero solo al principio. Siempre he sido buena en lo mío. Encuentro lo que busco.

—¿Y qué está buscando aquí?

—Un cuadro de mucho valor.

—¿De cuánto?

—De tanto valor como para matar por él.

El padre Zanetti no reaccionó de manera especial. Simplemente buscó con los ojos al camarero, que se había olvidado del café de Daniela. Con sus gestos tranquilos conseguía aparentar indiferencia.

—A mí me encanta el arte. Ordenarme sacerdote me ha permitido acercarme a un montón de obras maestras que la Iglesia pone al servicio del mundo.

—El cuadro que busco lo pintó una atea.

—No existe la obra perfecta.

El padre Zanetti desenroscó la botella de agua mineral y volcó parte de su contenido en un vaso.

—Es un cuadro que Frida Kahlo quiso regalarle a Trotsky.

—Caramba, ¿es que usted solo conoce a ateos? Me da doble ración y, además, con el estómago vacío.

Echó un vistazo rápido a la oferta del mostrador. Pero nada pareció convencerle. Los Donuts y las tortitas de chocolate estaban prohibidos. Nada de dulces, nada de bollería, solo aquello que alimentara de verdad a su cuerpo y a su espíritu. Buenos libros, comida sana y mucho ejercicio. Así que volvió a su botella de agua.

—Y me dice que Frida quiso regalarle ese cuadro al ruso.

—Eso es.

Había una mueca burlona en la cara del cura. Daniela no sabía si tomarlo en serio o no. Intentó concentrarse en el alzacuello para creer algo de lo que le dijera aquel tipo de modales tan desenvueltos, y que le recordaba a Montgomery Clift en la película esa de Alfred Hitchcock. ¿Cuál era el título? Le estaba dando vueltas a la cabeza, pero no recordaba su nombre. Lo tenía en la punta de la lengua, pero ahí se le quedaba. El cura miró de nuevo a la barra. El hombre larguirucho engullía un Donut ayudado por un líquido azulón. Pero era capaz de hacer dos cosas a la vez y al mismo tiempo que se metía calorías en el cuerpo, no le quitaba ojo a la pareja que charlaba animadamente en una de las mesas. El padre Zanetti se dio cuenta, pero volvió a lo suyo.

—¿Y por qué no le regaló el cuadro Frida? ¿Se arrepintió?

—No. Se lo robaron.

—Y usted ha venido a por él.

—Más o menos.

Se abrió un silencio. Durante unos segundos solo se oyó el sonido de un televisor de plasma que colgaba de una pared, en una esquina. El locutor informaba de nuevas movilizaciones del Peje. El paseo de la Reforma estaba tomado por decenas de tiendas de campaña. Algunos manifestantes llevaban camisetas del Che. Otros mostraban grandes cartelones con la imagen de Lenin. Pero se imponía un color, el amarillo del PRD se había adueñado del corazón del Distrito Federal, convirtiéndolo en un caos. Eso decía la voz en off.

—¿Qué le parece lo que está haciendo López Obrador? No paran de llamarlo presidente legítimo, aunque perdió las últimas elecciones.

El padre tenía la respuesta preparada. Desde hace mucho tiempo.

—Aquí parece que el país está quebrado, dividido entre los que defienden al Peje y los que votaron al PAN en las últimas elecciones. La izquierda y la derecha, ¿no? Pero la única división la marca una línea, la de la frontera. Y todos quieren estar al otro lado del Río Bravo. Lo más extraño es que usted esté de esta parte y no mezclada entre los gringos. ¿Por qué me vino a buscar a mí, hacer tantos kilómetros para llegar aquí? ¿No me diga que le ha enviado algún periódico a contar lo que está pasando en mi país? —le preguntó el padre Zanetti, girándose para señalar con un dedo la pantalla de la televisión, ocupada totalmente por una mancha amarilla que rodeaba al Peje. El líder del PRD hacía la señal de la victoria, mientras escuchaba el grito unánime de ¡presidente, presidente! La plaza del Zócalo estaba atestada de simpatizantes del PRD.

—Alguien me dijo que usted conocía gente importante. Debe conocerla, teniendo en cuenta el mármol que tiene en la parroquia.

—Los feligreses son muy generosos.

El padre Zanetti había abandonado la sonrisa que parecía venir de serie con su boca. Ahora su gesto era preocupado. Daniela notó que empezaba a sentirse incómodo. Era el momento de atacar. El café se le estaba enfriando y apenas le había podido arrancar cuatro frases insustanciales, como sacadas de cualquier novela de Antonio Gala.

—A su parroquia la llaman la iglesia de los narcos.

El cura enfocó a Daniela con sus ojos claros. Intentó recuperar su sonrisa seductora, pero la boca se le deformó en una mueca fea.

—¿Usted cree en esas tonterías que publican los periódicos?

—Yo no creo en nada.

—¿También es atea como Trotsky?

—¿Está intentando ganar tiempo para no responder a mi pregunta?

No, aquella chica no era una turista a la que engañar con cuatro estampitas de la Virgen de Guadalupe y un par de figuritas de cerámica. Había venido a México en busca de algo más. Por ejemplo, problemas. La intuición ya le había dicho al padre Zanetti, nada más verla entrar en su parroquia, que esa mujer era cualquier cosa menos una feligresa. Ahora ya sabía a qué venía: a hacer preguntas. Y quería ir más allá de donde seguro que le había recomendado la gente que buscaba su bien. Es más, seguro que más de uno le habría dicho que se olvidara de su cuadrito, que disfrutara del tequila, de los mariachis, del paisaje, y que se volviera a España.

El padre Zanetti miró de nuevo a la barra. Ahí estaba, fingiendo que leía *El Universal*, el mismo tipo que se habían encontrado a la salida de la parroquia. Por un momento, sus miradas se cruzaron. El padre retiró los ojos inmediatamente.

—Mire —el cura adoptó un tono grave. Ya no jugueteaba con el tapón del botellín de agua—. Es verdad, conozco gente, conozco empresarios, empresarios creyentes que han ayudado a la parroquia, como cualquier otro feligrés, pero de eso a llamarle la iglesia de los narcos hay un mundo. En todo caso, ¿qué tiene que ver eso con su cuadrito?

—Dicen que el cuadro que robaron de la galería Babel puede ser ese que ando buscando.

—¿Quién lo dice?

—Un amigo mío que lo conoce a usted.

El padre Zanetti meneó la cabeza, no se sabe si porque alguien anduviera contando por ahí cosas de él que no debía contar, o por tener que darle explicaciones a aquella rubia. Estaba claro que ya no se caían tan bien como al principio.

Daniela lo miró. Los curas nunca le habían inspirado confianza, y mucho menos aquel, con sus aires de galán de cine. ¿Cómo se llamaba la película esa de Hitchcock en la que aparecía, esplendoroso, Montgomery Clift, antes de que un accidente le deformara su bonita cara? No, no recordaba. Pero el padre Zanetti parecía sacado de esa película. Igual de guapo, demasiado guapo como para creer todo lo que le decía o para pensar que no sabía nada. Y luego estaba lo del tipo aquel, sin quitarles ojo, acodado en la barra, sin prestar mucha atención a la bebida azulona que le había servido el camarero. De vez en cuando se giraba y examinaba la mesa en la que estaban la española y el cura, sin recato.

El padre Zanetti también estaba al corriente de su presencia, a unos pocos metros de ellos. Pero parecía más preocupado por las insinuaciones peligrosas de Daniela. Sus ojos parpadeaban con frecuencia. Enroscaba y desenroscaba el botellín de agua, nervioso. Se limpió una gota de sudor que empezaba a correrle por la mejilla derecha. Daniela entendió que era el momento de apretarle más.

Miró su bolso, que parecía tener olvidado en la única silla que quedaba libre en la mesa circular que ocupaban.

Antes de meter las manos en el bolso, miró disimuladamente a la barra. El tipo alto no le quitaba ojo. Por un momento dudó si ese era buen sitio para enseñarle al padre Zanetti lo que escondía, pero ese momento no duró nada. Quería comprobar la expresión de sus ojos, allí, rodeado de gente, gente que lo conocía porque quizá escucharan su homilía todos los domingos, sin saltarse uno, quería ver su reacción cuando le colocara delante lo que le había dado Freddy Ramírez.

Era un sobre de color salmón, tan grande que parecía imposible que pudiera entrar en un bolso de mujer.

Pero ahí estaba, sobre la mesa.

TRECE

—¿QUÉ ES ESTO? —PREGUNTÓ EL PADRE, intrigado.

—Un regalo para usted.

El padre Zanetti dudó sobre lo que tenía que hacer. Hubiera sido muy sencillo pedirle la cuenta al camarero y salir de allí, sin necesidad de abrir ese sobre. Simplemente tenía que chistarle. O ni siquiera eso, bastaba con dejar cien pesos encima de la mesa y decir buenos días, se me hace tarde. Una rara intuición le decía que se arrepentiría si no hacía eso. Ganó tiempo, bebiendo un nuevo sorbo de café. Tanteó el sobre con sus dedos de pianista, antes de proceder a abrirlo. Mientras lo hacía, Daniela se dedicó a encender el quinto cigarrillo del día. Escondió la llama del encendedor con el cuenco de la mano, en un gesto insólitamente masculino. Se sintió tranquila. Un cigarrillo, uno solo, tenía la virtud para Daniela de poner de nuevo las cosas en su sitio, y esa mañana, viendo el nerviosismo del cura, empezaban a estarlo. Allí había tomate. El padre Zanetti extrajo el contenido del sobre. Era una foto, a todo color. Durante unos segundos, la miró con extrañeza, como si no se reconociera, como si no entendiera por qué diablos aquella rubia atea que ahora lo miraba con un punto de satisfacción en sus ojos, tenía esa foto. Pero, en efecto, era él. El mentón cuadrado, el pelo echado hacia atrás, untado por gomina, era él, aunque hubiera prescindido del *clergyman*. Agarraba dos bolsas de plástico, de esas que se usan para tirar la basura. Una era de color negro y abultaba poco. La otra, gris, era más grande. Las sujetaba con la mano izquierda, porque la derecha la tenía ocupada, dándosela a un individuo que lo miraba, con aire orgulloso, una sonrisa formándosele en la boca. Al fondo se apreciaba claramente el azul de una piscina que escoltaban varias estatuas mitológicas.

—¿Quién le ha dado esta foto?

Daniela se sorprendió. Era ella la que tenía que hacer las preguntas. Ver a un cura saliendo de la mansión de un narcotraficante con dos bolsas de basura no era algo que ocurría todos los días. Aquello requería una explicación. Otra cosa distinta es que el padre Zanetti estuviera dispuesto a darla.

—¿A qué se dedica usted?

—Se lo dije. Busco un cuadro. Me dedico a eso.

—No. Usted es una periodista. Seguro que lleva escondida en el bolso alguna cámara oculta.

Daniela no tardó ni dos segundos en recuperar el bolso. Volvió a abrirlo, y depositó todo su contenido sobre la mesa de mármol. Un pintalabios, una agendita telefónica, la batería del teléfono móvil, una caja de chicles y nada más. El padre Zanetti quedó defraudado al acabar el escrutinio de todo aquello.

—Lo único valioso es esa foto —le dijo Daniela, enseñándole las palmas de las manos, como para mostrarle que no llevaba nada escondido.

—¿Usted cree?

—Estoy convencidísima. Usted no sale mal en ella, pero el otro tipo sale aún más favorecido. Nadie puede dudar de su identidad: es el Zar. Durante años nadie sabía nada de su paradero, hasta que un periodista del Distrito Federal se puso a investigar, y lo encontró en la colonia Piedras Negras, con el rostro cambiado, sometido a un *lifting* muy profundo, viviendo en una fastuosa mansión, esa en la que usted recogió las dos bolsas.

Daniela levanta el mentón para señalar las evidencias. La foto era clara, clarísima.

—¿Quiere que le dé un consejo?

Ya en la cara del padre Zanetti no quedaba ni un residuo de amabilidad. Tenía los músculos tensados. Una arruga le cruzaba toda la frente.

—Olvídese de este asunto. Aquí en México solo hay una lista —y le devolvió despreciativo la foto a Daniela en la que aparecía junto al Zar, como si la repudiara—, la de los vivos y la de los muertos. Y no me gustaría que usted acabara en la segunda. Aquí lo del no matarás es muy relativo.

—Mire, seré clara —añadió—. Yo he hecho nueve mil kilómetros para llegar al Distrito Federal. Tengo el estómago hecho mierda de comer toda esa comida picante que preparan ustedes, y todo esto lo soporto porque quiero volver a España con un regalito que me han encargado: un *souvenir*. Un cuadro que está por aquí, escondido en una de esas mansiones que tiene piscina olímpica.

—¿Qué le hace pensar eso?

—El cuadro fue robado por narcos.

—Que pudieron venderlo después… Igual está ahora en el Polo Norte, colgado de un iglú.

—No. Ese cuadro aún no se ha vendido, ni ha salido de México. Está demasiado caliente y hay que dejar que se enfríe un poco el asunto para darle salida, si es que quieren dársela, porque todo ha sido muy raro. Eso de entrar a punta de fusil AK-47 en una galería de arte, teniendo todo el dinero del mundo para comprarlo, es desconcertante. Además, seguro que el que entró en la galería cumplía simplemente un encargo, y quien se lo hizo tiene dinero para comprar la galería de arte entera. Eso es lo raro. Quien es capaz de comprarse una mansión como esa tiene dinero también para pagar un cuadro como el que yo busco.

—¿Y no ha pensado que quizá ese cuadro no estuviera en venta? —sugirió el padre.

—¿Y entonces qué hacía allí, en la galería? En cualquier caso, el que se lo llevó, lo quería, por las buenas o por las malas. Y lo consiguió, con el precio de un galerista muerto. Ese ya no habla, pero sí lo hace mi intuición, y mi intuición dice que ese cuadro está caliente, ardiendo… Y, por tanto, nadie lo va a tocar hasta que no se enfríe. Antes de que eso ocurra, tengo un poco de tiempo para dar con él. Estoy segura de que no anda muy lejos, igual que estoy completamente segura de que usted tiene una pista.

—¿Y acaso no tiene claro también que en eso no puedo ayudarle?

—¿Por qué?

—Sobre todo, porque no la tengo. Esa foto es de hace más de un año y en un año han pasado muchísimas cosas.

—Por ejemplo.

—Eso.

Y el padre Zanetti invitó a Daniela a prestar atención al aparato de televisión que lanzaba sus imágenes desde la esquina. Cientos de mexicanos aclamaban en el Zócalo al Peje, llamándolo presidente, presidente, aunque había perdido las elecciones según el recuento definitivo. La diferencia había sido de unos pocos votos. Pero el Instituto Federal Electoral le había dado la victoria al PAN de Felipe Calderón. El Peje denunciaba que había habido fraude en el último conteo. Tildaba de tramposa a la derecha.

—Usted conoce mucha gente, gente que tiene grandes piscinas, grandes coches. Piense un poquito. Usted le ha dado la mano últimamente a gente importante. La foto así lo demuestra —y le dio un empujoncito, para mostrar la evidencia—. Una foto que no ha sido publicada, de momento, pero solo de momento.

—Esa foto aquí vale cero. Nunca se va a publicar aquí en México. Nadie se atrevería. El tipo que se la dio debe saberlo.

—Pero hay algo peor que eso: que alguien se atreva a publicarla en México. Y es que llegue a Roma, y en Roma están sus jefes.

—Esa foto tiene casi un año. Se ha quedado muy antigua.

—¿Cómo puede demostrarlo? Igual alguien convence a Roma de que esta foto tiene apenas unos días y que usted sigue teniendo buenas relaciones con narcos.

El quizá ex jugador de baloncesto que estaba estribado en la barra se giró. Ya no le interesaba lo que decía *El Universal*. Era más interesante lo que ocurría en una de las mesas, a pocos metros de él. No hacía falta ser un lince para saber que el cura estaba en problemas. Sonrió para adentro. El cura en problemas por una mujer, jajaja, teniendo lo que tenía encima, la Santa Muerte, los narcos... todo eso. Un buen potaje. Pero lo primero era lo primero, y la rubia estaba preguntando demasiado. Por un momento estuvo a punto de levantarse, pero lo frenó el padre con un gesto tan imperceptible que se le escapó a Daniela.

—No acepto chantajes, señorita.

—Ni Roma, negocios con narcotraficantes.

El padre Zanetti iba a replicarle, a preguntarle quién la enviaba. Igual era una emisaria mandada por Roma para seguir de cerca sus pasos, para comprobar que estaba haciendo su trabajo adecuadamente, que estaba pagando al Vaticano toda su deuda, con los intereses correspondientes. O incluso por el Zar, para sonsacarle. Giró bruscamente la cabeza y se quedó con los ojos fijos en las imágenes que salían por la televisión. Un esqueleto estaba completamente destrozado, como si le hubiera pasado por encima el Transiberiano. Otro altar dedicado a la Santa Muerte quedaba hecho trizas. Era el cuarto ataque en dos días, y todos coincidían en lo mismo, decía la reportera: la saña (utilizó esa palabra, saña) con la que se cometían, y el papelito que dejaban junto a la calavera. En nombre de Dios.

Daniela buscó con sus ojos los del padre Zanetti. Los encontró, pero muy diferentes a como los había visto un minuto antes. Ahora no había preocupación, estaban llenos de fiebre, iluminados por una llama que acababa de encendérsele en las pupilas. Miraba a Daniela, sin verla, como si las imágenes de la televisión, ese esqueleto, uno más, destrozado, lo hubieran paralizado. Las miraba, completamente fascinado. Las miraba, como si nada más pudiera importarle en el mundo.

La siguiente información del noticiero volvía a las elecciones. Otra vez aparecía el Peje, haciendo la señal de la victoria.

—El país está incendiado. No se vaya a quemar. No me gustaría leer que su cuerpo apareció hecho pozole.

—¿Pozole?

—Sí. Es una forma rápida y eficaz de eliminar un cuerpo. Se le echa en una olla llena de ácido, y listo. No se meta en problemas, se lo ruego.

Y durante varios minutos, mucho después de que la dejara abandonada el padre Zanetti, saliendo apresuradamente, Daniela se quedó dándole vueltas a esa frase enigmática. ¿Su cuerpo hecho pozole? Se fumó dos cigarrillos. Pero ni siquiera al acabar el segundo pudo aclarar si lo que le había dicho era una amenaza o una advertencia.

Al final, optó por abandonar el café. El tipo alto la estuvo siguiendo con la mirada hasta donde le alcanzó la vista.

CATORCE

ESA NOCHE TROTSKY TARDÓ DEMASIADO TIEMPO EN dormirse, a diferencia de *Azteca*, que llevaba ya horas soñando con las cosas en las que deben soñar los perros. ¿Era exceso de cansancio? En efecto, se pasaba muchas horas encerrado en el despacho escribiendo frenéticamente cartas a sus camaradas. Poner en marcha la Cuarta Internacional requería un esfuerzo total. Pero no, la culpa no era de esa actividad extenuante. Sentía junto a él el cuerpo cálido de Natalia Sedova, sus volúmenes claramente reconocibles, tanto como si fueran los suyos. Natalia, la dulce Natalia, fabricada con una lealtad hecha a prueba de bombas, asumiendo los mismos riesgos que él, sometiéndose a esa trashumancia indigna que, de momento, había acabado en México, Natalia, la compañera de siempre. Vio sus labios entreabiertos, que ahora soltaban un hilillo de oxígeno, pero que tantas veces habían servido para decirle iré contigo hasta el final. Trotsky sintió en ese momento asco, asco por sí mismo. ¿Qué es lo que le estaba pasando? ¿Cómo era posible que pudiera desear con tanta fuerza a otra mujer? Y sobre todo, a esa mujer, la esposa del hombre que había movido todos sus hilos, sus influencias políticas hasta encontrarle asilo en México. Y ahora él se entretenía recordando las formas de esa mujer. Se sintió miserable, doblemente miserable, por Rivera y por Natalia, pero, por mucho que lo intentaba, y ya llevaba varios días haciéndolo, no podía mirar a Frida solo como una artista. La fascinación que ejercía sobre él excedía los valores creativos, los desbordaba, llegando a un límite inadmisible. ¿Cómo era posible que llevara en su mente grabada la curva que formaban en su vestido de tehuana los senos de Frida? ¿Quién era capaz de dormir con esa obsesión metida en las tripas? Porque ¿era la conciencia o esa imagen atormentadora lo que le impedía entregarse al sueño? Quizá eran las dos las que conspiraban para amargarle una vida cuando empezaba a ser plácida, paseando despreocupado por el inmenso jardín de la Casa Azul, aspirando el aire aromatizado por el naranjo que lo presidía, dejándose sorprender por el descubrimiento de una nueva especie botánica, imposible de encontrar, salvo ahí, acunándose con el sonido regular de la fuente de agua.

¿Cuál fue el momento en el que había dejado de mirar a Frida como una artista, para verla como una mujer? ¿Fue aquella noche? Sí, no cabe duda. Trotsky se quitó las gafas. Se frotó los ojos. Le dolían. Llevaba mucho tiempo entregado a la redacción de la biografía de Stalin. Ni siquiera había querido probar el mole de pavo y los tamales con atole que había preparado la cocinera con tanto esmero. En la casa apenas se oía nada, salvo el rasgueo de su pluma y la música clásica de una radio encendida. Se levantó, buscando el baño. El mole de pato no le había sentado demasiado bien. Pero se esperó. Desde una mecedora, Frida le dedicó una sonrisa.

—La pata me ha vuelto a vencer —le dijo, señalándole la pierna derecha—. De vez en cuando se pone cabrona y no me deja trabajar, la maldita pezuña esta.

Y se la enseñaba, levantando la falda rabona con pretina que llevaba ese día. Junto a Frida, un lienzo inacabado, un pincel de cebellina aún húmedo. Trotsky examinó los contornos de un animal que no pudo identificar.

—Es un monito —le ayudó Frida—. Me encantan esos bichos.

Trotsky se quedó de pie, sin entender.

—A mí me gustan mucho más las plantas. Sobre todo los cactus.

—¿Por qué?

—Porque simbolizan la capacidad de sobrevivir en las condiciones más extremas, más hostiles. Me identifico plenamente con ellos.

Ahora fue Frida Kahlo la que se quedó pensativa. Le estuvo dando vueltas a la frase de León Trotsky durante un par de minutos hasta que por fin habló.

—Siéntese.

Tomó asiento en un sillón de mimbre exageradamente grande, el único en el mundo que parecía estar preparado para acoger el culo de Diego Rivera.

—Espero que el señor Rivera no se moleste por ocupar su sillón.

—Diego lleva demasiado tiempo sin preocuparse de muchas cosas.

Trotsky no entendía absolutamente nada. ¿Qué había querido decir con aquellas palabras misteriosas? No entendía nada, ni siquiera por qué Frida tenía el pelo tan raro esa mañana. Ella pareció darse cuenta.

—¿Qué le parece? Me lo he cortado.

Trotsky balbuceó unas palabras de aprobación.

—Me alegro que le guste.

Frida se balanceaba indolente, como si la mecedora ejecutara sus movimientos a cámara lenta. En los dedos llevaba un cigarrillo Lucky, con el que hizo un par de aros de humo. Trotsky se sentía extrañamente cohibido, incómodo con aquella intimidad que se había creado entre los dos.

—Diego me montó bronca. No le ha gustado que me corte el pelo, pero a mí sí me gusta.

En su boca había una mueca cínica.

—Está tan enojado que hasta ha desaparecido de esta casa. ¿Sabe usted dónde está?

Y en efecto, Trotsky cayó en la cuenta de que llevaba varios días buscándolo. Necesitaba consultar con él unas modificaciones de la carta que iba a aparecer en el próximo número de la revista *Clave*. Nunca se sabía dónde estaba el genial Diego Rivera. Unos decían que la pintura lo colocaba en un estado febril que le absorbía de forma total y excluyente, pero otros, y hasta a Trotsky le habían llegado esos comentarios maliciosos, sostenían que el arte, es verdad, era su obsesión, pero que había una razón, una sola razón, que era capaz de bajarlo del andamio: una mujer bonita. Y esa mujer no siempre era Frida Kahlo. Trotsky no podía entender eso, seguro que eran chismes infundados. No lo podía entender, de ninguna de las maneras, y mucho menos hoy, viendo a Frida aureolada por una belleza nueva, una belleza extraña, la que tienen las vírgenes dolientes.

—¿Sabe usted dónde está? Yo se lo diré: con Cristina, con mi propia hermana.

Y en la forma de decirlo, Trotsky supo de manera inmediata que Cristina no era solo la taxista de Rivera, como lo había sido de él mismo tantas veces en las excursiones al campo, cuando iban a buscar cactus, él vestido con unos pantalones bombachos y una chaqueta Norfolk, ella con una falda que dejaba entrever sus piernas. Tenía habilidad aquella chica para conducir, y también para seducir a los hombres, incluso a su propio cuñado.

Trotsky entendió, pero eso no le impidió que Frida le pillara un gesto de estupor.

—Sí, eso mismo.

Frida nunca mencionó la palabra amantes. No hacía falta. Viendo su pelo cortado, el movimiento cansado que imprimía a la mecedora, las primeras lágrimas gordas como olivas que empezaron a caerle, Trotsky supo que, real o inventado, Cristina, la mismísima hermana de Frida Kahlo, se había convertido en la amante de Rivera. Y el artista llevaba ya ocho días sin dormir en casa.

Frida, a pesar de que las lágrimas empezaron a nublarle la vista, aún encontró en la mirada de Trotsky un residuo de sorpresa, un punto de resistencia que le impedía creerse ese romance. Aquello no podía ser posible, era pura novelería. Los mexicanos eran dados a los excesos, y no solo de tequila, se les iba la imaginación, y mucho más a los artistas, y Frida lo era, exaltada y excesiva, tanto como para pensar que su propia hermana tenía un romance con Diego. Puros celos.

Frida se levantó. Apoyó la pierna derecha en el suelo. Soltó un *chingada, maldita pata del carajo*. Avanzó con sus pasos vacilantes por el estudio. Hurgó entre unos lienzos que tenía vueltos hacia la pared. Escogió uno. Era de pequeñas dimensiones. Lo alzó, con menos esfuerzo que el que le exigía caminar y lo colocó en el caballete.

Trotsky no había visto nada igual, nada tan estremecedor, en toda su vida.

—Lo he llamado *Unos cuantos piquetitos*.

Todo estaba perdido de sangre. Había tanta, que incluso desbordaba el espacio del lienzo, y las gotas manchaban el propio marco. Una mujer, totalmente desnuda, se desangraba sobre una cama ante la mirada complacida de su asesino, pantalones proletarios negros, camisa blanca, sombrero ladeado, un piquete en su mano.

—¿Qué es lo que siente?

—Que yo mismo he cometido el crimen.

—Está basado en un hecho real. Bueno, en dos. El primero, publicado en *El Universal*. Un borracho tiró a su novia sobre un catre y le dio veinte puñaladas. Cuando le preguntó el juez, le respondió tranquilamente: ¡Pero si solo le di unos cuantos piquetitos!

—¿Y el segundo?

—¿Cómo?

—El segundo hecho real.

—Mi propia desgracia. Ahí tiene —y Frida alargó la mano derecha hasta rozar con los dedos la textura de la pintura seca— al macho y a la chingada. Y ya sabe en esta historia mía quién es el macho y quién es la chingada.

Trotsky miró el rostro de Frida. Había en él tanto horror como en el cuadro. No supo qué decirle. De pronto es como si le dieran miedo las palabras, él que las mimaba como si fuera el tesoro más preciado de la vida. El mundo estaba construido de palabras, de palabras y carne, carne como esa que ahora tenía delante, envuelta en la piel que recubre las tentaciones.

—He sido asesinada por la vida.

Y no dijo más. Se giró y volvió con su andar torpe a la mecedora. El dolor era insoportable, bueno, los dolores, los de la espalda, y los que ahora le laceraban el corazón. Trotsky se quedó durante unos segundos examinando el cuadro, sin poder apartar la vista de él, imantado por la fuerza que desprendía el óleo. Luego se acomodó en el sillón de mimbre que llevaba ocho días sin usar Diego Rivera, los mismos que llevaba encerrado con Cristina en su apartamento de la calle Aguayo.

Y fue entonces cuando, por vez primera en todo ese tiempo, desde que lo recibió en el puerto de Tampico, la vio como una mujer. Ella se dio unas frotadas violentas en la cara, queriendo borrar esas lágrimas que parecían no tener fin, se sorbió los mocos y por fin sonrió. Colocó la pierna mala, la pezuña, como le llamaba ella, sobre uno de los brazos de la mecedora, y miró a Trotsky con atención disimulada, como hacía tiempo que nadie lo miraba.

—Usted es un gran hombre.

—Solo soy un viejo.

Frida estalló en una carcajada, una de esas carcajadas masculinas tan suyas, porque a veces parecía un hombre, con esas risotadas de macho, con esas palabrotas que salían de su boca, con esa ropa masculina con la que había sustituido sus habituales trajes de tehuana, y sin embargo, era una mujer, una mujer bonita, su belleza subrayada por el bozo que le manchaba el labio superior, por las cejas espesas y juntas. Por primera vez, Trotsky, observando sus dientes blanquísimos, el balanceo de su pierna mala, la veía así.

—Déjese crecer de nuevo el pelo.

—No lo haré por Diego.

—Hágalo por mí.

Y ahora fue ella la sorprendida, porque Trotsky no le dio tiempo ni para una sola pregunta. Se levantó del sillón que ocupaba con su culo orondo Diego Rivera, y se marchó avergonzado a su despacho. Frida estuvo una hora más balanceándose en la mecedora. Ni por un momento pensó en Diego o en Cristina.

Luego se levantó, buscando el baño. Allí pasó mucho tiempo encerrada, mirándose en el espejo, hasta que llegó a una conclusión: sí, se dejaría crecer el pelo de nuevo.

—¿Qué le parece lo que le he leído?

—Lleva demasiado azúcar. Demasiado cursi, es un tarrito de miel. Sobre todo la parte esa de Frida aureolada y virgen doliente...

Daniela, fumando el tercer cigarrillo de la tarde, había estado muy pendiente de la narración de Freddy Ramírez. Hasta a él le resultaban a veces extrañas las palabras que utilizaba. Por eso se vio en la obligación de hacerle una aclaración a Daniela.

—Me han sugerido, por mi propio bien, que escriba de romances y amoríos. Prensa del corazón. Que deje la nota roja —le confesó, hablando por un lado de la boca, con una sonrisa amarga.

—¿Y usted qué va a hacer?

—De momento, contar los amoríos de Frida Kahlo y Trotsky. Ahora hago nota... rosa, jajaja. Así mato el tiempo. Y de momento, he ganado una lectora. Además, esa relación dejó un cuadro vivo.

—El que yo estoy buscando.

—Exacto. ¿Le sigo contando o va a seguir metiéndose con mi prosa?

Daniela no tuvo más remedio que decirle que siguiera. El relato, aunque le sobraran algunos adjetivos y romanticismo, la tenía enganchada.

QUINCE

DESPUÉS DE SALIR DE LA CASA DE FREDDY RAMÍREZ, Daniela Ackerman se encontró con una llamada perdida de su padre. Hacía muchos días que no hablaba con él. Así que le debía por lo menos una llamada. Se la devolvió, con muy pocas ganas. Él no esperó ni siquiera al segundo toque para responder.

—Dígame.

—Hola, papá.

—Hola, Daniela. ¿Dónde estás?

—Ahora mismo, en México.

—Tú siempre tan lejos, hija mía.

—...

—¿Por qué te vas tan lejos de mí?

—Trabajo, papá, solo trabajo.

—¿Estás bien?

—Umm.

—¿Sigues ahí, hija?

—Sí, muy bien. Es que apenas te oigo papá. Aquí la cobertura no es buena.

—Es que estás muy lejos, hija.

—Ahora tengo que dejarte. Tengo que hacer cosas, papá.

—¿Necesitas algo?

Pero Daniela Ackerman le colgó el teléfono antes de responderle. Inmediatamente se sintió miserable. ¿Cuánto tiempo hacía que ella no le preguntaba a él si le hacía falta algo? ¿Por qué no tenía una relación normal con su padre? Llevaba años buscando una respuesta, pero no había forma de encontrarla. Es verdad que de niña no la trató bien, pero ¿eso era motivo suficiente como para guardarle esa distancia, ese rencor obstinado que los tenía tan separados?

Apretó el paso, como si de esa forma pudiera dejar atrás un pasado que no paraba de perseguirla.

Si no fuera porque Freddy Ramírez le había insistido tanto, no sabía qué diablos estaba haciendo allí, en el corazón de la Zona Rosa. La música atronaba en los altavoces, como si quisiera tirar abajo las paredes. Una camarera desganada atendía la barra. Hombres de vaqueros ceñidos y pelos churretosos examinaban con ojos ávidos la mercancía que tenían alrededor, y Daniela también era parte de esa mercancía, era la novedad. Todos esos tipos no dejaban de mirarla. Era lo único que les importaba, más incluso que la chica que se movía medio desnuda sobre una tarima.

No había sido fácil la conversación con el padre Zanetti, pero esta prueba era mucho más difícil todavía. Intentó ocultarse en una esquina de la barra. Pidió una coca-cola. Miró a su alrededor, pero no vio lo que buscaba, y lo que buscaba era verle la jeta al Zar. El periodista le había insistido en que ese era el único sitio en el que lo podría encontrar.

Pero allí solo había hombres deseando acostarse con ella. ¿Qué esperabas? ¿No te habían dicho que esto era un puticlub? Maldijo a Freddy Ramírez, que igual la había engañado. Le aseguró que allí en el Manhattan podría encontrar alguna pista sobre el cuadro que estaba buscando.

—Ese cuadro lo tiene un pez gordo, y todos los peces gordos van al Manhattan —le dijo el periodista.

Pero, de momento, no había visto nada que se pareciera a un pez gordo, solo rostros de hombres que querían acostarse con ella.

El único que se había desentendido completamente de ella era el pinchadiscos. Le llamó la atención su rostro, en el que destacaba una mandíbula prominente y granos de acné juvenil. Solo estaba pendiente de sus discos y de ver cómo la bailarina seguía el ritmo que le marcaba desde la cabina.

—Al Manhattan va todo el mundo, hasta el cura.

Esa fue la frase de Freddy Ramírez. No le sorprendería ver aparecer por allí, vestido impecablemente, oliendo a perfume caro, con aires de galán, al padre Zanetti. ¿Qué había querido decirle con aquello de que no se fuera a quemar? ¿Le había advertido de que no era conveniente cruzar determinadas puertas, por ejemplo, la del Manhattan? Por un momento pensó que estar allí era una pérdida de tiempo. ¿Qué coño iba a hacer un cura en un puticlub? Ramírez igual le había tomado el pelo, pero decidió esperar unos minutos para confirmarlo. Eso le permitió hacer un análisis exacto de la situación, le concedió tiempo para fijarse en muchos detalles. Y el más importante lo tenía delante.

La había visto ya muchas veces y se había convertido, incluso para ella, en una imagen familiar, pero verla allí, dibujada en las paredes de aquel tugurio, como un perfecto mural ejecutado por Diego Rivera, lleno de colores, le produjo escalofríos. Era una representación de la Santa Muerte, de un tamaño muy superior al que se encontraba en los altares, antes de que alguien, en nombre de Dios, invirtiera su tiempo en destrozarlos. Las luces oscilantes de los focos le lanzaban destellos irregulares, descubriendo la calavera desnuda, los huesos de la mano derecha sosteniendo una guadaña, en la otra, el globo terráqueo. Allí estaba, presidiendo el Manhattan, robándole protagonismo a la bailarina que se movía en la tarima central.

Se acodó en la barra. En el otro extremo notó que la estaba mirando un rostro nuevo. Era un hombre de cabeza calva, muy moreno, como si se le hubiera ido la mano con los rayos uva. Cuando vio que Daniela lo había pillado observándola apartó los ojos.

La detective dudó entre encender un cigarrillo o dejarlo para más adelante. Sostuvo uno en la mano, sin atreverse a encenderlo. Una sombra se movió en la sala. Los hombres estaban tan pendientes de Daniela, o tan borrachos, que no se dieron cuenta del avance que hacía por la izquierda una mancha. A pocos metros le seguía otra. Daniela achicó los ojos. La sala estaba en penumbra, pero uno de los focos del techo giró y lanzó un destello contra la segunda mancha. La reconoció. Freddy Ramírez no se había portado tan mal y además de proporcionarle la foto en la que aparecía el padre Zanetti recibiendo una bolsa de un narco, la había llevado a un sitio en el que, en efecto, empezaban a llegar peces gordos, o muy conocidos. Por ejemplo, el inspector Machuca.

—Un perdedor o un hijo de puta.

Fue eso lo que le respondió Freddy Ramírez cuando Daniela le preguntó quién era ese tipo. Sí, era él, con su figura levemente encorvada, la cabeza medio calva, los ojos cansados. Era él, el inspector Machuca.

La primera figura subió por unas escaleras. Machuca se detuvo unos segundos, y se quedó mirando a la chica que bailaba en la tarima. Le dedicó un gesto muy breve, pero ella hizo como que no se daba por enterada, y siguió moviendo la cintura, ajena a todo. El inspector, viendo que la bailarina no le hacía caso, se giró. Miró a izquierda y derecha. Delante tenía las escaleras por las que había subido el otro hombre, y lo imitó. Daniela pidió otra coca-cola, que le sirvió la camarera con gesto desabrido. Aquella tipa era agria como el vinagre. La miraba como miramos a una cucaracha, pero Daniela no se iba a parar en eso. Bastante tenía con lo suyo, y lo suyo era que el inspector había subido unas escaleras y se había perdido junto a un señor al que le brillaba un reloj de oro en la muñeca.

Quizá tuviera razón Freddy Ramírez, y ese fuera su sitio. Le dedicó un pensamiento de compasión al periodista. Lo imaginó moviéndose incómodo en la cama, cansado de no hacer nada, matando el tiempo escribiendo la historia de amor de Frida y Trotsky. No la había engañado. De momento, tenía a un cura haciendo amenazas, y a un policía encerrado en el despacho del gerente de un puticlub.

Ahora solo tenía que esperar.

Los dos hombres, el del reloj de oro y el inspector, le dieron mucho tiempo para pensar qué haría cuando esa puerta se volviera a abrir. ¿Abordaría a Machuca? ¿O era mejor espiar sus movimientos? Lo único que tenía claro es que quería salir cuanto antes de aquel antro. Dos tipos, uno barrigón, y otro, alto como una torre a punto de derrumbarse, le echaron su aliento encima. Ella los alejó, dedicándoles miradas de desprecio, pero ellos no se dieron por vencidos, sobre todo uno, el más gordo, que se preparó para el ataque. Pero cuando, después de masajearse los huevos, se iba a aproximar de nuevo a ella, la puerta del despacho se abrió.

El inspector volvió a mirar, primero a la izquierda, luego a la derecha, y se perdió por la sala, subrepticiamente. Daniela comprobó la situación. A menos de un metro tenía a un gordo borracho sacándose del bolsillo una cantidad de pesos demasiado alta para pagar una simple cerveza, y un poco más lejos, a un policía jugando al despiste.

La elección estaba clara.

Guardó el paquete de cigarrillos en el bolso. Le lanzó una mirada de odio a la camarera y dejó al tipo con el montón de billetes en la mano. Machuca ya estaba cerca de la puerta, y la hubiera cruzado si no hubiese sido arrollado por una chica, vestida con una minifalda que traía desgarrada. Venía del hostal de enfrente. Era una de las bailarinas del Manhattan, una de las *teiboleras* de las que se subían a la tarima a calentar el ambiente y que se acostaban con los clientes por unos pocos pesos. Daba gritos, como si la estuvieran acuchillando.

—¿Qué le han hecho a Johanna? ¿Por qué le han hecho eso?

El inspector trató de reducirla, primero sujetándola por las muñecas, luego dándole un sopapo, pero fue peor. ¿Quién lo ha hecho? ¿Dónde está?, gritaba fuera de sí. Daniela vio cómo Machuca le tapaba la boca. Se fijó en sus manos crispadas. Estaba segura de que la hubiera estrangulado, si no hubiera tanta gente contemplando la escena.

La chica fue sacada del Manhattan a empujones. A Daniela no solo le sorprendió la reacción del inspector, sino que, en todo el tiempo que duró el alboroto, la puerta del encargado del local no se abriera, en ningún momento, como si la bailarina no tuviera nada que ver con el Manhattan.

Cuando los gritos de la chica se perdieron definitivamente, la música volvió a apoderarse de los altavoces, y siguió la fiesta como si nada hubiera pasado. A fin de cuentas, ¿qué importaba lo que dijera una mujer medio desnuda? ¿Qué importaba una mujer muerta?

DIECISÉIS

—¿QUÉ IMPORTA UNA MUJER MUERTA? El inspector le soltó la frase y siguió hurgándose los dientes. Una hebra de carne se le había quedado enganchada y no terminaba de sacarla de la boca. Prometió no volver a comer donde doña Lita.

No había tardado ni dos minutos en recibirla. Es verdad que estaba enfrascado en la lectura de la crónica del partido del Cruz Azul. El domingo volvió a perder su equipo, por goleada. La crónica era muy dura. Al inspector le interesaba. El periodista deportivo daba las razones de la crisis del equipo, pero Machuca se quedó a mitad de crónica. No estaba acostumbrado a que mujeres así acudieran a la comisaría. La única mujer que entraba en ese despacho era la fiscal Chacalita, siempre con su aspecto lamentable. Miró a Daniela y le calculó unos treinta años. Machuca cerró el periódico. A fin de cuentas, la derrota del Cruz Azul ya no tenía remedio.

—Adelante, señorita —le dijo, mientras tropezaba en una silla metálica.

Daniela echó un vistazo al despacho. Le llamó la atención un póster muy grande que había pegado en la pared. Marilyn Monroe enseñaba las piernas, mientras el aire del metro de Nueva York le levantaba la falda. Después se sentó e invitó a Daniela a hacer lo mismo. Ella tomó asiento en otra silla.

—Dígame en qué puedo ayudarle.

Se olía a humo de cigarros baratos, a café de máquina, a sudores antiguos.

—Seguro que puede echarme una mano.

Machuca se dio cuenta inmediatamente de que la chica no se sentía cómoda. De buena gana le hubiera ofrecido un sillón moderno, de esos que se compran en las tiendas de diseño, un despacho amplio, con paredes tapizadas de madera. Pero es lo que hay, le hizo ver con un gesto de disculpa.

—No se preocupe. Iré al grano. Así acabaré antes. ¿Quién era Johanna?

El inspector la miró con extrañeza.

—¿Johanna? ¿Acaso me debe sonar ese nombre por alguna razón?

—Debiera. Mire lo que me he encontrado al comprar el periódico.

"Segunda mujer aparece muerta en la refinería de Azcapotzalco".

El inspector Machuca leyó el titular un par de veces, sílaba a sílaba. No pareció sorprendido. Es como si leyera que el Cruz Azul había sido barrido por el América.

—¿Qué me dice de esto?

—Los periódicos publican muchas cosas. La mitad son mentira; y la otra mitad, inventadas.

—¿La chica de anoche también mentía? Sí, la que preguntaba desesperada por su amiga Johanna.

El inspector se llevó los dedos a la barbilla para pinzarla. Es lo que hacía cuando tenía que rebuscar en su memoria algún recuerdo, y lo del Manhattan de la noche anterior parecía para él un hecho remoto. Lo único que le interesaba ahora eran las piernas de Daniela. Ella se dio cuenta y juntó aún más las rodillas antes de colocarles encima el bolso.

—Señorita, usted no está en España, disfrutando de Madrid o Barcelona, que deben ser dos ciudades maravillosas, está en México y en México ocurren esas cosas todos los días.

—¿A qué se refiere con cosas?

—A la muerte de una muchacha.

Daniela lo miró con desprecio.

—¿Sabe lo que es la línea caliente?

Daniela preguntó, con la mirada.

—La línea que nos separa de Estados Unidos. La frontera que separa el primer y el segundo mundo, la línea más caliente del mundo, una línea de más de tres mil kilómetros.

El inspector la contempló, satisfecho con su discurso. Pero lo quiso remachar.

—No olvide que usted está en México. Y aquí es más fácil encontrar un muerto que un mariachi.

—¿Y qué hace usted por evitarlo? ¿Encerrarse en su despacho? ¿Mirarle las piernas a Marilyn Monroe?

—Hago lo que puedo. Y lo que puedo, de momento, no es mucho.

Machuca abrió una circunferencia con las dos manos, como mostrando que, dada la pobreza del despacho en el que se pasaba las horas recluido, los medios técnicos que le ponían a su disposición para buscar asesinos no podían ser muy modernos.

Daniela no pareció contenta con la respuesta del inspector. Freddy Ramírez le había adjuntado su nombre, junto a varias fotos que le había hecho durante la investigación periodística que le tenía seis meses medio inútil en una cama. El periodista le dijo que Machuca no era la pieza fundamental en el engranaje que movía el delito en la ciudad, pero también tenía su papel y detrás de su aspecto de pobre hombre ocultaba muchas cosas. Tenía gran culpa de lo que estaba ocurriendo en México Distrito Federal, las muertes, los ajustes de cuentas, los asesinatos. Y todo ligado al narcotráfico.

Lo que no sabía Daniela es que la iba a mirar de esa manera. Era una mujer muy linda, se dijo el inspector Machuca, que no pudo callarse lo que pensaba.

—Parece usted una muñequita de porcelana. ¿A qué se dedica? —le preguntó el policía.

—Busco cuadros que no están en las manos adecuadas.

—Entiendo.

Pero no entendía. Machuca pensó que no solo estaba perdiendo pelo, sino también facultades, o era la belleza de la chica lo que le impedía estar pendiente de cualquier otra cosa. Daniela se dio cuenta de que no iba a ser fácil arrancarle algo sólido al policía. El inspector miró de reojo el titular del periódico deportivo: "El Cruz Azul, en crisis". Era lo único que le interesaba, mirarle las piernas y encontrar explicaciones a los malos resultados de su equipo. Igual tenía razón Freddy Ramírez, y no era nada más que un pobre hombre, pero entonces ¿qué se le había perdido anoche en el Manhattan? ¿Por qué estuvo a punto de estrangular a la chica que entró gritando que habían matado a su amiga?

—Busco un cuadro que está en manos muy poderosas.

—Aquí hay muchas manos poderosas.

—Sí, algunas llevan en la muñeca relojes de oro y le abren la puerta de su despacho a policías.

No, Machuca lo empezaba a tener bien claro, la españolita era cualquier cosa menos una figura decorativa. Pensó que aquella situación era cómica: él, nada más y nada menos que el inspector Machuca, permitiendo que le gritara una mujer. ¡Una mujer! El mismo que se reía de las extravagancias de la fiscal Chacalita, o que obligaba a esa puta de Cora a acompañarle a la habitación una hora todas las semanas, se dejaba intimidar por una mujer... Por un momento llegó a confirmar que, en efecto, estaba perdiendo facultades.

—¿Qué anda buscando?

—Busco un pez gordo.

—¿Cómo se llama el pez gordo que usted busca? Si es gordo, seguro que tiene apodo. Aquí somos muy aficionados a poner motes.

—No lo sé. Pero le gusta el arte. Tanto como para matar por él.

Machuca enarcó las cejas. Dejó pasear la mirada por las paredes del despacho, como si tuviera escrito en una de ellas el nombre de la persona que estaba buscando la rubia.

—Deme más datos y quizá pueda ayudarle.

Viendo con qué ojos la miraba, recordando el modo con que había tratado la noche anterior a la chica del Manhattan, Daniela dudó si era conveniente ponerle al corriente de sus planes. Pero, una vez más, confió en Freddy Ramírez. Es el policía más honesto que conozco, lo que no es decir mucho aquí en México, le dijo el periodista.

—Hace unas semanas hubo un asalto en la galería Babel, con el resultado de un hombre muerto. El cuadro que se llevaron debía de ser muy importante. Desde que lo pintó Frida Kahlo ha ido cambiando de manos. Hasta lo tuvo en las suyas Trotsky. Y los indicios dicen que la pista se le perdió aquí. Lo más curioso de todo es que el galerista apareció con el cráneo convertido en pulpa. Le pegaron duro con una reproducción de la Santa Muerte.

—¿Y?

—Que, según mis averiguaciones, son los narcos los que le están rindiendo culto a esa imagen, la de la Santa Muerte. La conclusión es más fácil que sumar dos y dos.

Durante unos segundos el inspector Machuca se quedó evaluando la situación. Una mujer en país extraño intentando arrebatarle un cuadro a los narcotraficantes. Le pareció un chiste, pero la manera en que lo miraba indicaba que la chica hablaba muy en serio.

—¿Quién ha sido el insensato que le ha hecho ese encargo?

—Alguien que me conoce bien.

—Lo que usted intenta es encontrar una aguja en un pajar, y se la va a terminar clavando en el culo.

—¿Es una amenaza o una advertencia? Es la segunda que recibo en veinticuatro horas. ¿Qué opina del padre Zanetti?

El teléfono sonó. El inspector no le hizo caso a ninguno de los timbrazos y siguió con la mirada fija en la rubia. Ahora se había colocado un cigarrillo en los labios. Le ofreció su encendedor, pero ella lo rechazó.

—¿El padre? Es todo un personaje.

—Y tiene muchos amigos, ¿verdad? Por ejemplo, el Zar. Es también un pez gordo, ¿no?

Fue un gesto apenas perceptible. Pero Daniela estaba muy entrenada para los detalles. La pintura le había ayudado mucho. En la cara de Machuca apareció una arruga que antes no estaba allí. Examinó su rostro. Era el mismo del padre Zanetti cuando el cura se vio en aquella foto, recogiendo las bolsas de basura de manos de aquel tipo.

—México está lleno de leyendas. Le voy a platicar de una. ¿Ha visitado ya la capilla dedicada a Malverde?

—No, las únicas que he visto están dedicadas a la Santa Muerte, pero se encuentran destrozadas.

—Le contaré. Jesús Malverde fue un bandido que vivió a finales del siglo XIX en la sierra de Sinaloa. Su cabeza tenía precio. Un cazador de recompensas lo hirió de bala, en una pierna, pero Malverde consiguió refugiarse en las montañas. La herida se gangrenó y, cuando vio que se iba a morir, pidió a uno de sus compañeros que le entregara al gobernador, cobrara la recompensa y utilizara después el dinero para ayudar a los pobres.

—¿Ese no era Robin Hood?

—Ríase, pero el culto a Malverde solo lo está superando la Santa Muerte.

—¿Por qué están pasando tantas cosas raras en esta ciudad?

—¿Qué desea realmente? —preguntó Machuca.

—Que no me mire de ese modo y que no aparezcan más muertas. Y que me ayude a encontrar mi cuadro, si es posible.

—Me pide demasiado.

—Le agradezco la franqueza.

—Créalo que lo estoy intentando.

—¿Buscando perdedores en los periódicos deportivos?

—Los perdedores están en todas partes. En cualquier esquina del mundo.

—¿Qué relación tienen las chicas tiradas en la refinería con la Santa Muerte?

—Le responderé con otra pregunta. ¿Qué relación tiene su cuadro con esas muertas?

—¿Cree capaz al padre Zanetti de destrozar altares dedicados a la Santa Muerte?

Machuca levantó las cejas. Simplemente.

—Le haré una pregunta más fácil. ¿Qué hacía usted anoche en el Manhattan?

Eso era un ataque por sorpresa. El inspector intentó aparentar tranquilidad, aunque estaba lejos de conseguirlo.

—Se lo diré yo, le diré qué hacía en el Manhattan anoche: hablando con el dueño del garito. El dueño tendrá otro nombre, pero en todo el Distrito Federal se le conoce por el apodo: el Zar. Comercia con todo. Lo más legal es la venta de productos que tienen que ver con la Santa Muerte. No me extraña que tenga todo su local lleno de sus imágenes. Y esas dos desgraciadas abandonadas en Azcapotzalco han aparecido con esa misma imagen de la Santa Muerte tatuada en el pecho izquierdo. ¿De qué conoce al Zar, inspector?

Si Machuca hubiera podido, habría pedido un tiempo muerto, como hacen los entrenadores de baloncesto cuando las cosas se ponen feas a mitad de partido, cuando el equipo contrario te ha hecho un parcial de cero diez, sin que te des cuenta.

—No sé a dónde quiere llegar.

—Creo que se lo dije, a encontrar mi cuadro.

—Va en sentido contrario. Es un conductor suicida. Y de frente le viene un tráiler de cinco ejes.

Ahora Machuca se había puesto repentinamente serio. Ya no tenía ganas de jugar al coqueteo con esa chica. No era momento de galanteos.

Se levantó con brusquedad, como si acabara de clavarse una chincheta en el culo. Encaró con sus ojos cansados a Daniela, que le sostuvo la mirada. La chica no tenía tan claro que el inspector jugara un papel de poca monta en toda esta película. Estaba en el ajo, o cuando menos, se dedicaba a mirar para otro lado mientras la refinería se iba llenando de muertas.

A Daniela le sacudió una oleada de indignación. Miró a Machuca. Entre el gordo que quería ligársela en el Manhattan y el policía, prefería al gordo.

—¿Qué le dice el nombre de Freddy Ramírez?

Al inspector el nombre le llegó como de muy lejos. Le sonaba vagamente, o hacía que le sonaba vagamente. Daniela quiso refrescarle la memoria.

—Lo atropellaron en Chilpancingo poco después de publicar que el padre Zanetti tenía negocios con el narcotráfico, que aceptaba donativos, y todo apunta a que las narcolimosnas se las daba el Zar.

Machuca compuso un gesto de extrañeza. Daniela se dio cuenta de que se hacía el tonto, o eso pensaba ella, pero estaba equivocada. Machuca apretó los músculos. Se pasó las manos por la cara y notó que la barba le había crecido. Y además, se estaba cabreando. Ya no tenía muy claro si quería que la rubia abandonara el despacho o se quedara un ratito más.

—No ande con mamadas, eso es una falacia, como tantas que publican los papeles. El Zar no es socio de la Iglesia, más bien todo lo contrario. El padre Zanetti y el Zar se odian a muerte. Los periódicos solo publican mierda. Esa es la única verdad, lo demás es pura fantasía. Lo único que me creo de un periódico son los resultados deportivos, y esos no fallan, y no fallan porque dicen que siempre pierde el Cruz Azul. Y es verdad, somos un equipo de gran corazón, pero tenemos un mal entrenador, el Javier Clemente ese, así que no ganamos un partido ni por equivocación. Lo demás es cuento, mentiras que inventan periodistas con problemas de estreñimiento, empezando por su amigo Freddy Ramírez.

—¿De dónde sale usted? —preguntó Machuca.

—¿No habíamos quedado que de una colección de muñecas de porcelana?

—Podría ser.

—También podría ser que a usted le saliera más rentable ir al Manhattan que hacer su trabajo. No quiere jubilarse antes de hacerse rico, el Zar tiene mucho dinero y estando al lado de él, algo le caerá. Las migajas de los negocios ilegales suelen ser muy apetecibles.

El inspector hizo que no se daba por enterado, aunque la chica le había acusado nada más y nada menos que de hacer negocios con los narcos. Pero, de momento, no iba a replicarle. Era como si esa mujer tuviera el poder de dejarlo paralizado. Volvió a pasarse los dedos por la cabeza con la esperanza de que no se engancharan más pelos. Dio dos pasadas rápidas y después miró los dedos. Ahí estaban, seis pelos, finísimos, del grosor de una tela de araña. Movió la cabeza, contrariado. Sí, habían pasado muchos años desde que abandonó sus sueños de ser un policía eficiente, de mantener el orden y la justicia. Ya no tenía principios, solo uno: sobrevivir. Ahora, esos seis pelos que se habían quedado pegados a su mano derecha le gritaban algo que sabía de sobra: que él también estaba entre los perdedores.

—Lo único de valor que tengo, después de ser policía toda la vida, es un Ford Mustang de quince años.

Daniela no lo creyó. Y si lo creyera, tampoco se iba a apiadar de él.

—¿Qué coño está haciendo la policía por evitar las muertes de esas pobres chicas?

El inspector miró a Daniela con desprecio. ¿Por qué estaba ahí, en su propio despacho, lanzándole acusaciones constantes? ¿Acaso tenían más derecho a vivir esas chicas

que su hija, que lleva doce años enterrada? ¿Si Lucía vivie-
ra, podría acabar puteando, como cualquiera de esas *teiboleras*? ¿Podría ser como Cora? Espantó de inmediato la
idea de su cabeza. A las chicas se las chingaban, pero ellas
se lo buscaban, nadie les obligaba a subirse a la tarima, ni
a moverse de esa manera. No, no le podía permitir ni ese
tono ni esas acusaciones a nadie, ni siquiera a Daniela.

—Mire, señorita. Aquí no hacen falta policías sino
virtud.

Ella lo miró con asco. Fue entonces cuando él le soltó la frase, al mismo tiempo que buscaba dentro de la boca
una hebra de carne.

—Además, ¿qué importa una mujer muerta?

Daniela no quería oír más explicaciones de aquel policía. Ya era demasiado, mucho más de lo que ella podía
tolerar. Se puso de pie y se colgó el bolso de piel en el
hombro derecho, con la certeza de que el inspector Machuca aprovecharía el momento para buscarle con los ojos
el tirante del sujetador. Se dio vuelta y giró con alivio el
picaporte de la puerta, sin saber si dentro de ese despacho
dejaba a un perdedor, o a un hijo de puta.

Nada más salir del despacho casi se dio de bruces
con un tipo con pinta de niño que no había terminado de
crecer. Miró a Daniela Ackerman con curiosidad. Llevaba
un pendiente en la oreja. Era Figueroa. Ella le sostuvo la
mirada durante unos segundos y se perdió por los pasillos
buscando la salida.

En el trayecto hacia su coche le dio varias vueltas a la
conversación que acababa de mantener. Al principio pensó que había hecho un mal negocio, que la visita solo le

había servido para confirmar que la policía estaba de parte de los narcos. Pero después llegó a la conclusión de que había merecido la pena soportar la mirada sucia del inspector.

Había conseguido sacarlo de sus casillas, pero no por culpa de la falda con la que había entrado en su despacho sino por culpa de ese nombre que le había sugerido. A Daniela le sorprendió el estallido. El policía había perdido los pocos modales que tenía. Todo había empezado al nombrarle a Freddy Ramírez, al recordarle su reportaje periodístico. A continuación, una cascada de palabras soltadas con violencia. ¿Acaso estaba Machuca detrás del atropello de Freddy Ramírez? No costaba creerlo viendo la alta consideración que tenía del periodismo. ¿O era el padre Zanetti el que se había tomado la justicia por su mano, incapaz de soportar que lo apuntaran con el dedo acusador, entre otras cosas, porque aceptaba limosnas millonarias de narcotraficantes?

Y luego estaba esa frase, quizá la más importante que se le había escapado a Machuca: el Zar no es socio de la Iglesia, más bien todo lo contrario. ¿Sería verdad que esa foto en la que aparecían juntos el Zar y el cura era tan antigua que ya no tenía valor y que ahora estaban en trincheras diferentes? Porque estaba claro que el Zar rendía culto a la Santa Muerte. No hacía falta nada más que darse una vuelta por el Manhattan. Pero ¿quién estaba destrozando esos altares? ¿El padre Zanetti?

Eran demasiadas preguntas, pero llegó a la conclusión de que quizá las respuestas no las iba a encontrar en la parroquia del padre Zanetti o en el Manhattan, y mucho menos en la comisaría del inspector Machuca. Ahora le tocaba hacer una visita a la refinería en la que estaban apareciendo las muchachas. Iba pensando eso cuando descubrió que un rostro femenino la miraba.

DIECISIETE

NO ES FÁCIL QUE DOS MUJERES SE LLEVEN BIEN, SObre todo si una es fiscal y la otra detective. Esa mañana coincidieron en los pasillos de la comisaría. La fiscal Chacalita se quedó mirando a Daniela con desprecio, examinándola largamente. Ya le habían informado que había una española haciendo preguntas, pero no se la imaginaba así, tan joven.

—Tiene la mañana ocupada, por lo que veo.

Machuca le quitaba en ese momento la lengüeta a una lata de cerveza. La visita de Daniela Ackerman lo había dejado con sed. No quiso responder antes de echarse a la boca el primer trago. Sabía a meados de gato. El refrigerador de la comisaría cada vez congelaba menos.

Esta vez la fiscal Chacalita había entrado al despacho de Machuca sin tropezar con ningún objeto. Pero estaba igual de irritada que cuando se le iba la mano con el Herradura, y la culpa no la tenía esta mañana el tequila.

—¿En qué anda la chica esa?

La chica esa era Daniela. Machuca no sabía si su visita le había dejado un buen o un mal sabor de boca.

—Como yo, investigando. Ya tenemos dos difuntitas viajando por el mundo. Ya no se conforman con matarlas. Al que lo hace le gusta que cualquiera, en cualquier parte del mundo en el que haya un ordenador, pueda ver su hazaña en Internet.

La fiscal acogió el dato con indiferencia. Lo mismo daba que Machuca hubiera dicho dos o treinta y dos. Me vale madres, le quiso decir, con un gesto de desprecio.

—Las dos con el pezón derecho arrancado. Las dos, con la imagen de la Santa Muerte tatuada en el izquierdo.

La fiscal Chacalita a duras penas pudo disimular un bostezo. Pero quería guardar las apariencias. Por eso le lanzó una propuesta a Machuca.

—Tráigame pruebas concretas y meteremos entre rejas al cabrón que esté haciendo eso. Pero deben ser pruebas de verdad, no bobadas que cualquier tipo mete en Internet con un ratón y un poco de aburrimiento. ¿O ha seguido dándole vueltas a ese mensajito que ha dejado el asesino? ¿Cómo era?

—*Me obliga el diablo* —recordó el inspector.

—¿No me diga que sigue con esa tontería de los mensajes misteriosos?

El inspector omitió el comentario de Chacalita. La examinó detenidamente. Desde que había entrado en el despacho le había visto mal color de cara. La fiscal se llevó la mano derecha a la cabeza.

—¿Le ocurre algo, Chacalita?

—No, es solo un pequeño mareo.

—¿No estará preñada?

—Noooo. Será la tensión, que la tengo baja. Pero no se haga muchas ilusiones, que no me voy a morir todavía. Voy a dar mucha guerra. No olvide que debo seguir trabajando al servicio de la ciudad.

—¿Seguro que me ayudará, fiscal?

—Traiga pruebas.

Pero Machuca conocía demasiado tiempo a la fiscal como para no saber que el destino de unas pobres desgraciadas le importaba bien poco, que nada le iba a quitar el sueño. Últimamente solo se la veía preocupada por aparentar menos edad y por ampliar su patrimonio con compras que su sueldo de fiscal no podría pagar. De momento, cumplía solo con su segundo objetivo. Examinó su rostro. Un pegote de maquillaje no disimulaba las arrugas.

—En todo caso, le voy a dar un consejo. En esta ciudad siempre ha habido hechos inexplicables, misterios que simplemente no tienen solución. No pierda el tiempo, usted se llama Machuca, no Sherlock Holmes.

A Machuca le salió una sonrisa forzada. Deseaba que aquella mujer saliera de su despacho, porque, ahora que lo pensaba, ¿a qué coño había venido? ¿Solo a darle ese consejo? Y sobre todo ¿por qué se lo daba? Enseguida tuvo la respuesta.

—Esta misma mañana he recibido una llamada del Zar. Aparentemente me ha llamado para otra cosa, pero enseguida ha salido el tema de las muertas aparecidas en la refinería. Me ha comentado que era una pena lo que estaba ocurriendo con esas pobrecitas, pero que al menos se iban de este mundo con la imagen de la Santa Muerte

tatuada. Y que no debíamos darle muchas vueltas al asunto, porque solo Dios decide por qué unos viven y otros
mueren. Y que a Dios no conviene llevarle la contraria.

—O sea que quiere que cerremos el caso.

—Exacto.

No le extrañaba la reacción del Zar, y además, confirmaba su teoría: el Chino estaba en el ajo. Seguro que ese
narquillo no solo había subido a su coche de techo corre-
dizo a Ivonne, sino también a la segunda bailarina, a Johanna.

—Olvide el asunto. En su mano está ser feliz o des-
graciado.

Machuca apoyó la mano derecha en un montón de
carpetas que se apilaban en su mesa, expedientes a los que
todavía no había podido hincarles el diente. Pero no le iba
a dar la razón a la fiscal, iba a pelear el caso. Y, repentinamente, se dio cuenta de que perdía el tiempo, así que se
levantó, para dar por concluida la reunión. Pero la fiscal
no estaba dispuesta a irse sin tocarle un poco los huevos.

—Y le daré un último consejo. Lleve cuidado con la
española.

—¿Por qué?

—Porque mueve mucho el culo.

DIECIOCHO

E L ZAR LO HA INVITADO A SU DESPACHO. EL INS-
pector Machuca ha acudido al Manhattan en
busca de Cora. Tiene muchas ganas de pasar un
rato con ella en la cama, pero antes no tiene más remedio que atender al Zar, que lo espera arriba, leyendo el
periódico.

Se lo cede a Machuca, que va directo a las páginas de
deportes. No debe gustarle lo que ve, porque lo hace un
gurruño y le da una patada violenta.

—Coño, inspector, ¿ya no le gusta la lectura?

La bola hecha con las páginas del periódico ha caído
a sus pies. Hace amago de darle una patada para devolvér-
sela a Machuca. Pero al final se agacha y empieza a desple-
garla.

—El periódico casi nunca trae las noticias que queremos —dice el inspector Machuca.

—Los suyos volvieron a perder.

—Me estoy acostumbrando. Es más fácil creer en los
Reyes Magos que en este equipo.

—Nunca hay que perder la fe. Si la perdemos ¿qué nos queda? Igual es cosa de que le rece a la Santa Muerte. Ya verá cómo la Niña Blanca es capaz de ayudarle. Hace milagros, incluso el milagro de que el Cruz Azul sea campeón.

—Creo que a la Niña no le gusta el fútbol.

—¿Usted cree?

—No creo en nada, ya le dije. Perdí la fe.

—A lo mejor es que para ganar no son suficientes las oraciones, sino también mucho dinero —y diciendo esto el Zar consulta la hora en un reloj de oro que lleva en la muñeca derecha. Lanza destellos como las luces largas de un camión. El Zar se queda unos segundos mirando la posición de las agujas. Parece complacerle, porque esboza una sonrisa. Todo está en orden.

—Ya sé que un reloj como ese no se consigue pidiéndolo a la Virgen de Guadalupe o a la Santa Muerte.

—Quizá pidiendo a los Reyes Magos. Porque ¿en ellos aún creerá, no?

—A ratos.

—¿Usted cree que vienen de Oriente? Eso está lejísimos —comenta el Zar, acariciando la cadena del reloj.

Y sigue hablando.

—La gente cree que el poder se obtiene llevando un reloj como este —reflexiona, sin dejar de mascar chicle—. ¿Sabe usted lo que es el poder? Que hasta los perros te huyan… Eso es el poder, que los perros te huyan…

Machuca no le quiere replicar. Se le ve cansado, o derrotado. El Zar lo ha notado. Sí que le afectan a este pobre hombre las derrotas del Cruz Azul, coño, se dice.

—Hay que tener fe, Machuca, fe.

—Hace tiempo que no voy a la iglesia.

—Pues hágalo. No vaya a ser que le cierren las puertas del cielo. El padre Zanetti está muy duro últimamente.

El Zar ríe de nuevo. Su imagen contrasta con la de Machuca. El inspector se queda dándole vueltas a lo último que ha dicho el Zar. Ha mencionado al padre Zanetti.

—Si no va a la iglesia, venga al menos a una de mis fiestas. Ya sabe que está invitado. Le vendría bien divertirse con unas cuantas mujeres. Se le ve con mala cara. ¡Y nada mejor que un buen polvo! ¿Cuánto tiempo hace que no está con una hembrita bien rica, de esas que tienen las tetas paradas, de estreno?

Y esta vez Machuca no quiere quedarse callado.

—He conocido a una muchacha.

—Órale. Ya está bien que cambie a Cora por otra. Esa chica baila muy bien, pero ya está muy sobeteada. Y dígame ¿la nueva tiene las tetas bien puestas?

—Le gusta la pintura.

—Así que anda atrás de una chica. Vaya, esto sí que es una noticia, mucho más sorprendente que si el Cruz Azul gana la Liga.

—Seguiré rezándole a la Virgen de Guadalupe.

—Eso. Igual la Virgen no le hace caso en cosas de fútbol, pero sí le tira un cabo en asuntos de amor. ¿O solo la quiere para un ratito? Aunque, para asuntos de amor, lo mejor es pedir ayuda a la Niña Blanca. ¿No le ha pedido ayuda?

Machuca no le responde. Se pregunta qué coño está haciendo en el despacho del Zar. ¿Por qué su vida había cambiado tanto? Un día, demasiado lejano, justo después de que su hija decidiera suicidarse, vio cómo se derrumbaba su sentido del bien y el mal, y ahora ya no era capaz de discernir si trabajaba para los buenos o trabajaba para los malos.

—Yo también leo los periódicos, inspector. Y no solo los deportivos —ahora el tono del Zar es más serio. Ha dejado de machacar la bola de chicle que tiene en la boca—. Y a mí me pasa como a usted, que también leo en los periódicos cosas que no acaban de gustarme, que tu equipo ha perdido o que tu mujer se lo está montando con el vecino. Lo último que he leído es que yo tengo algo que ver con el robo de la galería Babel. ¿Qué le parece?

Machuca se encoge de hombros.

—¿Cómo es posible que haya conseguido que los perros me huyan, pero no que los periódicos publiquen mierda? Y otra cosa: ¡Ahora están diciendo que las muertes de la refinería de Azcapotzalco tienen que ver con los ataques a los altares de la Santa Muerte! ¡Que es cosa de narcos! ¡Que solo los narcos le rinden culto! Pero si la muerte protege a todo el mundo. ¡A los ricos y a los pobres! ¿Qué piensa hacer para evitar que sean atacados los altares a la Niña Blanca?

—Estamos en ello, no se preocupe.

—¿Seré yo el que tenga que detener al padre Zanetti?

—¿A qué se refiere?

—Usted sabe de lo que hablo, no se haga el tonto. La parroquia del padre tiene mármol de Carrara y bancos de caoba. ¿Cómo se compra eso? ¿Con la limosna de los domingos? Y ahora nos lo paga atacándonos.

—Intentaré hacer algo. Pronto tendrá resultados.

—Hágalo. Aún tengo la esperanza de verlo en alguna de mis fiestas. Quiero que sea mi cuate.

El Zar lo enfoca. A Machuca no lo miran dos ojos, sino dos cubitos de hielo.

—Además —dice, recuperando su sonrisa burlona— puede traerse a su amiguita.

—Dudo que le gustaran esas fiestas.

—Es una pena. Igual que lo que le está pasando a mis bailarinas. ¿Quién puede ser el cabrón que me está haciendo eso?

—¿Le importa mucho?

El Zar se pone más serio todavía y le contesta de inmediato.

—¿Usted cree que yo quiero que maten a mis bailarinas? Alguien pretende hundirme el negocio del Manhattan. Algún tipo envidioso de mi suerte es el que las mata.

—¿Y por qué no las protege?

—Solo puedo hacerlo mientras bailan. Cuando salen por esa puerta de la mano de cualquier cliente, ellas son las que deben cuidarse. Son ya mayorcitas.

A Machuca no le convence la explicación del Zar. Le resulta complicado pensar que él no tenga nada que ver con lo que está pasando en el *Monte de las hormigas*.

—En fin, ya veremos qué pasa. Adiós, inspector. Y lleve cuidado dónde coloca a las muertas. No se le ocurra ponerlas a mi lado, *¿okay?*

El reloj de oro brilla por última vez. El Zar lo consulta varias veces, mecánicamente, como si tampoco se fiara de la hora que le marca.

DIECINUEVE

TENÍA MEJOR CARA QUE EL PRIMER DÍA QUE LO VIO. El rostro no lo tenía tan pálido y hasta se encontraba de buen humor.

—Dentro de tres semanas dicen que me quitan la escayola. Tengo que ponerme bueno, como sea. Hay mucho trabajo por hacer.

En su voz había un timbre de entusiasmo. Ya no era el hombre derrotado que Daniela Ackerman había descubierto nada más aterrizar en México. La detective quiso saber si ese cambio obedecía a que se acercaba el día de decirle adiós a la escayola, o había otras razones.

—¿Cómo que está tan contento?

—Es usted la que primero debe darme unas cuantas respuestas antes de que yo prepare la mía. ¿Qué tal su descubrimiento de quién es quién en esta ciudad?

Daniela intentó ponerse cómoda en la silla que le ofreció Freddy Ramírez. Cuando se sentó, notó que tenía una pata coja. La silla hacía juego con todo lo que había alrededor. Una hamburguesa ya mordisqueada iba goteando su aceite por el suelo, sin que al mexicano le importara gran cosa. A su lado había un número arrugado de la revista *Playboy*. La detective hizo una vez más de tripas corazón y respondió.

—El personaje más inquietante me parece el padre Zanetti.

—Ya le avisé que por culpa de él yo estoy aquí tumbado en esta cama. No es de fiar, lo que pasa es que es muy fácil engañar a las feligresas, e incluso a Roma, con una sonrisa amplia y los dientes muy blancos.

—También he conocido a Machuca.

—Ese no es tan guapo ni tiene los dientes tan blancos. Cuénteme el encuentro con el inspector.

—No creo que en esta historia juegue el papel secundario que usted le quiere atribuir. Lo vi salir del despacho del Zar y no parece muy empeñado en dar con el asesino de las chicas de la refinería. Es como si esas muertas no interesaran a nadie.

—Es que aquí la muerte es rutina.

—Para ustedes sí, pero para mí, no.

—¿Qué quiere decir con eso, Daniela?

—Ayer, después de que el inspector me recibiera en su despacho, me dio tanto coraje su apatía, la dejadez con la que hablaba de las bailarinas, que agarré mi coche y me di una vuelta por la refinería. Incluso entrevisté a varios vecinos y me sorprendió la respuesta que me dio uno de ellos: que si las chicas aparecían asesinadas, era porque ellas se lo buscaban, y que así, al menos, el gobierno se daría cuenta de lo que pasaba en la refinería, que allí se moría la gente sin llegar a vieja, por culpa de los gases tóxicos que desprendía todavía la tierra empapada de petróleo.

—Sí, piense que esa refinería funcionó setenta años sin parar. Es como si la tierra estuviera borracha, como una magdalena después de pasarse un minuto hundida en un vaso de leche. ¿Qué más le dijo ese vecino? —preguntó Freddy Ramírez, muy interesado.

—Nada más.

Freddy se quedó pensativo. Cogió la hamburguesa mordisqueada y le dio un bocado. Enseguida se puso a hablar con la boca llena.

—Lo más fácil sería echarle las muertas al Zar, eso es lo que haría un mal periodista. Pero todo lo que pasa en el Distrito Federal no es culpa del narcotráfico. También de los políticos. Y es verdad que esa refinería lleva demasiado tiempo olvidada, sin que nadie se acuerde de ella.

—¿A dónde quiere llegar?

—Alguien está matando a esas pobres bailarinas y las deja tiradas allí para llamar la atención; por eso el tipo que graba las imágenes enfoca los restos abandonados de la refinería, como si quisiera mostrar con claridad dónde se producen los crímenes. Y no solo quiere alertar a las autoridades locales, sino al mundo entero. Por esa razón cuelgan las fotos en Internet.

Daniela Ackerman intentó buscarle algún fallo al razonamiento del periodista, pero no se lo encontró.

—Ya ve —insistió él—, todo encaja. Lo que no me cuadra es que una mujer, simplemente una mujer como usted, se ponga a hacer pesquisas por su propia cuenta. Que yo sepa, usted venía a buscar un cuadro de Frida

Kahlo. ¿Qué hace metiendo las narices en una refinería en la que han aparecido ya dos bailarinas muertas?

Hubiera sido fácil decirle a Freddy Ramírez que, efectivamente, se sentía desbordada por los acontecimientos, que tenía que encontrar, costara lo que costara, el lienzo que Frida le regaló a Trotsky, pero que, buscándolo, se había topado con una situación que la había rebelado, poniendo en pie su instinto guerrillero, aquel que no se amilanaba ante nada, el que le dictaba órdenes insensatas: la indiferencia de todos ante la muerte. Pero, en vez de soltarle ese discurso al mexicano, prefirió pedirle algo:

—¿Por qué no investiga si ha habido muertes no naturales en Azcapotzalco que pudieran tener que ver con los gases que desprende todavía la refinería? Igual ese vecino tiene razón.

Freddy Ramírez meneó la cabeza. No lo veía muy claro. Pero al final hizo un gesto de asentimiento.

—A cambio me tiene que dar usted una descripción, lo más exacta posible, del hombre que denunció el abandono que sufrían los vecinos y que le dijo tan alegremente que la aparición de las muertas tenía una consecuencia buena. Y me tiene que contar también dónde lo encontró.

—Perfecto, Freddy.

El mexicano examinó a Daniela Ackerman. Se preguntaba qué los había unido en esta aventura loca. Mirándolos, no tenían gran cosa en común, salvo la facilidad para meterse en problemas.

—Le dije antes que tenía un regalo para usted. Se lo voy a dar.

Freddy se giró. Apartó el número atrasado de *Playboy* y echó mano de su ordenador portátil, que estaba semiabierto. Trasteó con sus dedos gordezuelos sobre el teclado y buscó un correo que estaba en la bandeja de entrada.

—Mire esto —le pidió a Daniela, girando en su dirección la pantalla del ordenador.

En la foto aparecían varias muestras de casquillos de bala.

—De armas no entiendo nada. Así que traduzca, por favor.

—Le cuento, princesa. Estos son los casquillos de las balas utilizadas por el AK-47, el llamado cuerno de chivo. Es el fusil de asalto que suelen usar los narcotraficantes. Fueron encontrados en la galería Babel.

—O sea que esto confirma que los que se llevaron mi cuadro son narcos. No solo utilizaron una estatua de la Santa Muerte, sino que además se valieron del AK-47.

—Pero lo más extraño es que al galerista no lo mató una sola bala salida del cuerno de chivo, sino la imagen de la Santa Muerte, atizada con saña sobre su cráneo. Y esa locura solo puede ocurrírsele a alguien.

—¿A quién?

—Al Toti.

Daniela Ackerman hizo un gesto de interrogación. El periodista tomó una bocanada de aire y se dispuso a contarle.

—Ahí va otro nombre para su juego del quién es quién. Del Toti se han contado mil historias y se han inventado otras mil. Que si fue recogido cuando era un niño por el Zar, que si es el resultado de una relación que tuvo el Zar con una americana muy blanca como la leche en un fin de semana loco en Las Vegas y por eso el Toti salió con tantas pecas, que cosechó el primer muerto antes de que apagara las velas de su décimo cumpleaños. Todo eso puede ser tan falso como verdadero, o solo una leyenda. Lo único real es que siente pasión por el Real Madrid y que es el mejor pistolero que tiene el Zar, y me juego la única pierna que los narcos me han dejado sana a que el Toti fue el que se llevó tu cuadro de la galería Babel.

Daniela se puso a analizar mentalmente la situación a la luz de los nuevos datos que le ofrecía el mexicano. Abrió su bolso y sacó un paquete de cigarrillos. Durante varios segundos sostuvo un cigarrillo en la mano sin atreverse a encenderlo.

—Si eso es así, hemos descubierto una nueva pista para llegar al cuadro de Frida. Lo ideal sería poder entrevistar a ese Toti.

Freddy Ramírez reaccionó a ese comentario con una mueca burlona.

—Vamos a ver, princesa. ¿Usted cree que el Toti va a estar en el Starbucks del Parque Alameda, esperando a que lo entreviste mientras saborea un capuchino? Le he dicho que es el mejor pistolero que tiene el Zar. Y no duda en disparar cuando tiene un motivo para hacerlo. Y le puedo asegurar que no tarda demasiado en encontrarlo. Además, dudo mucho que le guste el café. Le van las cosas fuertes.

La detective acercó la llama del encendedor al cigarrillo. Aspiró con fuerza, reteniendo el humo en los pulmones. En efecto, no parecía una idea muy sensata buscar al Toti para hablar con él. Y, aun así, ella no se iba a rendir con tanta facilidad. Había algo en toda esta operación, no sabía si el magnetismo de ese cuadro de Frida, toda la historia que lo rodeaba, o quizá simplemente el influjo de un país como México, que la estaba empujando a tomar decisiones demasiado arriesgadas, como fue antes vivir su romance con Marcelo.

—Voy a echarle un cable, Daniela. Veamos el vaso medio lleno. Lo mejor, obviamente, sería poder acercarse al Zar y sondearlo, pero nadie lo ha conseguido, y mucho menos después de someterse a la operación de cirujía estética que le cambió la cara. Bastante con que lo vea fugazmente en el Manhattan o bajándose de su Hummer. El Toti es más accesible, porque en el fondo no es más que un chico de su edad con la mejor puntería de todo México, y a los chicos de su edad, aparte de jugar a ladrones y policías, les gustan las niñas, y hay una que lo lleva loco. Una morra bien *chida*, como decimos acá. Y esto no es una leyenda, porque todo el barrio habla de ella. El Toti está colgado de una morra de dieciséis años con las tetas paradas así.

Freddy Ramírez se llevó las dos manos a su pecho e hizo un movimiento muy claro para trazar la circunferencia y el volumen de los pechos perfectos de la novia del Toti.

—Vive en la calle Díaz de León, en la colonia Morelos. Es una chica morena, con una cara perfecta, de muñeca, los labios muy carnosos, el pelo tan largo que casi le llega al culo. Dicen que no te cansas de mirarla. Todo el mundo la conoce como Evelyn.

Daniela sacó un bloc de notas de su bolso y apuntó la dirección.

—¿Algo más, Freddy?

—Que intente dormir más. Se le ve mala cara.

Hasta el mexicano se había dado cuenta. Lo venía comprobando desde hacía varios días, cada vez que se miraba en el espejo del baño, en el Fontán. En su rostro habían aparecido arrugas nuevas con las que no contaba. No sabía si era la falta de sueño o simplemente que se estaba haciendo vieja. Y lo peor de todo es que no tenía a mano al cirujano Orenes. Estaba deseando volver a verlo para ponerse en sus manos. Le hacía falta una sesión de radiofrecuencia para dejarle el cutis como nuevo. Pero antes tenía que encontrar el cuadro de Frida.

Nada más ver cómo se perdía el pelo rubio por los pasillos de su casa, Freddy Ramírez se arrepintió de haberle dado la dirección y el nombre de Evelyn, la novia del Toti. Le dio un golpe violento a la escayola. Tenía ganas de que ella lo viera sin prótesis, con sus dos piernas sanas, corriendo delante del peligro, ayudándola activamente en la investigación. No es bueno que una mujer ande sola por el mundo, se dijo, aunque esa mujer se llamara Daniela Ackerman. Era más frágil de lo que ella pensaba o quería demostrar.

Ese pensamiento fue como un vaticinio, pero Freddy Ramírez estaba muy lejos de saberlo. Y es que cuando la detective llegó a la altura de su coche, se encontró con una sorpresa: alguien se había tomado la molestia de rajarle las cuatro ruedas.

VEINTE

EL TELÉFONO SONÓ EN SU HABITACIÓN DEL HOTEL Fontán. Desde recepción le dijeron que la llamaba el señor Vargas. Daniela tenía muchas ganas de escuchar una voz amiga. Ni siquiera podía colocar en esa categoría todavía la de Freddy Ramírez, por mucho que parecía que la ayudaba.

—¿Cómo estás?

—Bien, teniendo en cuenta que hay cosas peores, como limpiar el vómito de un perro.

—¿Aún despierta?

—Sí. Es verdad que son las dos de la mañana. Pero últimamente me cuesta dormir bien. Tengo unas ojeras que ni te imaginas.

—Ya te va haciendo falta una visita a tu amigo el cirujano.

—No sabes hasta qué punto. Pero me temo que esa visita deberá esperar.

—¿Y eso?

—Han surgido complicaciones. Perdón: nuevas complicaciones.

—Cuéntame.

—Esta misma mañana he tenido que llevar mi coche al taller.

—¿Al taller? Pero si esos coches de alquiler van al pelo.

—Pero no están libres de que algún hijoputa les raje las ruedas. Y de los quince millones de vehículos que hay en el Distrito Federal, le ha tocado al mío. Y te aseguro que no es ni por la marca ni por el modelo. Aquí Volkswagen hay a patadas, empezando por esos taxis verdes a los que llaman *bochos.*

Daniela notó cómo se abría un silencio al otro lado de la línea. Se imaginó a su jefe rascándose la mejilla recién rasurada, buscando explicaciones a lo que estaba ocurriendo. A través de *e-mail,* la detective le había ido contando al principio, a grandes rasgos, por dónde llevaba el tajo en la investigación. Pero, a raíz de algunos acontecimientos, había preferido omitir cualquier detalle. Temía que alguien pudiera interceptar sus mensajes. Sin embargo, desde que vio su coche vencido sobre la acera, las cuatro ruedas como globos muertos, era tal la angustia que sentía, que se veía ahora empujada a soltarla, por mucho que ni siquiera el teléfono del Fontán fuera seguro, dadas las circunstancias.

—Está el caso de las bailarinas, el caso del *Monte de las hormigas,* como lo llaman en los periódicos. Hay cuatro sospechosos, pero ningún periódico se atreve a hablar de ellos: un tipo al que conocen como el Chino, otro individuo que se hace llamar el Toti, el Obispo ese de la Santa Muerte, o bien alguien interesado en gritarle al mundo que hay que solucionar ya el problema de la refinería.

—¿Qué ocurre allí?

—A media tarde me ha llamado Freddy Ramírez. Un tipo muy particular este Freddy, no es mala gente, aunque la higiene y la comida sana no son su fuerte. Ha hecho sus propias averiguaciones y me ha dicho que en los últimos dos años han muerto quince personas por culpa de infecciones pulmonares, al parecer, ligadas a los vapores que desprende la refinería.

—Así que tenéis cuatro sospechosos.

—Y hasta un quinto, pero este es más impreciso: cualquiera con ganas de hacer una travesura y colgarla en Internet. Aquí el noventa y cinco por ciento de los delitos queda impune. Matar es fácil y bien que se han encargado de decírmelo. El último que lo ha hecho ha sido el que ha apuñalado mis ruedas.

—Estoy preocupado por ti.

—¿Y eso?

—Porque te mandé a buscar un cuadro de Frida Kahlo y pareces más interesada en descubrir al asesino de unas pobres bailarinas que salen de una cantina de tercera categoría.

—No es de tercera, su dueño es el Zar, y aquí no todo el mundo se atreve a pronunciar ese nombre. Hay cien formas de ser un cabrón, y el Zar las conoce todas.

—No hagas el quijote. No se gana dinero con eso. Y hay un diez por ciento en juego.

Daniela hizo un mohín, ofendida. No le gustaba el tono que estaba empleando su jefe y no estaba dispuesta a dejarlo sin réplica.

—Aquí todo está conectado. Los mismos narcos que robaron el cuadro pueden ser los que estén matando a esas chicas. Son dos caras distintas, pero pertenecen a la misma moneda.

—Hay una cosa que no entiendo, Daniela, y no es tu particular habilidad para meterte en problemas que no venían en el guión.

—¿Qué cosa?

—Me hice la pregunta desde el mismo momento en que supe que en la galería de la que voló el lienzo de Frida habían aparecido casquillos del fusil AK-47. ¿Para qué quiere un narcotraficante un cuadro así? Esta gente se gasta sus millones en mansiones y en Hummer, no en arte.

—Quizá para lavar dinero.

—No, no lo creo. Son tan chulos que no rinden cuentas a nadie, y mucho menos al fisco. Por cierto, ¿qué hay de la Santa Muerte?

—Que está en todas partes, empezando por el pecho izquierdo de las bailarinas muertas. Y parece que un cura le ha declarado la guerra. Destrozan sus altares y dejan una notita: en nombre de Dios.

—¿En nombre de Dios? ¿Un cura?

—Sí, un cura muy guapo.

—Vamos, que si no fuera por el alzacuello, hasta le podrías pedir tarifa.

Daniela Ackerman se imaginó mentalmente la situación. La verdad, otras veces había pagado cientos de euros por hombres menos atractivos que el padre Zanetti, y con resultados insatisfactorios. Claro que las únicas habilidades que conocía del curita eran las que utilizaba para engañar a Roma.

Se le relajaron los músculos, por primera vez desde que descolgó el teléfono para atender a Vargas, o por primera vez en muchos días. Pero esa sensación le duró poco. Su jefe carraspeó y se puso muy serio.

—Daniela, hay algo que debo decirte: anoche asaltaron la agencia. Por eso verás que te he llamado tan temprano. La policía vendrá ahora a buscar huellas. Está todo patas arriba.

—¿Por qué no has empezado por ahí?

—Porque quería oírte a ti primero.

—¿Tienes idea de quién ha sido?

—No. Solo que nos han robado todo el *dossier* de Frida Kahlo. Afortunadamente, guardo una copia de seguridad en casa. Eso sí, han dejado el ordenador con todas las tripas fuera. Ah, se me olvidaba: los que han hecho esto, como son gente educada, de buena cuna, no querían llevarse algo sin hacernos a cambio un obsequio. De pie en mi escritorio tengo ahora una reproducción de la Santa Muerte.

Lo dijo así, en un tono humorístico, como si quisiera gastarle una broma. Ella pensó por un instante que era eso, simplemente una broma, pero lo descartó. Escuchó el repiqueteo de otro teléfono en la oficina. La detective oyó cómo Vargas hablaba con alguien que debía de ser un comisario de policía, o algo así.

—Daniela, tengo que dejarte. Hablamos más tarde. E intenta dormir.

Pero esa noche iba a ser larga, muy larga, para Daniela Ackerman. Se sentía sola, únicamente acompañada por el miedo.

Veintiuno

Ciudad de México, 1940

—¿Ya no le duele la pierna?
—Ella siempre duele, para recordarme a cada momento que existe. Es la forma que tiene de hacerse importante.

Sí, el dolor de aquella pierna era permanente, pero Frida parecía no hacerle caso, al menos, en los últimos días. Trotsky ya no la veía sentada en la mecedora, sin nada que hacer, salvo beber largos tragos de tequila de una petaca que se había convertido en su compañera más fiel. ¿Ha visto? Bebo como un mariachi. Cuando tomo, soy capaz de tumbar a un elefante, le dijo un día con la lengua de trapo. Todo lo hago con pasión, incluso beber, le confesó. Pero ahora había dejado el alcohol y la mecedora a un lado, y se pasaba horas y horas ante el caballete.

Tenía entre manos un lienzo, un trabajo al que se entregó furiosamente, como hacía tiempo que no lo hacía. Sí, era una pasión furiosa, y llegaba a trabajar más horas que Trotsky, que aún la veía aprovechar los últimos rayos de sol, cuando a él le dolía ya la muñeca derecha después de una tarde entera dedicada a la monumental biografía de Stalin.

—¿Un autorretrato? —preguntó Trotsky, fijándose en la línea recta que seguían las cejas de la mujer, en los labios abultados de carne, los mismos labios, las mismas cejas de Frida.

—Soy mi mejor modelo —le respondió, la mano derecha colgada de la cintura.

Trotsky miraba el cuadro, pero no podía dejar de mirarla a ella, tocándose el pelo arreglado en una corona de trenzas, ajustándose los anillos que llevaba en los dedos. ¿Cómo es posible que una mujer fuera coqueta hasta en los más mínimos gestos? Era una especie de coquetería innata, que nunca había encontrado. Porque Trotsky llevaba mucho tiempo casado con Natalia Sedova, pero siempre había disfrutado con el juego de seducir, sobre todo a mujeres más jóvenes que él, y no era más que un juego, generalmente sin otras consecuencias que despertarle un deseo que se le moría enseguida, pero el caso de Frida era distinto. ¿Qué tenía aquella mexicana para alborotarle los sentidos de esa manera? Desde luego, físicamente no se parecía en nada a cualquier otra mujer que hubiera conocido, pero tampoco era objetivamente guapa. Tenía una belleza misteriosa, como sus cuadros.

—El protagonista del cuadro, o sea, yo, llevará en la mano un colibrí. ¿Sabe lo que significa aquí ese animal?

—No.

—Es un amuleto para atraer el amor.

—Le está quedando muy bonito —fue lo único que acertó a decir Trotsky, examinando el lienzo, mientras intentaba buscarle sentido a lo que acababa de decirle la pintora. Que hubiera incorporado al cuadro la figura del colibrí le parecía un mensaje lanzado directamente a él. Por mucho que intentara apartar esa idea de la cabeza, no lo conseguiría. Una ardilla se había puesto a dar saltos alocados dentro de su corazón.

—¡Y aún falta lo mejor!

—Explíqueme.

Frida tardó en responderle. Se llevó la mano izquierda a la cabeza. Rastrilló el pelo lentamente. Era una operación muy sencilla. Lo llevaba muy corto, más corto que nunca. Si Diego la viera, montaría en cólera, pero Diego llevaba más de una semana perdido con Cristina, con su hermana, con su propia hermana y el único hombre que ahora aspiraba de cerca su aroma a Jean Marie Farina era León Trotsky.

—Me he dado cuenta de que aún tardará en crecer. Pero sí puedo hacerlo crecer en el cuadro todo lo que quiera. Y va a llegar al culo, más largo que nunca. ¿Qué le parece?

—Yo le pedí que se lo dejara crecer.

—Por eso me paso tantas horas delante del lienzo. Pronto estará acabado.

Y Frida le obsequió con un nuevo gesto que ya no era de coquetería, sino mucho peor. Era un gesto de complicidad. Los dos estaban inventando sobre la marcha un lenguaje que solo ellos entenderían, intraducible para Natalia Sedova, o para Diego Rivera, un lenguaje que estaba todo contenido en el lienzo en el que trabajaba con una pasión nueva y desconocida Frida Kahlo.

No podía evitarlo. Trotsky se sentía incómodo con estas conversaciones llenas de equívocos, de guiños que tenía que descifrar. No era solo la presencia intimidadora de Frida, oliendo como ninguna otra mujer en el mundo olía. ¿Cómo era posible que un cuerpo tan menudo, apenas metro sesenta de altura, pudiera despertarle tanto deseo? ¿Qué es lo que le estaba ocurriendo para olvidarse de toda una vida? Toda una vida junto a una mujer llamada Natalia Sedova. Temía y, al mismo tiempo, deseaba, esas frases cada vez más explícitas que le arrojaba Frida Kahlo, con un descaro que para él también era nuevo. Jamás una mujer había sido tan clara. ¿De veras estaba generando en la mexicana unos sentimientos parecidos a los que lo atormentaban a él? Y sobre todo ¿qué nombre tenían esos sentimientos? ¿Era solo deseo, o iba más allá, un afecto, un afán de protección a una mujer tan aparentemente desvalida como ella, atropellada por la vida y las desdichas? Trotsky pensó que estaba perdiendo la partida, que aquella mujer lo estaba llevando a su terreno, y por eso, aunque fuera para volver a la realidad, frecuentemente le hablaba de política.

—¿Qué es lo que más le inquieta?

—En estos momentos, España. Creo que ahora es el centro de lo más interesante que pueda suceder en el mundo. Daría la única pata que me queda buena para irme ahora a España.

—Las noticias que llegan son pocas y además no son buenas.

—No importa. Entre todos haremos que las noticias sean buenas. Hace unas semanas tuve que ir a Pachuca y a otros pueblitos, a recoger ayuda para los republicanos españoles. Fue emocionante la acogida de todas las organizaciones obreras de México para este puñado de jóvenes milicianos. Los grupos más pobres de campesinos, los obreros... haciendo un auténtico sacrificio, pues usted no se imagina en qué miserables condiciones vive la gente en los pueblitos. Ha sido un día entero de su salario para los que combaten ahora en España en contra de los bandidos fascistas. Incluso he escrito a Nueva York y a otros lugares, y creo que lograré una ayuda que, aunque pequeña, significará, cuando menos, alimentos o ropa para algunos niños, hijos de los obreros que luchan en el frente en este momento. Verá. Hace unos días contemplé una escena que me sobrecogió. Acudí a una escuela que ha acogido a niños republicanos que han tenido que huir de España. Está en Morelia, situada entre dos iglesias, una salesiana y otra de San Juan Bautista. Y vi a uno de los niños apedreándolas, con el puño levantado. Me pareció impresionante, me tembló todo el cuerpo de emoción. Fíjese, hay casi quinientos niños que se han separado de sus papás. Y todo, por culpa de esos pinches fascistas. Pero no nos vamos a rendir. ¿Sabe por qué?

León Trotsky hizo un gesto para invitarla a responder.

—Porque los que no creemos en Dios debemos al menos creer en la revolución.

O sea que no solo era una mujer bellísima, una artista de inquietante talento, sino que incluso tenía un compromiso político activo, una gran conciencia revolucionaria. Después de pasarse horas y horas pintando, luchando con su pata mala —como ella decía— y sus demonios interiores, aún le quedaba tiempo para ayudar a los republicanos que luchaban tan lejos de allí, a más de diez mil kilómetros, en una guerra que también había hecho suya. Trotsky no pudo evitar la tentación de imaginársela en la cama, entregándose con la misma pasión que mostraba al defender sus opiniones políticas, soltando las mismas palabras feas con las que insultaba a los fascistas que tenían en un puño a Europa. La imaginó con los ojos cerrados, la espalda mojada, encaramada sobre él, saboreando cada sensación, y sintió un arañazo de culpa. Efectivamente, Natalia Sedova, su compañera de tantas aventuras en esta vida nómada a que lo había empujado Stalin, no se merecía eso. Pero ¿qué podía hacer él? Nada se puede hacer contra los deseos. Nada.

Trotsky relajó los músculos. La conversación había entrado en su territorio, la política, a fin de cuentas un escenario público, y se sentía más cómodo que pisando ese terreno resbaladizo en el que se había convertido su relación de intimidad.

—Fíjese, yo era también muy optimista, curiosamente, cuando menores eran las noticias que recibía, en mi estancia en Noruega. Sigo pensando que la victoria de la revolución proletaria en España es imprescindible para la construcción sólida de la Cuarta Internacional. Confié en la constitución de un gobierno obrero y campesino para detener a los insurrectos fascistas. Incluso enterré antiguas querellas con el secretario político del POUM, que, por ejemplo, no desdeñó en un principio el apoyo de los combatientes anarquistas. Olvidé incluso eso, a pesar de que los anarquistas son la quinta rueda del carro de la burguesía, aunque vayan soltando a los cuatro vientos sus frases revolucionarias. Tampoco me pareció correcto que el POUM entrara en el gobierno de la Generalitat catalana. En ese momento no tuve más remedio que amonestar a Andreu Nin, su líder, llamándolo pequeño-burgués. Nin dio un mal paso, que supo rectificar a tiempo y, una vez resueltas esas discrepancias, tocaba remar en la misma dirección, había que unir fuerzas. Quise entrar en Barcelona para seguir de cerca nuestras movilizaciones, pero el gobierno de la Generalitat me negó el visado de entrada. Esa fue la primera mala noticia, el primer golpe, pero han venido otros después, y ahora el POUM está siendo el blanco de los ataques estalinistas. Y estos ataques se han intensificado justamente después de que el POUM haya criticado abiertamente los procesos de Moscú, que me han convertido en un hombre sin patria. La GPU está eliminando a sus hombres. Y la última noticia es la peor de todas: Andreu Nin, su dirigente más eficaz, ha sido detenido por la policía oficial para ser luego asesinado en una prisión privada dirigida por policías rusos. Esto no hace sino confirmar la colaboración entre la policía "republicana" y los asesinos de la GPU. Y para colmo, no solo han acabado con Andreu Nin, sino que...

Trotsky se levantó súbitamente y empezó a escarbar en una montonera de papeles que tenía en una esquina. Enseguida encontró lo que buscaba. Era un ejemplar de una publicación llamada *La Batalla*. Tenía subrayado un editorial que ocupaba casi media página.

—Este ejemplar me ha llegado gracias al trabajo eficacísimo de Sylvia Ageloff, que me hace llegar cartas y documentos valiosísimos, como este que usted puede consultar. El Partido Comunista sostiene que Andreu Nin fue "liberado" por un comando de nazis alemanes disfrazados de voluntarios de las Brigadas Internacionales, con lo que de esta forma quedaba "probada" su condición de agente fascista.

—Pero eso es un disparate.

—Mucho peor que eso: una calumnia. Stalin ha urdido una mentira fantástica que convierte al POUM en colaborador de Falange Española, y a través de ella, de Franco y de la Alemania nazi. Y lo peor es que ha conseguido que esa mentira pase por verdad, haciendo del POUM una organización espía germano-franquista. Y todo porque *La Batalla* se hizo eco de mis denuncias sobre los crímenes de Stalin, y fue el primer medio que se atrevió a publicarlas en España, al mismo tiempo que calificaba de chantaje la ayuda de la URSS a la República para derrotar al fascismo. Y la consecuencia de lanzar a la opinión pública esa verdad es no ya desacreditar, sino eliminar. Es justamente lo mismo que pretenden hacer conmigo, y por desgracia, el POUM no solo tiene que luchar en España contra la reacción fascista sino también contra las calumnias y difamaciones del Kremlin. ¿Sabe cuál ha sido la última provocación estalinista?

Para Frida era imposible responder a esa pregunta. Entre otras cosas, porque se había quedado sin palabras. El estupor la había vencido totalmente.

—Los pocos militantes del POUM que, desafiando la clandestinidad a la que han sido condenados, han preguntado dónde está Nin, encuentran la respuesta en grandes pintadas que se están haciendo en paredes de Barcelona, e incluso de Madrid: ¿Dónde está Nin? En Salamanca... o Berlín. Le voy a contar algo que usted desconoce. La primera persona que me da noticias de Diego Rivera es Andreu Nin. Durante mi destierro en Alma-Ata, es él quien me remite un volumen con reproducciones de su pintura. De inmediato le respondí, deslumbrado por su atinada mezcla de las influencias de Goya y el Greco con la vida pública y el arte indígena, atreviéndose incluso a utilizar elementos cubistas en sus murales. Siempre he profesado una rendida admiración por el talento artístico del señor Rivera, admiración que no tiene nada que ver con nuestras discrepancias políticas. Y fue Andreu Nin el que me lo descubrió, antes de darle tiempo a que el Kremlin lo colocara en la lista de los muertos, como a mí, con acusaciones calumniosas. Porque no solo luchamos contra un hombre, sino contra algo peor: la mentira.

—¿Es usted tan pesimista?

—No, no lo soy. Lo único que he hecho en mi vida ha sido luchar por los que no tienen nada, y si pensara por un momento que los fascistas van a ganar, no me merecería la pena vivir ni un minuto más. Y créame que no hay en el mundo un hombre más amenazado que yo. Estoy vivo, pero también estoy muerto. Y aún así, nadie podrá minar mi moral, incluso mi optimismo, que aplico igualmente a España. Todavía confío en que allí también logremos levantar la bandera del marxismo, pero arrostramos serias dificultades. ¡Y España es tan importante en estos momentos!

—¿Me acompañará esta noche?

—¿A dónde?

—Al Ateneo Español.

Le hizo la pregunta sabiendo que Trotsky no podía hacer ninguna salida, salvo las excursiones al campo, realizadas de incógnito y tomando mil precauciones. Pero le planteó la propuesta para que al creador del Ejército Rojo no le quedaran dudas de que ella jugaba fuerte, en todos los campos, incluso en política. Su militancia comunista había crecido a la sombra de Diego Rivera, pero ahora se sentía totalmente independiente, no solo para pintar con autonomía, sin la sombra gigantesca del muralista mexicano más internacional, sino también para tomar sus propias iniciativas políticas. Y esa noche iría al Ateneo Español.

—Allí me espera un chico.

—¿Qué chico?

—Uno muy joven, de mi edad, pero no se preocupe, que no me interesa ni para aventura ni para vacilones, no. Tiene el dedo índice más corto de lo normal, de tanto atizarlo contra el mármol del velador en el que toma café, de tanto decir que hoy sí, hoy caerá Franco, hoy los obreros lo van a tumbar.

—¿Y usted qué cree?

—No tengo ninguna duda. Le vamos a ganar la partida a los fascistas.

Esa noche Trotsky lo pasó mal. Vio cómo Frida abandonaba con pasos alegres la Casa Azul. Era la primera vez que lo dejaba solo, o la primera vez que Trotsky tuvo esa sensación. Durante varios minutos se quedó embobado, con la mirada fija en una figura de palma de Tlaxcala que colgaba de la pared, con el pensamiento totalmente detenido. Luego se encerró en su despacho, intentando concentrarse en la biografía de Stalin, pero no lo consiguió, le fue imposible, y eso que quería darle un avance. El editor que se la había pedido ya le había adelantado una cantidad de dinero importante, pero el trabajo no estaba acabado, ni mucho menos. Trotsky tenía la cabeza en otro sitio y, por más que lo intentó, no pudo apartar de su mente la imagen de un joven (¡de un joven, no de un maldito viejo como él!), dedicándole miradas de deseo a Frida mientras insultaba a Franco y a esos *jijos* de la chingada de los fascistas, como los calificaba la pintora, con vehemencia. Se imaginó la atmósfera densa de humo del Ateneo, los vasos de tequila corriendo de mesa en mesa, la política como una excusa para hacerse el importante. La política no era eso, no eran reuniones con pretensión de conciliábulo, no eran soflamas incendiarias soltadas entre trago y trago, antes de que las risas lo llenen todo, convirtiendo la reunión en una pelea de taberna portuaria. Aquello no era hacer política, no, aquello eran celos, pongamos el nombre concreto a las cosas. Trotsky tenía una especial facilidad para llamar a las cosas por su nombre, y aquello, aunque le costara reconocerlo, eran celos, y la culpa de todo no la tenía él. ¿No había sido acaso ella la que había empezado a despedirse de él con un *all my love* que no dejaba lugar al equívoco? Fue a partir de ese momento que Trotsky ya no tuvo ninguna duda. *All my love.* Estaba totalmente convencido de que no solo despertaba admiración en la pintora, la admiración entusiasta que merecía un héroe revolucionario, sino algo mucho más profundo, tan profundo que solo lo puede explicar el corazón, igual que ese sentimiento que ahora lo atormenta.

Cuando regresó Frida, Natalia Sedova ya estaba dormida. El suyo era un sueño muy hondo, y es que nunca se había sentido tan segura como en México, incapaz de pensar que aquel lugar podía ser muy peligroso, un lugar en el que podían incluso seducir a su marido, que ahora se levantaba, intentando no hacer ruido. Cruzó el pasillo, sin encender ninguna luz, hasta que llegó al estudio. Se sentó en la mecedora, orientándola hacia el cuadro.

No debió esperar mucho para escuchar unos pasos. Sabía perfectamente de quiénes eran. Los dos se miraron, sorprendidos, y no sorprendidos. Los ojos de Frida, aunque negros, relampaguearon en la oscuridad, como si tuvieran luz propia. Esta vez Trotsky le sostuvo la mirada. Notó los rasgos cansados de Frida, extenuada por tanta tarea, y sin embargo, aún con energías para hacer todavía algo más. No hizo falta que hablaran. En ese instante se estaban comunicando con el lenguaje que habían ido fabricando desde el mismo momento en el que Trotsky notó cómo ella se balanceaba indolente en la mecedora. La miró, pero no tenía ganas de sentarse, sino de caminar, con su pata mala. Abandonó el estudio y Trotsky la siguió, como un autómata. No veía a nadie, salvo a Frida, ni siquiera al agente Donovan, la ametralladora en bandolera, siempre despierto. El custodio hizo un ademán de acercársele, por si necesitaba algo, pero Trotsky no vio cómo se arrepentía sobre la marcha, al darse cuenta de que lo acompañaba Frida. Cerró la puerta de la Casa Azul. A lo lejos, ladró un perro. Enseguida otro le respondió. Frida y Trotsky los seguirían oyendo, ladrándose uno al otro, su conversación ininteligible perdiéndose por la calle Aguayo, colándose dentro de la casa de Cristina. Trotsky la reconoció. Había estado allí una vez, claro que en otras circunstancias. Trotsky se sentía libre, como en esas excursiones que hacía al campo, en busca de cactus. Esta era también una excursión de incógnito, clandestina, y sin embargo, Frida dio varias voces nada más entrar en la casa.

—Diego, ¿dónde estás?

Pero nadie le respondió, a pesar de repetir los gritos varias veces, hasta que descubrió el dormitorio de Cristina. Le sorprendió encontrar la cama hecha, cubierta por una frazada que estaba impecablemente tersa, demasiado tersa, a juicio de Frida, demasiado perfecta para dejarla así.

Una hora más tarde, justo una hora más tarde, el agente Donovan los vio entrar de nuevo en la Casa Azul.

Algo le dijo que habían empezado los problemas. Agarró con fuerza su ametralladora, la que siempre llevaba en bandolera.

La noche olía a perfume.

—A los dos meses justos, mataron a Trotsky —afirmó Freddy Ramírez, cambiando la posición que ocupaba en la cama.

—O sea que me quiere decir que el piolet que mató a Trotsky no lo agarró Ramón Mercader, sino Diego. Que fue Diego el que asesinó a Trotsky, por celos. Un crimen pasional, vamos...

A Daniela la boca se le había torcido en una mueca burlona. A estas alturas de la película, ya no sabía si Freddy era un periodista o un creador de fantasías. Desde España, su jefe Vargas le había dado muy buenas referencias, las mejores. Nadie ha amado tanto a Frida como él, solo Diego Rivera y Trotsky, esa era la frase que le había regalado Vargas junto al billete de avión. Y tiene huevos, añadió a continuación. Pero Daniela no se atrevía todavía a ubicarlo.

—No se precipite. Yo no he dicho exactamente eso —la corrigió.

Freddy Ramírez levantó la única mano que tenía sana, para hacer la señal de *stop*. La rubia corría demasiado.

—Ha dicho algo parecido.

—Lo único que le he revelado a usted, y es la única persona que lo sabe, es que Diego sí estaba al corriente de los amoríos de Frida con su ilustre invitado.

—¿Qué tiene que ver eso con el cuadro que ando buscando?

—Mucho.

—De momento, solo me ha entretenido con una bonita historia de amor. Pero Corín Tellado lo hace mejor.

—Es usted encantadora.

—Su ironía tampoco me ayudará a encontrarlo.

—No olvide una cosa. Aquí en México se le acercará mucha gente, ofreciéndole su ayuda. Pero su único aliado soy yo.

Daniela ensayó un gesto de disculpa, pero no le salió. Le faltaba práctica.

—Lo que desconocía —reconoció la detective— es que Frida tenía un acentuado compromiso político.

—Mi teoría es que a Frida le emocionaban los símbolos, y los símbolos le llevaron a comprometerse políticamente. Por eso se dejó seducir primero por Trotsky y luego por Stalin, pero su relación con Trotsky duró más allá de su muerte por la idea que tuvo Ramón Mercader. Seis años después del episodio del piolet, Diego Rivera quiso firmar su readmisión en el Partido Comunista con una pluma que Frida le había regalado a Trotsky. Ella se negó. Lo más curioso de todo es que, ya en los últimos años de su vida, echó pestes del Viejo, como ella lo llamaba. Dice que le cayó mal desde el principio, por su presunción, su pedantería. Ya había avisado a Diego Rivera del error de traer a la Casa Azul al ruso. Le reprocha después haberse robado de esa casa catorce camas, catorce ametralladoras, catorce de todo... Claro que, cuando hace estas declaraciones al *Excélsior*, Ramón Mercader lleva ya encerrado en la cárcel de Lecumberri varios años por elegirle destino a Trotsky, y Frida ha pintado la imagen de Stalin en un corsé de escayola que llevaría puesto muchos meses. ¿Y sabe lo más desconcertante de todo?

—Cuénteme.

—Lo más sorprendente de todo no es cómo Ramón Mercader es capaz de meterse en la mismísima guarida de Trotsky, ni que Frida acabe sintiéndose devotamente estalinista después de haberse acostado con el Viejo, como ella lo llama. No. Hasta eso son anécdotas al lado de algo mucho más incomprensible: el amor incondicional que le otorga Frida a Diego Rivera, a despecho de sus infidelidades. Es imposible de entender. Quizá porque amar y comprender sean dos términos opuestos. ¿Qué opina?

—Pues que parece que el que se casó dos veces con Frida Kahlo no fue Diego Rivera, sino usted —contestó Daniela, con un matiz irónico.

Freddy Ramírez optó en ese momento, dadas las circunstancias, por dirigir la mirada a su ordenador. Y leyó, de nuevo.

VEINTIDÓS

Ciudad de México, 1940

HACÍA MUCHO TIEMPO QUE NO SE SENTÍA ASÍ. La furia le podía. Durante toda la tarde había intentado concentrarse para escribir alguna página de la biografía de Stalin, apremiado como estaba por sus editores, pero las cuatro líneas que pudo hilvanar no valían ni un peso.

Estaba demasiado enfadado. Ni siquiera le regaló una de sus habituales caricias a *Azteca,* que dormitaba a sus pies, ajeno a todo. Se asomó un momento por la ventana. El cielo era una herida purulenta.

Intentaba apartar de su mente la imagen de Diego Rivera, pero no lo conseguía. La carta que había descubierto le había anulado la voluntad, y solo le quedaban fuerzas para insultarlo.

¿Cómo había sido capaz de escribir aquella carta? Y no solo eso, ¿por qué diablos se había atrevido a mandarla a París? ¿Todo lo que en ella decía hacía suponer que iba a abandonar la Cuarta Internacional? No es posible que aquella carta hubiera salido de la misma mano que estrechó él, nada más desembarcar del petrolero *Ruth*, en el puerto de Tampico, procedente de Oslo.

Trotsky estaba ciego de ira, y lo peor: Diego Rivera no aparecía por la Casa Azul.

Lo esperó una hora larga, dando pasos acelerados por el jardín. Pero se cansó de montarle guardia y ahora lo espiaba desde la ventana de su despacho. Del gordo Rivera se podía esperar cualquier cosa, que apareciera a cualquier hora, o que no apareciera, porque le gustaban tanto las mujeres y tenía tantas a su disposición, que podía estar perdido con cualquiera de ellas.

Y ya cuando Trotsky empezaba a perder la esperanza de encontrarlo, descubrió el sombrero Stetson de Diego Rivera moviéndose lentamente por los pasillos que permitían las plantas del jardín. Caminaba pesaroso, como si la actividad creativa o las mujeres lo dejaran extenuado, sin fuerzas apenas para alcanzar el primer piso de la casa. Trotsky lo oyó aún trastear en su estudio, antes de tomar la decisión de ir a buscarlo.

Lo descubrió, en efecto, rebuscando algo en un armario.

—¿Por qué mandó esa carta a París?

Ni siquiera le dijo buenas noches. Trotsky le lanzó la pregunta, sin mayores preámbulos. Llevaba todo el día, desde el mismo instante en el que la había descubierto, queriendo hacérsela, y no iba a perder ni un segundo.

Diego Rivera se giró, con un movimiento lento. Tardó en enfocar con sus ojos a Trotsky, como si no lo reconociera. Ya no había ademanes suaves, no, solo ira, una ira nueva que nunca le había visto al ruso, ni siquiera cuando alguna vez se habían enzarzado en discusiones políticas.

—¿Por qué me acusa de utilizar métodos estalinistas?

Tenía el pelo revuelto, más que nunca.

—¿Acaso se ha convertido en uno de esos intelectuales que primero me adularon y después nos llenan de mierda? ¿Es usted uno de ellos?

Ni siquiera en los momentos de mayor pasión, en aquellos en los que se hacía más patente su odio a Stalin, Diego Rivera lo había visto utilizar esas palabras groseras. ¿Qué le pasaba al viejo? ¿Acaso no le gustaba que le llevaran la contraria?

—Usted me ha apartado de la Liga Mexicana. Ha hecho todo lo posible para que no desempeñara el papel de secretario.

—Nos puede ser más útil en otras funciones.

—¿Acaso no me cree preparado para desempeñar la de secretario?

—Le seré absolutamente sincero: no.

—¿Y eso?

—Usted es orgánicamente incapaz de llevar a cabo el trabajo cotidiano que tiene que desempeñar el funcionario de una organización obrera. Es un revolucionario mutilado, sin duda, por un gran artista, pero esta mutilación lo deja absolutamente incapacitado para el trabajo de rutina en el Partido.

—Eso es lo que usted cree. Por eso, ejerciendo su papel de número uno que no admite opiniones, me ha apartado de la Liga. A la vez que lucha contra los métodos del estalinismo, los utiliza.

—Eso es lo que más me ha molestado de la carta.

—No iba dirigida a usted.

—En cierta manera, sí, porque habla de mí.

—Deje de husmear en mi intimidad. Últimamente solo hace eso.

Diego Rivera abandonó el tono sosegado con el que quería defenderse de las acusaciones de Trotsky, que notó que, en medio de las facciones abotagadas, brillaron repentinamente los ojos demasiado chicos del muralista. ¿Qué sentido tenía esa última frase? ¿Qué estaba insinuando Diego? ¿Acaso sospechaba que él y Frida sostenían una relación? ¿Cómo era posible que la pintura y las mujeres le dejaran tiempo para investigar sobre qué hacía Frida en los ratos libres? Quizá sí. ¿Acaso no había tenido tiempo para redactar esa carta infame que había remitido a París? Diego empezó a sentirse mal. Y la culpa no era solamente de los huauzontles en salsa verde que le había cocinado Cristina. La presencia de Trotsky le hacía aún más daño.

—Otorgarle el papel de funcionario de partido sería desperdiciarle para funciones más elevadas.

—¿Cuáles, entonces?

A Trotsky le costó responder. La carta había sido la gota que colmó el vaso, pero Rivera llevaba haciendo cosas muy raras desde hacía demasiado tiempo.

—¿Va a rectificar esa carta? —le preguntó Trotsky.

—¿Y usted?

—No sé a lo que se refiere.

—¿Seguro?

Y entonces Trotsky tuvo plena certeza de lo que Diego Rivera le estaba diciendo, no eran insinuaciones sino acusaciones directas, lanzadas con la misma vehemencia que cuando lo había tachado de estalinista, con la diferencia de que estas sí estaba en condiciones de demostrarlas. ¿Había caído en sus manos alguna de las cartas de amor que le había escrito a Frida? De igual modo casual a como él encontró la carta que Rivera mandó a París, el muralista había podido dar con una de aquellas notas de amor que con tanta pasión le escribía a Frida. Sí, seguro que así era. Diego no estaba dando palos de ciego, aquel había sido un golpe inesperado, a traición. Trotsky notó cómo la sangre le golpeaba violentamente las sienes. Nunca había preparado su defensa para el caso de que el marido de Frida descubriera la aventura. Sí que tenía ensayadas algunas palabras de disculpa para Natalia, pero este era un rival de mayor envergadura, y no lo decía por su peso. El chiste era fácil, pero Trotsky no estaba para chistecitos esa noche. Y parecía que Diego tampoco, mirando cómo lo miraba ahora, con una severidad que nunca le había conocido.

Al fin, atinó a construir una frase.

—El movimiento obrero no es un campo libre para hacer experimentos individuales.

—Ni mi casa.

Diego le sostenía la mirada, convertido en una estatua, ejerciendo de monarca, allí, en su estudio. Trotsky sintió que jugaba fuera de casa, que tenía al público y al árbitro en contra. Allí no pintaba nada. Estaba perdiendo el partido.

Abandonó el estudio de Diego Rivera con un malestar mayor al que había sentido cuando entró allí. Aquella entrevista había sido un mal negocio. Ojalá ahora sintiera esa ira poderosa que lo había dominado las últimas horas, ojalá sintiera la necesidad de golpear a Diego para aplacarla, agredirlo como a cualquier otro enemigo de la Cuarta Internacional. Pero ahora solo tenía ganas de agredirse a sí mismo. Criticó su torpeza. ¿Cómo es que no había encontrado ningún argumento para atacar esa acusación de Diego? ¿Qué es lo que sabía? Se sintió totalmente desnudo. ¿Es verdad que esas palabras encendidas, llenas de poesía, que le venía escribiendo a Frida durante los últimos tres meses, habían sido leídas por otra persona? ¿Tenía aquello algo que ver con el distanciamiento político? ¿Acaso Diego se iba apartando del marxismo revolucionario, desengañado de la figura que representaba él como real sucesor de Lenin y de la Revolución de Octubre? ¿Cómo iba a defender la causa de la Cuarta Internacional si su líder jugaba a hacer el papel de amante de su mujer? Y Frida ¿qué pensaría de todo esto? Porque Trotsky tenía el pensamiento tan clavado en Diego, que ni siquiera se había parado a calcular la reacción de Frida cuando le contara la conversación que había tenido con su marido. No podía ocultársela, porque eso sería una nueva torpeza. Tenía que ponerla sobre aviso. ¿Qué haría entonces ella?

Trotsky miraba al vacío, sin reconocer como suyos los objetos que le habían hecho sentir aquel despacho como algo propio. Es verdad que el dictáfono, los libros sobre marxismo, todo eso era suyo, pero no estaba en su casa. Aunque quisiera engañarse, también allí era un hombre sin patria.

Solo el amor que sentía por Frida le creaba una ilusión de mundo redondo.

Solo le quedaba Frida.

Mañana hablaría con ella.

Se pasó la noche buscando las palabras que le diría, ajeno al sueño plácido de Natalia, que apenas se movió, a su lado.

Freddy Ramírez tomó aire. Le hacía falta. Eso y que Daniela creyera lo que estaba contándole.

—Lo peor del romance entre Frida y Trotsky —prosiguió Freddy, sin mirar ahora a Daniela— no es que se enterara Diego, o solo Diego. El romance cruzó las paredes de la Casa Azul. Era un chisme inofensivo en manos trotskistas, pero una bomba si cambiaba de manos. Si eso llegaba a la prensa, o a alguien del GPU, el trotskismo hubiera quedado herido de muerte. Nada podía desacreditar más a Trotsky que una aventura extraconyugal, nada más y nada menos que con la esposa del hombre que había mediado ante el presidente Lázaro Cárdenas para que le abriera las puertas de México, a contracorriente de muchas voces contrarias a esa decisión polémica. A los pocos meses de instalarse en la Casa Azul, a Trotsky se le encendía la sangre nada más ver el cuerpo menudo de Frida. ¿Era esa la forma que tenía Trotsky de agradecer la hospitalidad? Si eso trascendía, la Cuarta Internacional, en efecto, cada vez más abandonada por los intelectuales, recibiría el tiro de gracia. Los trotskistas ya no confiaban en Trotsky. Igual Stalin tenía razón. Y lo peor no era eso, que hubiera un chisme ya circulando...

—¿Qué era lo peor?

—Que había una prueba que lo demostraba: el cuadro que anda usted buscando. Por eso se lo robaron de la Casa Azul. Estaban más interesados en llevárselo que en darle un susto a Trotsky. Llevarse ese cuadro era borrar la prueba de que el fundador de la Cuarta Internacional andaba de amoríos, y al mismo tiempo, tenerla por si era necesario utilizarla. Y consiguieron, en efecto, que la GPU no se enterara, pero no que quedaran desencantados con la figura de Trotsky.

—Lo que no entiendo es lo que me dijo Vargas en Madrid, antes de salir para acá, que ese cuadro le había costado la vida a Trotsky. Me parece una afirmación excesiva. Y se la hizo usted.

—Muy sencillo. Porque, a raíz del descubrimiento del cuadro que le había pintado Frida Kahlo al ruso, los trotskistas que velan por su vida bajan la guardia, como si ya no confiaran al cien por cien en la importancia de su cometido. ¿Cómo se explica que permitieran entrar a Ramón Mercader con una gabardina el día más caluroso del año? Ramón Mercader hubiera podido meter en la casa de Trotsky, escondido en la gabardina, un piolet, o una motosierra, si hubiera querido.

—¿Cómo era posible que un cuadro confirmara tan plenamente la relación amorosa entre Frida y Trotsky?

—El problema no era el óleo en sí, a primera vista, solo un autorretrato más de Frida Kahlo. Hay decenas de ellos, porque decía que nadie la conocía como ella misma. Pero igual que le gustaba pintarse, de manera casi obsesiva, era muy dada a incorporar frases a sus obras. Y estoy seguro de que se arrepintió de hacer eso en dos ocasiones: la primera fue con *El suicidio de Dorothy Hale*, una actriz que dicen los que la conocieron que era tan bella como Elizabeth Tylor, y que se mató tirándose por una ventana del Hampshire House. Y la segunda vez es en el cuadro que hace para Trotsky. Utiliza la misma técnica. Como si fuera un subtítulo, escribe con su letra pulcra: "A Trotsky, sangre nueva para mis venas". Ese texto, en manos del GPU, o sea Stalin, o de los trotskistas, era pura dinamita.

—¿Por qué Frida no denunció el robo?

—Porque ese cuadro era como publicar sus amores con Trotsky. No convenía airearlos, y menos en la nueva situación.

—¿Por qué?

—Porque, al día siguiente de la discusión con Rivera, Trotsky se encontró con una nueva sorpresa: Frida se había cansado del viejo.

VEINTITRÉS

Toti lleva una camiseta del Real Madrid y una pistola. Nunca se separa de ellas.

—Mi novia disfruta como un macho.

En el Ford Probe se oye un grito de placer que obliga al Chino a subir los cristales del coche.

—Sí, sí, como un macho. Y tú ¿con quién has estado esta semana? Venga, cuéntame. ¿A quién te has tirado?

A tu novia, cabrón. Eso le hubiera encantado contestarle, pero no podía hacerlo, entre otras cosas porque hace ya demasiados minutos que un tipo engominado ha entrado en un banco con un maletín en la mano. Y eso es lo único importante. El Zar les ha dicho qué es lo que tenían que hacer exactamente para que el plan se cumpliera a la perfección. Y el Chino sabe que al Zar no conviene llevarle la contraria. No, eso es mal negocio. Con el Zar hay que caminar derechito.

Hace mucho calor. El Chino no lo siente. El aire acondicionado del Ford Probe funciona a las mil maravillas.

—¡Ojalá tuviera este fresquito a mano cuando acabo con mi Evelyn! Empapadito me quedo, ella con más ganas de guerra, porque siempre anda ganosa.

Y al Chino le entran unos deseos de pegarle allí mismo, de romperle su cara llena de granos, pero no puede hacerlo. Enciende el motor del coche. Luego, lo apaga. Está muy nervioso, más incluso que otras veces, e incluso el Toti se da cuenta.

—¿Tú sabes por qué me compré este hierro? —Toti enseña orgulloso la Magnum con la que hace sus trabajos—. Porque se me apareció la Santa. Sí, no me mires así, güey. La vi, así como te veo a ti. Iba vestida de rojo. Y me habló, igualito a como haces tú. Y no creas que yo estaba cagadito de miedo, no. Estaba delante de mí, y me puse a platicarle. Le pedí que pudiera ayudarle al Zar, me salieran bien mis trabajos, que nadie me quebrara, que nadie me madrugara, ni un tira ni un malandro, para que un día me hicieran un corrido. No seas mala onda, dame chance, Santita. Ella me dijo que no me preocupara. Pero que tenía que cumplirle. ¿Santita, qué debo hacer por usted? Y me respondió que cuidar de Evelyn. Y rezarle a mi altar. Y desde ese día, nada más levantarme, le enciendo una veladora y le rezo diez minutos. Le digo: Flaquita, tú sabes lo que pienso y lo que soy; siempre has estado a mi lado y te agradezco los favores concedidos, y seguiré cuidando de mi Evelyn como tú cuidas de mí. Le rezo y le digo: te imploro la muerte violenta de los que buscan mi mal, llévatelos a la casa oscura, a la casa de los murciélagos, todo lo puedes, Santa Muerte, concédeme este favor y prometo honrarte con mis actos que te lleven más hijos a tu morada. Eso mismo le rezo. Sí. Tengo un altar levantado en un rinconcito de mi habitación. Es muy buena conmigo la Santita.

El Chino no sabe qué cara poner. No le sorprende lo que le está diciendo Toti. Vive en el barrio bravo, y sabe lo que pasa. Pero él es mucho más pragmático. La Santa Muerte es para él solo un esqueleto al que visten ridículamente con ropajes, tan ridículos como los que lleva la Virgen de Guadalupe. La vida no tiene tanto misterio, se dice, solo llegar al día de mañana.

—¿Tú eres mi *broder*, verdad? —le pregunta.

Y el Chino ensaya un gesto de complicidad. El otro coloca el dedo pulgar hacia arriba. Aquel tipo es verdad que tenía mucha puntería, pero su trabajo no serviría de mucho si no estuviera a su lado el Chino con el motor siempre arrancado. Y es verdad, los dos formaban una buena pareja, pero las medallas, las palmaditas en el hombro, eran para el Toti. Y eso era injusto. El Chino no podía soportarlo. A fin de cuentas, para que el Toti pudiera disparar, él tenía que conducir con el mismo sigilo de una pantera, había que tratar el pedal del acelerador con el mismo cuidado que si se juega con un puñadito de dinamita y una cerilla, nada de acelerones que echarían a perder la operación. Solo suavidad. No encabronar a los seis cilindros. Solo a última hora. Y esa última hora está cerca.

—Sabes, Chino, toda esa gente quiere vivir muchos años, toda la vida. Pero ¿quién quiere morir viejo, coño? ¿Quién quiere morir sin gloria, sin *lana* en el bolsillo, sin ya poder gozar de una mujer? Más vale ser cinco años rey, que cincuenta güey. Mira, Chino, todos los días sueño con que me hagan un corrido. Que todo el mundo sepa quién es Toti, que la letra dijera lo bien que me bajo a los cabrones y cómo me cojo a Evelyn. Sería a toda madre, ¿no?

—No mames, cabrón —le responde el Chino, mientras lanza una nueva mirada preocupada a la puerta del banco. El tipo de la gomina no sale. ¿Habrá surgido algún problema?

—¿Tú no quieres que te hagan un corrido, Chino?

Pues no. Lo último que desea el Chino es publicidad, no quiere ser famoso, ni vivo ni muerto, no quiere corridos, solo ser feliz, paseando en su Ford Probe a una mujer que lo ame de verdad. Se le cuela en el pensamiento Evelyn, ofreciéndole su cuerpo con el mismo puterío que encabrita a Toti, caminando con los mismos andares que tienen loco a todo el barrio, pero caminándole solo a él, porque nadie existe, ni siquiera el Toti. Sin músicas. Sin sirenas de los federales.

—Acábame, acábame, me dice mi Evelyn. Me encanta tirármela después de ver ganar a mi Real Madrid, me encanta hacerlo en la posada, viendo todas esas putas del Manhattan subir y bajar de las habitaciones, y yo ahí, dale que te dale. Porque un hombre lo único que necesita es comida y cogida, jajaja —dice, sin parar de jugar con su Magnum.

De pronto algo cambia en el paisaje. Una sombra se ha movido. El tipo que esperaban sale del banco. La gomina sigue lanzando destellos. Pero no, no es ese el cambio. Junto a él se balancea un maletín de cantos dorados, pero no cuelga de él. Lo agarra un tipo con coleta.

El Chino mira al Toti. La Magnum ha dejado de jugar entre sus dedos. Se oye su respiración de fuelle, como si el aire entrara con mucha dificultad en sus pulmones. El espejo retrovisor le está dando la misma información que al Chino: hay un problema.

El tipo de la gomina se acaricia el pelo. El de la coleta solo parece preocupado por el maletín. Mueve los brazos rítmicamente. Y los pies. Avanzan por la acera con paso demasiado rápido. Como si se hubieran acordado repentinamente de que dejaron en casa el gas abierto. Pero el Chino también tiene prisa. Y el Toti. Le esperaba Evelyn medio desnuda.

—¿Sabes lo que me dice Evelyn? Acábame, acábame.

Y el Toti explota en una sonrisa tan sonora que el Chino teme que aquellos dos tipos que van a paso ligero por la acera la puedan oír. Por eso tantea el acelerador con el pie. El Toti no para de reír, como si le hubiera dado un ataque. Ni siquiera cesa cuando el Probe se ha colocado a la altura de los dos tipos, no cesa mientras baja el cristal y no le da tiempo, pum, pum, al de la gomina a verle su cara llena de granos.

El de la gomina ha dado un pasito hacia atrás, como si alguien le hubiera dado un empujón. Se lleva la mano al pecho. Lo siente húmedo, igual que el pelo que se peinó esa mañana esmeradamente delante del espejo. En pocos segundos se convertirá en un muerto más en esta ciudad.

—Arranca, Chino, arranca —grita Toti.

Pero el Probe no se mueve, como si se hubiera calado. Toti mira al Chino con un gesto de interrogación o extrañeza. Tú eres mi hermano, tú eres mi *broder,* parece decir esa mirada.

El Toti gira los ojos y mira de nuevo a la acera. Ahí está el maletín abandonado. Los cantos dorados le lanzan un brillo que lo ciega, que no le deja ver nada, como si alguien le hubiera arrancado los ojos. Siente algo caliente en su piel. Y no puede darse cuenta de que es sangre y no sudor lo que le corre ya por el mentón y empieza a mancharle su camiseta del Real Madrid. Y tampoco puede darse cuenta de que el Chino, ahora sí, solo ahora, pega un acelerón, porque el de la coleta se propone hacer un segundo disparo, y se le está haciendo tarde.

Evelyn le está esperando, medio desnuda. El Chino está tan concentrado en ese único pensamiento que no se da cuenta de que toda la escena la ha visto una mujer antes de cruzar la puerta del banco. Tiene los ojos vidriosos y camina un poco rara. Había estado hace poco en su casa y la tuvo que sacar de allí, de malas maneras.

Es la fiscal Chacalita.

Veinticuatro

EL TELÉFONO SONÓ EN SU DESPACHO. EL INSPECTOR Machuca lo levantó con desgana.

—¿Bueno?

—Soy Fuentes, del Instituto Forense.

—Hola, Fuentes. ¿Alguna novedad?

—Sí. ¿Recuerda lo que le dije de la tinta que se estaba usando para tatuar a las pobres chicas? Pues después de muchas averiguaciones y exámenes químicos en los laboratorios, ya he identificado la sustancia que le da una propiedad tan característica.

—Y bien.

—Es una toxina venenosa que hemos logrado aislar utilizando técnicas proteómicas que nos han llevado a conocer las propiedades de las proteínas enzimáticas presentes en la sustancia. La clave está en las bases moleculares.

—Me suena a chino.

—Pero esto no le va a sonar a chino, inspector. Es una sustancia que está presente en el veneno que utiliza para matar a sus víctimas la serpiente de cascabel.

—¿Serpiente de cascabel? Fuentes, ¿qué has bebido esta mañana?

—Sí, ya sé que el asunto le puede producir extrañeza, pero hace unos meses fue catalogada la composición proteica del veneno de dicha serpiente. Y le puedo asegurar que la sustancia usada para tatuar a las muertas es exactamente la misma. Y hay dos efectos que produce esa sustancia: el primero, darle a la tinta una coloración especial, única diría yo. Y el segundo es adormecedor.

—¿Adormecedor?

—En efecto. Aletarga, e incluso, usado en dosis elevadas, puede llegar a producir la muerte, por su alta toxicidad. No olvide que estamos hablando de un componente esencial del veneno de la serpiente de cascabel, que es muy potente. Las chicas que están apareciendo en el *Monte de las hormigas* murieron estranguladas, y las pruebas son absolutamente irrefutables, pero también podían haber llegado al Instituto Forense envenenadas, porque la dosis aplicada para tatuarlas es tan elevada como para convertirse en letal.

—¿Quién puede estar comprando esa sustancia? ¿O hay algún loco en la ciudad que tiene en su casa serpientes de cascabel y les extrae el veneno con el fin de utilizarlo en tatuajes?

—Inspector, yo solo le ofrezco el resultado de mis exámenes científicos. Ojalá pudiera darle respuesta a la pregunta que me formula, pero me es imposible.

—Gracias, Fuentes.

El inspector Machuca colgó el teléfono y se quedó dándole vueltas a la cabeza varios minutos, hasta que alguien interrumpió sus pensamientos.

Le veía algo extraño en la cara y Machuca no encontraba qué era. No sabía si porque el cirujano le había paralizado un nuevo músculo o por su extraña manera de dejar la boca floja, pero a la fiscal Chacalita le pasaba algo esa mañana.

—Buenos días, inspector.

—Bienvenida de nuevo, fiscal. Últimamente nos vemos mucho.

—¿Y eso es bueno o malo? —preguntó ella, enfadada.

Machuca, en vez de responderle, dio un sorbo al vaso de café que tenía delante. Se quemó la lengua. A la fiscal no le pasaba eso con el café, lo único que la quemaba por dentro era el tequila. El inspector se dio cuenta de que también esa mañana ya le había pegado fuerte al Herradura.

—Lleve cuidado con el tequila. Hay que elegir bien a los amigos y el Herradura no creo que sea el mejor compañero.

—¿Me quiere adoctrinar, a mi edad?

—No. Solo intento hacer algo para salvar su hígado, ya que no puedo hacer nada por su alma.

La fiscal gruñó. Machuca decidió cambiar de asunto.

—¿Ha navegado por Internet en las últimas horas? Por YouTube, en concreto.

—No.

—Pues debo informarle, querida fiscal, de que ya tenemos a otra bailarina colgada en la red. Y le han hecho lo mismo que a las anteriores: tatuarle el pecho izquierdo.

—Ese Obispo nos está tocando las narices. ¿Sabe lo último que se le ha ocurrido a ese loco? Ha llamado a la "guerra santa", para que todos sus fieles defiendan a la Santa Muerte, aunque para ello deban pagar con su vida. Ahí sí que tenemos un problema. Si algún periodista tonto, en cualquier parte del mundo, se hace eco de esa idea pseudoreligiosa de la guerra santa, mal asunto. Enseguida empezarán a unir guerra santa y muertas, y las muchachas se van a convertir en las bailarinas más famosas del mundo. ¿A qué espera para detenerlo? ¿Por qué no lo encierra ya?

—Porque de momento solo es sospechoso de hacer dinero a costa de la facilidad de la gente para creerse mentiras.

—¿No lo ve implicado en las muertes de la refinería? Definitivamente, inspector, no solo está perdiendo pelo, sino facultades.

Machuca se encogió de hombros. No estaba dispuesto a entrar en ninguna discusión con la fiscal. Tenía mil maneras mejores de perder el tiempo, y lo único que deseaba es que se marchara. Además, no tenía tan claro que el Obispo fuera capaz de hacer o pensar ni la mitad de las cosas que le atribuía Chacalita. Había más gente implicada.

—¿Qué opinión tiene del padre Zanetti? —le preguntó el inspector.

—Que es más guapo que usted.

—¿Cree que puede estar fastidiando al Obispo?

—No es un cura cualquiera, eso salta a la vista, pero no, lo veo imposible. Por cierto, ¿se ha producido alguna profanación de los altares de la Santa Muerte últimamente?

—Que yo sepa no. Pero hay dos detalles interesantes: el primero es que, cada vez que hay un ataque, al día siguiente aparece una chica muerta en el *Monte de las hormigas*. Y el segundo es que esos ataques se producen con un bate de béisbol.

—¿Bate de béisbol?

—Sí, eso es lo que ha podido descubrir Figueroa. Se lo contó uno de esos devotos que rinden culto a la Santa Muerte. Como no vamos a hacerle la autopsia a un esqueleto, y el Obispo tampoco ayuda nada, tenemos que buscarnos nuestros propios medios para saber qué les está pasando a esos altares, infiltrándonos entre la comunidad que le rinde culto. Y Figueroa me ha traído esa información. Es la única que ha conseguido desde que empezó la investigación. En el asunto de las bailarinas no me está ayudando nada. Más o menos como usted.

—Aunque no lo crea, yo también estoy trabajando. Y le digo que toda la responsabilidad es del Obispo, estoy convencidísima. O casi toda. A propósito, ¿qué hay de su amiga la española?

—¿Daniela Ackerman?

—Esa misma.

—Imagino que haciendo preguntas por ahí.

—Ella también debería responder a unas cuantas.

—¿Y eso?

—Recuerdo que usted me dijo que esta era la primera vez que pisaba México DF, ¿no?

—Anja.

—Y entonces ¿cómo es posible que una mujer con su mismo nombre y cara se paseara por la ciudad hace tres años?

—¿Qué me está diciendo?

En la cara del inspector había asombro. La fiscal se dispuso a saborear el momento. No le caía bien la española desde el mismo instante en el que se cruzó con ella por los pasillos de la comisaría.

—Su amiguita estuvo aquí en 2003. ¿Qué hacía? Igual venía también a buscar un cuadro, pero, en vez de eso, se encontró un novio.

—¿Un novio?

—Sí, no se impaciente, que le cuento todo. Me he tomado la molestia de investigar. La chica se fijó en un hombre de pelo muy moreno, siempre bien peinado, y que no paró de llevarla a los mejores restaurantes. Claro, él se lo podía permitir. En esta ciudad hay abogados a patadas, la mayoría son unos muertos de hambre, pero este del que le hablo no entra en esa categoría. Para vivir en la colonia Polanco hay que hacer algo más que defender a malhechores de tercera categoría. Y este juega en otra división.

—¿En cuál?

—En Primera. Cuando le diga el nombre, entenderá por qué: Marcelo Estéfano.

—¿El Chilango?

—Exacto.

Ahora sí, el rostro de Machuca se quedó completamente paralizado por la sorpresa. Traslucía estupor. ¿Daniela Ackerman y el Chilango juntos? No podía creerlo. Durante varios segundos no reaccionó, la mirada buscando algo en la superficie metálica de su mesa, como si allí pudiera encontrar alguna respuesta. Hasta que no levantó los ojos y los fijó en la fiscal, no se dio cuenta de lo que pasaba. Chacalita estaba intentando envenenarlo con infamias.

—¿De dónde ha sacado esa mentira? —le preguntó.

—¿Mentira?

—Sí. Sé que Daniela Ackerman le cae mal. ¿Por qué intenta desacreditarla?

—¿Y por qué se empeña usted en defenderla?

El inspector se quedó callado. No tenía respuesta para esa pregunta. Ni le podía responder a la fiscal, ni a sí mismo. Es verdad que la detective era bonita y lucía siempre su cuerpo debajo de las ropas elegantes que elegía, pero no era deseo, o solo deseo, lo que le inspiraba esa mujer, como pudiera hacerlo Cora, por ejemplo, ese deseo primitivo que le empujaba a darle un puñado de pesos a la bailarina todos los jueves. Era algo diferente y nuevo a lo que Machuca no le había puesto todavía nombre. Pero el caso es que no podía vivir sin Daniela, sin su gélida mirada azul, sin su olor a vainilla.

La fiscal se llevó la mano derecha a la cabeza, igual que había hecho la última vez que se encontró con Machuca.

—¿Otra vez mareada? ¿Seguro que no está preñada? ¿O es el Herradura?

—Sí, me pasa últimamente con frecuencia, y la culpa no es del tequila, se lo aseguro. Bueno, le cuento, inspector —dijo, reponiéndose—. Solían acudir al restaurante Danubio, de la calle Uruguay. No creo que usted lo conozca porque tiene demasiada categoría. Ahí se come el mejor marisco, se lo digo por experiencia: brocheta de camarones, gambas con gabardina, camarón a la criolla. Una de esas noches la velada se alargó demasiado. El vino blanco con el que acompañaron el marisco debería ser de la mejor calidad, porque cayó más de una botella. El Chilango bebió demasiado y la españolita se ofreció para llevar su coche, un Audi deportivo que corre mucho, tanto como para saltarse los semáforos. Y cuando iban a toda velocidad para Chapultepec, se encontraron con una patrulla policial y fueron sometidos a un control de alcoholemia. Ella dio positivo, con una intoxicación etílica de tercer grado. ¿No recuerda el incidente? Solo han pasado tres años.

Machuca hizo un esfuerzo mental. Por fin le vino a la cabeza lo ocurrido. Nada más y nada menos que Marcelo Estéfano, el abogado del Zar, había sido cazado en un control de alcoholemia acompañado por una mujer. Menos mal que era ella la que conducía y el asunto no pasó a mayores, hasta hoy. Jamás podía imaginar que esa mujer fuera Daniela.

—¿Y por qué ese seguimiento al Chilango? Pensaba que en la fiscalía trabajaban licenciados en Derecho, no *paparazzis*.

—Le flaquea la memoria, inspector. ¿No recuerda que durante unos meses el Chilango fue sospechoso de dirigir una banda de secuestros virtuales?

Machuca asintió. Los recuerdos le venían en oleadas frías. Sí, ahora recordaba también el seguimiento hecho al Chilango. La fiscal estaba interesada en confirmar o desmentir que el abogado tenía un trabajo paralelo al que le hacía al Zar. Un hilo invisible los conectaba. El Zar le pidió a Chacalita que le vigilara al abogado, por si acaso no caminaba derechito por la vida. El capo y la fiscal estaban en el mismo barco. ¿Y Daniela? ¿En cuál andaba subida?

—Aquí tiene la copia del atestado policial. Usted debe guardar el original en algún sitio.

—¿Y qué pretende con todo esto?

—Demostrar que su amiga tiene muchas aficiones, aparte del vino blanco. Y una de ellas es mentir. No me creo que haya venido solamente aquí a buscar un cuadro. Si fuera así, no estaría dejando tantas huellas por la ciudad. Está haciendo justamente lo contrario que hace cualquier detective: pasar desapercibido. La discreción no es su fuerte.

—Pierde el tiempo en ella, fiscal.

—Usted también.

A Machuca se le encendió la cara de ira. No estaba dispuesto a soportar ni un minuto más las insolencias de Chacalita, y mucho menos con el estómago vacío. Eran las doce del mediodía y le apetecía un taco de arrachera, que siempre le levantaba el espíritu. Pero el taco iba a tener que esperar. Figueroa entró como un vendaval en el despacho.

—Inspector, tenemos un incidente en la sucursal del banco.

—¿Qué ha ocurrido?

—Un tiroteo. Han matado al Toti.

—¿Cómo?

¿Toti muerto? ¿El mejor pistolero del Zar? Por un momento pensó que Figueroa estaba bromeando, soltando una mentira aún más grande que esa que decía que el

Chilango y Daniela Ackerman habían tenido algo, pero su rostro serio indiciaba otra cosa. El hijo del Zar había caído. Miró primero a Figueroa y después a Chacalita, alternativamente, y le sorprendió el semblante relajado de la fiscal, como si la noticia fuera ya vieja, o considerara que había ocurrido lo que tenía que ocurrir. Al final y al cabo, ella no conocía el caso de ningún sicario que llegara a viejo.

El inspector agarró su cazadora vaquera y se la puso por encima. Salió de la comisaría, se despidió de la fiscal en la calle y se subió al Mustang. Una pregunta no paraba de martillearle el cerebro: ¿qué relación tenía Daniela Ackerman con Marcelo Estéfano, alias el Chilango, el abogado del Zar? Tenía que hablar con ella urgentemente, pero antes debía verle la cara al Toti. Se acordó de su novia Evelyn, la que tenía cara de muñeca y los mejores pechos del Distrito Federal. Se había quedado viuda demasiado joven.

VEINTICINCO

Ciudad de México, 1940

I NTENTABA RETOCARSE EL RÍMEL. DE LOS ALTAVOCES
surgía la música lánguida de un bolero. Por la escalera
bajaba, con aire satisfecho, un cliente, el único que había entrado al garito en toda la noche. No era un buen día
para trabajar. No había parado de llover en tres horas. Las
calles, anegadas de agua, absorbían la luz de las farolas,
ofreciendo la misma penumbra fantasmal que habitaba en
el Tiboy.

Estaba comida por los nervios. Cada pocos minutos
consultaba el reloj, un Cauny Swiss que le había regalado
hacía unos meses un empresario de Nueva York. Pero el
hombre que esperaba no aparecía. Adela se echó a la boca
un nuevo trago de tequila. El camarero, un chico demasiado
joven para trabajar en un sitio así, la miraba, con una mezcla
de deseo y pena. Era la mujer más linda del Tiboy, y le en-
tristecía que se envenenara, trago a trago, por culpa de esos
hombres que le rodeaban la cintura con sus manos sucias.

El bolero contaba una historia de amores imposibles
y Adela pensó que estaba escrito expresamente para ella,

que ese bolero narraba su vida. Ahora quería cambiarla. Ya había sudado mucho debajo de demasiados hombres y solo uno estaba en su cabecita. Se había presentado unos días atrás, simplemente, como el Güero. Ella le miró desde sus ojos acuáticos, y le sonrió. Así había empezado todo.

A Adela las estrofas del bolero le llegaban como en sordina, como si ese pasado lleno de accidentes sentimentales fuera para ella algo remoto. Su mente, trastornada por el alcohol o los sueños, solo era capaz de fantasear con un futuro en el que ella no era otra cosa que la mujer del Güero, la que le preparaba un mole riquísimo y le hacía cariñitos nada más llegar a casa. Solo quería desnudarse para él. Por un momento, comprobando su retraso, pensó que nunca más volvería a hacerlo, que algo malo le había ocurrido esa noche de lluvia y boleros. Poseída completamente por el tequila, llegó a culparse de unir su destino fatal al de ese hombre fuerte, y sin embargo, tan solitario como para visitarle a ella, ¡a ella!, todos los días, sin faltar uno, desde hace más de una semana, en aquel rincón que olía a terciopelo viejo y ambientador barato.

Se pasaba todo el día encerrada en el Tiboy, pero sabía muchas cosas de la vida, sabía que ese hombre ya no se conformaba con un rato de placer, que no era por su cuerpo por lo que esa noche no estaba allí con ella, sino tramando algo, quizá en peligro, porque el tiempo pasaba y él no aparecía. ¿En qué negocio andaría como para meterse en líos por una mujer como ella? Lo único que le había dicho es que la vida iba a cambiar, para los dos, radicalmente, y que, si todo salía bien, no volvería a trabajar más en el Tiboy. Miró el reloj, desalentada y se sintió de nuevo culpable, con ganas de llorar.

El bolero y el tequila hicieron el resto. No pudo evitarlo. Los ojos se le llenaron de lágrimas.

Por eso tardó en reconocerlo. Iba pulcramente vestido, con un pantalón café con leche y una camisa de algodón. A Adela le pareció raro que alguien viniera así de la calle, con la que estaba cayendo. Lo examinó durante un par de minutos, pero enseguida se desentendió de ese hombre, porque solo uno ocupaba su cabeza, y ese hombre se retrasaba más de la cuenta. A una mujer no se le hace esperar, le reprochó, en silencio, reconcentrada en el vaso de tequila. Y así estuvo hasta que oyó la voz del desconocido pedirle al camarero una botella de agua carbonatada de Tehuacán. Entre las brumas del alcohol, pudo asociarla al hombre que le estaba dando plantón. Se giró en el taburete para analizarlo con su mirada turbia. Era él, en efecto. Jacques. Se acercó. Olía a loción de afeitar.

—Hace mala noche, ¿no? —le preguntó ella.

Y él, con un acento extraño, le respondió que había vivido otras noches peores. Adela se quedó callada durante unos minutos, preguntándose qué había querido decir con aquella frase. Como no le encontró respuesta, le planteó otra pregunta:

—¿Dónde está el Güero?

—Caramba, esa pregunta debería hacérsela a usted. Seguro que lo tiene guardado debajo de la cama, para que ninguna chica se lo lleve.

Lo dijo sonriendo. A Adela le costó trabajo entender que a él, el tal Jacques, el Güero también le había dado plantón, tan buenos amigos como parecían. Y que fuera lo que fuera lo que tenía entre manos, quedaba al margen de los planes del Güero.

—¿Viene gente muy rara aquí, no?

Ella hizo una mueca extraña. No entendía nada esa noche.

—Dicen que incluso a veces viene una pintora muy conocida, disfrazada de hombre.

Jacques agarraba con firmeza la botellita de gaseosa, pero apenas la probaba, como si ese trago fuera algo que no le interesara, como si tuviera que tomárselo como un trámite enojoso. Su voz, salpicada de erres, sonaba exótica e incluso seductora, tuvo que reconocer Adela, pero ella no se iba a dejar impresionar. El tequila le había dejado un resquicio para entender que el amigo del Güero buscaba algo allí, aparte de compañía. Ahora comprendió por qué nunca había subido con ninguna chica. Se limitaba a mirarlo todo con ojos curiosos.

—¿Una mujer disfrazada de hombre?

—Sí, eso he querido decir.

Adela volvió a examinar su vaso de tequila. Decidió pedirle al camarero que lo rellenara. Le hizo un gesto, pero Jacques se lo frenó.

—¿Sabe quién es Frida Kahlo?

Adela meneó negativamente la cabeza. Jacques no supo si debía creerle o no. La muchacha vivía medio secuestrada en aquel antro, ajena a cualquier otra cosa que no fueran los hombres a los que ofrecía su carne macerada a cambio de apenas tres pesos. Pero la pista que le habían dado era esa. Frida, la mujer de don Diego Rivera, el gran muralista de México, el amigo de ese hijo de puta de Trotsky, tan amigo como para abrirle las puertas de su casa en Coyoacán, se vestía de hombre, pantalones finos de hilo, chaleco, corbatita oscura, el pelo muy corto, insólitamente corto, y se colaba en garitos de mala muerte como aquel, porque decía que era en esos sitios donde servían el mejor tequila, el único capaz de calmarle el dolor de su espalda maltrecha, el único que era capaz de ahogar las penas. Por la Ciudad de México circulaban esos rumores, que hablaban de que, a Frida, lo que de verdad le gustaban eran las muchachas, y que por eso había cortado con el gran Diego Rivera, por eso se había dejado el pelo tan corto, como un chico. A Jacques le importaba un carajo que a Frida le gustaran los hombres o las mujeres. Pintaba, eso era lo único importante, pintaba autorretratos y uno de ellos dedicado amorosamente a Trotsky, según todas las informaciones que él manejaba y que le había proporcionado su enlace en toda esta operación. Trotsky. León Trotsky. Natalia Sedova tenía cincuenta y cinco años y había dedicado más de la mitad de su tiempo a cuidar de él. Y Trotsky no solo era un traidor para la URSS, sino incluso un traidor a la mujer que había soportado su megalomanía, sus ideas delirantes que discutían la autoridad de Moscú. Ahí estaba el enemigo de Stalin y, por tanto, el enemigo del socialismo en el mundo, y había que acabar con él, y no solo eso, incluso los trotskistas, indudablemente siguiendo las directrices de su jefe supremo, habían estado más cerca del fascismo que de la República. Y por encima de todo, había una razón más poderosa que todas las razones del mundo, una razón que movía todos sus pasos, que le hacía adoptar el papel de enamorado ante una mujer tan fea como Sylvia Ageloff, una razón que le obligaba a escuchar la música deprimente del Tiboy: el tanque que le había pasado por encima a su hermano Pablo, en Brunete. Por vengar esa muerte, haría cualquier cosa, incluso acabar con Trotsky. Los gritos de Caridad, su madre, al recibir el cuerpo desmembrado de su hijo, estaban clavados en su alma. Pensó que entonces sí, se volvería loca, y no antes, cuando su propia familia la había ingresado en un manicomio, del que solo pudo escapar con la ayuda de sus amigos anarquistas. Todo fue distinto a partir de ese momento, para su madre, y para él mismo. Acabar con los enemigos de la revolución era algo más que un fin: era una misión. Y Trotsky era uno de esos enemigos, había que eliminarlo, y Frida sabía muchas cosas de él. Por eso acompañaba todas las noches al Güero a ese garito de paredes desconchadas y sudor estancado. No le interesaba ninguna mujer de las que le rodeaban el cuello con sus brazos tintineantes de baratijas, con sus promesas de falsos placeres. Odiaba a las putas. Las odiaba desde que su madre le contó cómo eran los prostíbulos del Barrio Chino de Barcelona a los que iba, obligada por su marido, para ver por una ventanita especial cómo otras mujeres hacían el amor. No, no quería mujeres. Su misión no le dejaba tiempo para perder el tiempo con ellas, por mucho que se le acercaran con mucha facilidad. Solo le interesaba una, una que se disfrazaba de hombre. Ese es el chisme que corría por Ciudad de México. Pero la novia que se había echado el Güero no la conocía, o fingía no conocerla, con la misma profesionalidad que sin duda mostraría con el Güero en la cama.

Por los altavoces empezó a sonar la voz de Marisa de Lille.

Ahora fue Jacques el que miró el reloj. Se extrañó de que el Güero no hubiera llegado ya. Ni siquiera la lluvia le haría quedarse en casa. Estaba tan enganchado a la puta esa del Tiboy que iría a buscarla aunque diluviara. ¡Pobre infeliz el Güero! ¡Tú eres mi *cuatachón* del alma!, le había dicho hace dos días. Jacques sonrió. Eres un tío listo, capaz de dar gato por liebre, de esconderse en un personaje que habían creado desde Moscú, con el único fin de cumplir una misión, tan importante que hasta merecía la pena entregar por ella una parte de tu vida. Eres un tío listo, se repitió. Y por eso, en vez de pedir una segunda gaseosa, en vez de aguardar a ver si aparecía por el Tiboy una mujer disfrazada de hombre, en vez de esperar la llegada del Güero para ver cómo avanzaba su romance con esa mujer de ojos tan azules entre las paredes del Tiboy, prefirió buscar la calle.

La lluvia seguía cayendo a mares.

El Güero no apareció en toda la noche.

VEINTISÉIS

ERA EL SITIO EN EL QUE SE ENCONTRABA MÁS A GUS-
to. Más incluso que en su despacho del Manhattan.
La mejor música es el silencio, decía siempre el Zar.
Y allí, encerrado en la habitación aquella, no se oía ni una
mosca.

No había escatimado ni un peso. Insonorizar aquel
espacio le había costado un dineral. Paredes muy gruesas,
revestidas con los mejores materiales de aislamiento acústico. Suelo enmoquetado que ahogaba todas las pisadas,
solo sus pisadas. A aquel lugar únicamente podía acceder
él. Era su santuario. Un habitáculo de más de sesenta metros cuadrados en el que destacaba un cuadro. No tenía
dimensiones muy grandes, pero era la pieza más valiosa
que jamás había alcanzado. Al Zar le importaba un carajo
cuánto valdría aquel lienzo en el mercado. Seguramente
millones de dólares. Pero lo tenía él, y con eso bastaba. Lo
podía contemplar él, exclusivamente él. El poder es eso,
que los perros te huyan, pero también tener ese derecho
exclusivo. Ver cosas que nadie puede ver. Ese cuadro solo

tenía derecho a tenerlo una persona en el mundo: él. Se lo debía a la memoria de su padre.

Y todo gracias a la Niña Blanca. Le pidió a la Santita que, por favor, le diera una pista para recuperar el cuadro por el que habían matado a su padre. No quería más, solo una pista. El resto del trabajo le correspondería a él. A cambio, le ofreció a la Santa Muerte cuidar de Toti, ese ángel caído que vagaba por el mundo sin rumbo, hasta que lo adoptó el Zar. Eso le ofreció a la Santita, además de mucho tequila y un billete de cien dólares cada quincena. Y la Santita le ayudó, le escribió dos palabras, simplemente, dos palabras: Galería Babel. Lo demás fue sencillo: ir allí y buscar el cuadro. Y luego quedaba la otra parte: cumplirle a la Santita.

Ahí estaba, a unos pocos metros del cuadro, en una esquina, presidiendo su altar. Era una figurita no demasiado grande, nada que ver con el esqueleto de casi dos metros que se alzaba en la parroquia del Obispo, antes de que hubiera sido víctima del brutal ataque. No era tan grande, pero estaba perfectamente protegida. Y no le faltaba nada, ni un puñado de velas encendidas, ni cigarros de marihuana, ni botellas de tequila, ni billetes grandes, ni por supuesto, su vestido, o sus vestidos, porque el Zar los iba cambiando, eligiendo un color u otro, según lo que le pidiera.

Ahora le pedía perdón. Iba de azul. Perdón por no haber cumplido, por no saber cuidar de Toti, por mandarlo a aquel trabajo. Qué importaba matar al sujeto ese o no, a la salida del banco, si a fin de cuentas era un tipo de tercera categoría. Aquella fue su peor idea. Le había costado la vida a Toti. Eso lo sabe el Zar, pero, sobre todo, lo sabe la Santísima Niña Blanca. El Zar la miraba, estremecido, con más terror del que había sentido jamás en su vida. Notaba su enojo. Le rezó, pero sintió que ella no estaba conforme, que nada de eso le valía.

El Zar se puso de pie. Estaba totalmente desorientado. La noticia le había dejado sin habla. Fue el Chino el que lo llamó, con voz entrecortada. Han matado a Toti, han matado a Toti. El Zar colgó. Durante unos minutos se quedó mirando el móvil. Le parecía absurdo tener ese aparato electrónico en la mano. Estuvo a punto de reventarlo contra el suelo, porque el teléfono también lo traicionaba, lo engañaba, dándole noticias como esa, noticias que no podían ser verdad. ¿Cómo que alguien ha matado a Toti? ¡Pero si Toti es su mejor pistolero, el mejor que hay en todo México! Ni siquiera creyó lo ocurrido cuando vio su cuerpo desmadejado. Lo único que dijo, entre dientes, fue que la Niña Blanca me perdone.

Habían pasado solo unas pocas horas. El Zar no había querido ver a nadie y simplemente se había limitado a encerrarse en su despacho, acompañado por el cuadro y por el altar de la Santa Muerte, pero tenía que hacer algo. Lo primero, hablar con el Obispo, a ver si él podía mediar para que la Niña Blanca lo perdonara. Seguro que sí, que le marcaría el camino, hablaría con ella y le diría qué tenía que hacer para que perdonara su error. Daba igual lo que le pidiera, diez, veinte muertos… Haría todo lo que fuera por complacerla. Ese pensamiento optimista, el que todo se arreglará, hace al Zar respirar con algo de tranquilidad.

Aquella muerte le había impresionado mucho. Solo otra le produjo una impresión mayor: la de su padre. Cada vez que su madre le contaba la historia, al Zar se le ponían los pelos de punta. Se le quedó el cuerpo convertido en queso gruyer. Así lo describió ella, sin poder evitar el sollozo, sin poder evitar tampoco ni un solo detalle, como si compartir esos pequeños datos del crimen le aliviara el corazón. Fue una traición, fue una traición, lo engañaron para quitárselo de en medio.

Al Zar le hubiera gustado conocer a ese tipo al que todos llamaban el Güero y que tenía una biografía tan azarosa, según le contaba su mamá. Ella se echaba un buen trago de Hornitos y se envalentonaba. Entonces contaba cómo lo había conocido. Ella tenía apenas veinte años. Era una mujer de bandera. Parecía que estaba reservada solo para él. Por eso, cuando vio a aquel hombre tan alto, sintió algo. Y eso que no era ni mucho menos atractivo. El guapo, el apuesto… era el hombre que lo acompañaba. Miraba, además, con un punto de descaro. Ella pensó que no tardaría ni diez minutos en proponerle que fueran los dos a la habitación. Pero no lo hizo. Fue el alto quien le pidió precio. Y mientras subía por la escalera que conducía a las habitaciones superiores, no pudo evitar dirigir los ojos hacia abajo. Quieto como una estatua, un vaso de tequila sostenido en el aire, lo miró con sus ojos arrogantes. Era un hombre muy guapo, único en el mundo. Guapo incluso cuando lo descubrió en el periódico, solo dos meses más tarde, cubierto de harapos, la cabeza vendada, mirando a la cámara con un gesto de desafío, como si no se arrepintiera de nada de lo que había hecho en toda su vida.

Y lo último que había hecho era matar a León Trotsky.

La madre del Zar iba, así, desgranando poco a poco la historia de aquella noche de rumba y boleros. Cómo el tiempo se le pasó volando, cómo se olvidó totalmente de que estaba trabajando, tres pesos por media hora de compañía, cómo le gustó aquel hombre de tal manera que ya no pudo irse a la cama con ningún otro, y que sentía que tenía que irse cuanto antes del Tiboy, que no podía seguir allí ni un día más, ofreciendo su carne manoseada.

El Zar escuchaba el relato siempre con asombro, aunque lo hubiera escuchado ya decenas de veces. Se sentía orgulloso de su madre, ni siquiera le escandalizaba que le contara detalles de su trabajo, pero, sobre todo, se sentía orgulloso de ese hombre que había sido su padre, orgulloso incluso de su muerte, acribillado a balazos en la habitación en la que acababa de acostarse con esa mujer de bandera. Fue una balacera. Había agujeros en todos sitios. En las paredes, en el suelo, pero, sobre todo, en su cuerpo. Como puritito queso gruyer, insistía la madre del Zar, que añadía inmediatamente: la culpa fue de ese Jacques. Le dije que ese hombre no era de fiar, que me daba mala espina. Pero él no me hizo caso. Al contrario, se fue enredando más. Me habló de un negocio que le iba a dejar un montón de dinero, que se había cansado de visitarla en esa habitación sucia, que estaba harto de escuchar los gemidos que se colaban por las paredes, que solo quería escuchar sus gemidos, que le diera tiempo, no mucho, apenas unas semanas, o quizá unos días, y que muy pronto podrían ir juntos a ver los estrenos del cine Magerit, como él le había prometido. Y el Zar ponía más atención, porque sabía que ahora llegaba el punto más importante de la narración. Su madre bebía un trago muy fuerte de Hornitos. Se limpiaba la boca de un manotazo. Y entonces, armada de valor, se atrevía a hablar del cuadro. Del cuadro que tu papá robó. El cuadro que quería todo el mundo, los que estaban con Trotsky, y sobre todo, sus enemigos. Tu papá era muy hábil. Logró sacarlo de la Casa Azul, robarlo del mismo estudio en el que pintaba Frida Kahlo. Era noche de ópera. Llovía mucho. Tu padre hizo bien su trabajo. Nada más robarlo se dirigió aquí. Lo llevaba enrollado, tan feliz que no le importó que alguien pudiera hacerle preguntas. Pero lo primero que quería era contarme que todo había salido bien, que tenía el cuadro, que cuando lo entregara ya nunca más volvería a esa falsa sastrería en la que se servían copas hasta las dos de la mañana. Quién le engañó, preguntaba entonces el Zar, sabiendo de antemano la respuesta, la misma que le había dado tantas veces. La culpa fue de ese Jacques. Seguro que él lo mandó matar. Fue una traición. Yo estaba de tres meses.

A su padre lo mataron por robar ese cuadro. Los que le hicieron el encargo, o sea, los trotskistas, tenían miedo de que la policía, o la misma GPU a través de Ramón Mercader, con el que se le veía con frecuencia (aunque tardaría décadas en ser Ramón Mercader, en ese momento solo era Jacques), le apretaran las clavijas, y los delatara. Esas son las sospechas que tenía el Zar, después de muchas averiguaciones, todas las que había hecho a lo largo de su vida para saber algo más del hombre que no conoció. Pero eran solo sospechas. Lo único real es que fue un tipo valiente su padre. Con los huevos gordos como pelotas de balonmano. Le hubiera encantado conocerlo. Lo mataron a balazos, dentro de un puticlub, ante la mirada atónita de su madre, los mismos ojos azules que lo miran ahora, solo que rodeados por arrugas que parecen no tener fin, arrugas que era impensable que llegaran a ese rostro terso de los veinte años en los que parecía que se quedaría estancada para siempre aquella mujer de bandera.

Ahora Toti estaba más muerto que su padre.

El Zar respiró hondo. Intentó tranquilizarse, encontrar un poco de paz. Dirigió la mirada al cuadro. Otras veces se había sentido afortunado por poder disfrutarlo, pero ahora no, ni siquiera aunque tuviera ese cuadro para su exclusivo disfrute. Habían matado a Toti, y lo demás importa nada. Miró de nuevo a la Santa Muerte y quiso arrodillarse otra vez ante su altar, agradecerle su ayuda, pero la notó muy enojada. No iba a ser fácil calmarla.

Así que el Zar se dio media vuelta y buscó la salida de la habitación. La abrió con una tarjeta electrónica que solo obedecía a sus huellas dactilares. Dentro se quedaron el cuadro por el que habían matado a su padre, y la imagen enfadada de la Santa Muerte.

El Zar decidió que no podía perder ni un segundo. Tenía que ver urgentemente al Obispo.

VEINTISIETE

EL ZAR ESTABA DESTROZADO. NO SOLO PORQUE Toti ya no estaba para hacerle los trabajos, sino porque había pasado un día y aún no sabía nada del cabrón que lo había matado. El Chino le había contado detalles muy precisos del tipo. Lo hizo con un temblequeo en sus palabras. Estaba muy asustado de lo que había hecho, tanto, que ni siquiera se atrevía a acercarse a la casa de Evelyn, aunque la imagen de aquella chica, desnuda en la cama, solo para él, no paraba de martirizarlo. Pero tenía mucho miedo, casi tanto como el Zar, que no podía olvidar la manera en que lo había mirado la Niña Blanca.

El Zar se sonó los mocos, fuertemente.

Debía hablar con el Obispo, urgentemente. Seguro que él entendería, que la culpa de lo que le había pasado a Toti no era de él. Tenía que explicárselo, que la Santa Muerte lo perdonara, que solo castigara al que había acabado con su vida, y a esos que estaban atacando los altares en los que reinaba majestuosa la Niña Blanca, pero que no le echara la culpa a él, que todo tenía explicación. La Niña Blanca tenía que perdonarlo.

Tomó rumbo hacia el sur de la ciudad. Dejó atrás los puestos callejeros de la calle Tenochtitlán y empezó a sentirse seguro. Ese era su territorio, ese era su reino, el que solo compartía con la Santa Muerte. Los dos eran sus dueños, uno, él, del barrio; la Santa Muerte, de su destino.

Aparcó el Hummer justo a la entrada de la parroquia del Obispo. Dos hombres que vigilaban la entrada le hicieron una reverencia.

Cruzó el pasillo lateral, intentando que sus ojos no se fueran al altar donde se encontraba la Niña Blanca, de nuevo devuelta a su espacio de privilegio. De sobra sabía que la Santita lo miraría con reprobación. Por eso estaba ahí, para hablar con el Obispo, para ver qué se podía hacer.

Lo esperaba en su despacho, con el ordenador encendido. El Zar descubrió en un plato de plástico los restos de enchiladas con mole y arroz.

—Necesito su ayuda.

El Obispo miraba fijamente el ordenador.

—¿No me va a responder?

El Obispo no parecía escuchar nada, salvo el ruido de su dedo índice al hacer clic sobre el botón derecho del ratón. Estaba ensimismado leyendo atentamente un texto que ofrecía la pantalla del ordenador.

—Esta máquina es buenísima. Es el aparato más listo que he visto en mi vida. Vamos, ni la NASA de los gringos tiene un bicho como este —afirmó el Obispo, orgulloso.

—Mire esto —añadió.

El Zar se acercó. El Obispo le daba la espalda. Podía aspirar el aroma denso a sándalo que desprendía. Vio cómo sus dedos manipulaban el ratón, hasta que el cursor regresó al inicio del texto. Apenas eran diez líneas. El Zar las leyó, sin entender nada. La muerte de Toti lo había impresionado de tal manera que no estaba para grandes operaciones mentales, ni para nada. El Obispo se hizo cargo.

—Esta es una carta del enemigo, de nuestro enemigo, del que quiere acabar con la Santa Muerte. Un *e-mail* remitido a un ordenador de esta ciudad. Mire la dirección... Hemos interceptado el mensaje. Tenemos una tropa de *hackers* trabajando las veinticuatro horas del día para acceder a la cuenta de correo de un señor que usted conoce.

—¿Quién?

—El padre Zanetti.

El Zar apretó las mandíbulas. Nunca pensó que pudiera sentir tanta rabia. El padre Zanetti fue algún día un tipo legal y habían llegado a ser amigos, tanto como para regalarle metros y metros de mármol de Carrara. No hacía tanto tiempo de eso, hasta que se puso a caminar con malas compañías.

—¿Qué pasa ahora con el padre Zanetti?

—Yo pensé al principio que nos había atacado alguno de esos grupos ultras, legionarios de Cristo, o por el estilo, ultracatólicos con ganas de bronca. Pero nuestro enemigo es mayor: peleamos con Roma.

—¿A dónde me quiere llevar?

—Al Vaticano. Roma contactó con el padre Zanetti. Le pidió primero información; luego, acción. Este *e-mail* lleva fecha 23 de junio. O sea, solo una semana antes del ataque al altar.

—¿Y por qué el padre Zanetti?

Pero el Zar ni siquiera llegó a abrir los labios para formular la pregunta. Se la formuló en voz baja, dándose cuenta enseguida de su estupidez. Si algo destacaba en el padre Zanetti, aparte de su belleza, a decir de las feligresas más atrevidas, era una inteligencia fuera de lo común y una capacidad para acercarse tácticamente a los círculos de poder. Por eso había sido tan sencillo hacer negocios con él. Te voy a dejar la iglesia más linda de todo México. ¿A cambio de qué? De que me reces, que no me pares de rezar, porque me hará falta. Mi trabajo necesita puntería y muchas oraciones. Te voy a dar *lana,* mucha *lana,* para que dejes la iglesia bien linda. Guárdame la facturita. Ahora, por lo que decía ese *e-mail,* el padre Zanetti no solo se había probado la chaqueta del gobierno, sino también la del Vaticano, y se sentía bien con las dos. Al Zar se le escapaban muchos detalles, pero tenía bien claro que el padre Zanetti estaba ahora en la otra trinchera, disparándoles.

—Nosotros somos la piedra que ha aparecido en el zapato del papa Benedicto. Y Roma le ha encargado al padre Zanetti que se ocupe de sacarla de ahí, porque esa piedra molesta demasiado.

El Obispo había abandonado la silla de tijera. Costaba creer que su culo gordo entrara allí, pero lo consiguió, con mucho esfuerzo. Sus ojos buscaron al Zar, que se pinzaba con dos dedos el lóbulo de la oreja derecha. No acababa de comprender.

—¿Me está diciendo que fue el padre Zanetti en persona el que se coló directamente en esta parroquia y destrozó a la Niña Blanca?

—Quítese las legañas de los ojos. Da igual si fue él el que empuñaba el bate de béisbol, él está detrás. Es lo que los picapleitos llaman autor intelectual.

—¿Y por qué iba a jugarse el pescuezo de esa manera, solo para que en Roma lo aplaudan?

—Porque en Roma están muy enfadados con él. El padre Zanetti metió la patita. Su error siempre ha sido que le gustaba salir en los papeles, es demasiado amigo de los periodistas, sobre todo uno, el tal Freddy Ramírez ese. Dijo que no era tan extraño que tuviera una iglesia de mármol, que las limosnas se purificaban, aunque vinieran del narcotráfico. Fue un mal negocio. Ahora le piden cuentas, particularmente Roma. Eso de que las limosnas se purifican no les ha hecho gracia, ni de que se siente a negociar en determinadas reuniones de altura, y ahora lo están chantajeando: denos información de los negocios que se traen sus amigos los narcos, o será excomulgado.

Al Zar le cuesta trabajo seguir las argumentaciones del Obispo.

—¿Quién dice que nosotros somos amigos del padre Zanetti?

—Usted lo fue un día —dijo el Obispo mirando fijamente al Zar, sus ojos dos carbones encendidos.

El Zar intentó reaccionar. Pensó en el cuerpo acribillado de Toti, pensó en la Santa Muerte, recriminándoselo. Pero no podía dejar sin contestación el comentario del Obispo.

—Entonces el padre Zanetti era más joven… y más listo. Y no estaba tan cerca del Gobierno, ni el Gobierno había pensado en mandarnos a los militares.

—Ahora el padre Zanetti está del lado del Gobierno, pero sobre todo de Roma. Es nuestro enemigo, pero no el único. También tenemos a la españolita. Se les ha visto tomar un café juntos y me juego el cuello a que es una espía que manda el padre para ver en qué andamos.

—Dicen que trabaja en una agencia de detectives, y que quiere encontrar un cuadro.

—Y entonces ¿a qué ha venido aquí, a buscar un cuadro o a buscar muertas?

—A joder.

El Zar tuvo que reconocer la perspicacia del Obispo. Miró al ordenador y leyó de nuevo el *e-mail.* Ahora sí que lo entendió, cobrando un nuevo sentido que antes se le escapaba.

—Y otra cosa —añadió el Obispo—. El Gobierno y Roma han hecho frente común. ¿Acaso le parece casual que primero se nos deniegue la inscripción en el registro de asociaciones religiosas, o sea, que nos hayan dejado sin personalidad jurídica, y acto seguido ataquen los altares de la Niña Blanca? Es una ofensiva total y utilizan al padre Zanetti como ariete. Él no se puede negar, porque entonces tendría que dejar el ministerio religioso, y ya no sería importante, y no hay nada más que le guste al padre Zanetti que ser importante. Por eso siempre se arrima al poder.

El Obispo le siguió contando. Parecía una enciclopedia. El problema no fueron esas declaraciones. El cura había metido la pata, hasta el fondo. Roma le pidió explicaciones, pero la cosa no pasó de ahí. Una advertencia, muy seria, pero solo una advertencia. A fin de cuentas, el que tiene boca se equivoca. Eso sí, le dijeron que se cuidara mucho de aparecer en los papeles. No querían un cura mediático.

El padre Zanetti pensaba que el peligro había pasado. Pero su problema no era tener mármol de Carrara en su parroquia. El problema fue esa foto. Quién la hizo es una cuestión menor. Lo importante es que llegó a Roma, y en Roma no les hizo mucha gracia ver a un cura recogiendo dos bolsas. Y mucho menos que una de ellas, la de color gris, desapareciera, según rezaba el texto mecanografiado que acompañaba a la foto. La negra sirvió para comprar bancos de nogal y restaurar el retablo. El Zar lo sabía de sobra. Eran muchos millones de pesos, los mismos que llevaba la gris, pero de la gris nadie sabía nada. Como si se la hubiera tragado la tierra. En el Vaticano apostaban cinco a uno a que el padre tenía escondido ese dineral en alguna cuenta. Un dinero no purificado, de seguir la argumentación del propio padre, un dinero recibido directamente del narcotráfico. Y eso no estaba bien, pensaron en el Vaticano. Así que tenían dos caminos: o sacarlo a escobazos de la parroquia, y que se dedicara a cualquier otra cosa, o ponerlo en primera línea de combate, que es el primer sitio donde caen las bombas.

Y ahí lo tenían, purificando el dinero que venía en la segunda bolsa que le había dado el Zar, la gris.

El Obispo miró al Zar, con aire satisfecho. Le encantaba manejar ese caudal de información, aunque fuera tan inquietante como la que le estaba transmitiendo al Zar. Detectó los cercos violáceos que le rodeaban los ojos chicos, siempre astutos. El Zar los tenía ahora llenos de lágrimas.

Al Obispo le sorprendió tanto ver así al Zar, que no supo qué decirle. Al final, encontró algunas palabras.

—¿Qué le sucede? Le aseguro que ganaremos esta batalla.

El Zar asintió con la cabeza. Pero el Obispo pensó que no entendía nada o que su mente estaba muy lejos de allí. La sangre le latía en las sienes con mucha fuerza.

—No puedo dejar de pensar en Toti. Lo mataron por mi culpa y necesito purificarme. Yo no le cumplí a la Niña, no cumplí mi promesa. Y la Niña se me ha llevado lo que más quería.

El Zar no pudo evitarlo. Estalló en un sollozo incontenible, que sorprendió al Obispo. Nunca había visto al Zar de esa manera. Así que se puso manos a la obra. El asunto era más grave de lo que parecía.

El Obispo apagó el ordenador portátil. Una musiquilla electrónica sonó antes de que la pantalla se quedara en negro.

—Acompáñeme.

El Zar lo siguió como un autómata, hasta el altar en el que se erigía la imagen de la Santa Muerte. Junto a él, un capazo lleno de agua en el que flotaban pétalos de rosas blancas. El Zar se agachó, ofreciendo su cabeza al Obispo, que lo bautizó con aquella mezcla de agua y pétalos. Luego le pidió al Zar que abriera sus manos, y se las llenó con un revoltijo de semillas de girasol, arroz y lentejas. Pero faltaba algo más. El Obispo abrió un cajón, del que extrajo dos velas. Rasgó una cerilla y la encendió. La cera estuvo derritiéndose durante los dos minutos que el Zar estuvo rezando, de rodillas, antes de que el Obispo agarrara con sus dedos las dos velas y las rozara por todo el cuerpo del Zar, sin parar de repetir una fórmula litúrgica.

Después se acercó a la capilla en la que se levantaba la imagen de la Santa Muerte. Se quedó en trance, extasiado, dos, tres, cuatro minutos. Los labios bisbiseaban, orientados hacia el cielo.

Al rato habló.

—La Niña está enfadada, es verdad, está enfadada con usted.

En los ojos del Zar había pavor. Estaba muy asustado, como nunca lo había estado. Ni siquiera cuando lo encañonaron por vez primera, con once años. Este terror de ahora era diferente, más grande que cualquier otro.

—Pero la Niña Blanca le va a dar una segunda oportunidad. La Iglesia Vaticana ataca a la Niña. Y la Niña le perdonará si usted la defiende. Para empezar, debe repetir conmigo esta oración: *Que tu balanza divina / con tu esfera celeste / nos cobije siempre / tu manto sagrado / Santísima Muerte.*

El Zar repitió la letanía, moviendo apenas los labios.

—Ahora debe dar el segundo paso, el más importante: tiene que convertirse en soldado de la Santita, pero no en cualquier soldado, porque en esa labor estamos todos. Debes ser el soldado supremo. Solo así la Niña te perdonará, ¿entiende? Soldado supremo, el jefe de los Soldados de la Fe.

—¿Soldados de la Fe? —preguntó el Zar, extrañado.

—Eso es. El ejército que pelea por la Santa, su ejército. Y, además de eso, la Santa Muerte le pide una tercera cosa para que le perdone.

—¿Cuál?

—Que haga una buena acción como todo soldado que se pone a su servicio.

El Zar intentó entender. No sabía exactamente a qué se refería el Obispo con eso de una buena acción. Poco a poco se le relajaron un poco las facciones, aunque el corazón le bombeaba con fuerza. Se limpió las lágrimas de un manotazo. El terror fue desapareciendo, sustituido por una furia que le puso los músculos en tensión. La imagen de la Niña Blanca destrozada se le fundió con otra, la cabeza acribillada de Toti, su cuerpo descoyuntado para siempre. ¿Podía haber conexión entre una cosa y otra? El Zar no estaba en condiciones de responder en ese momento a ninguna pregunta.

Se levantó. Le dolían las rodillas. Abrazó al Obispo y abandonó la parroquia.

Subió al Hummer y encendió el motor. Metió la primera velocidad y apretó todo lo que pudo el acelerador.

Tenía mucho por hacer. Debía cumplirle a la Santa Muerte.

VEINTIOCHO

MIENTRAS QUE EL TOTI ERA ENTERRADO, MACHUCA no paraba de pensar en Daniela Ackerman. No se la podía quitar de la cabeza, y mucho menos después de la foto que le había dejado la fiscal Chacalita, aparte del atestado policial de cuando fue cazada en un control de alcoholemia. En ella aparecía la detective besándose con Marcelo. Era tan estricto el seguimiento que le estaban realizando al Chilango por el asunto de los secuestros virtuales que no dudaron en hacerle todas las fotos que pudieran. Y en una de ellas salía morreándose con una chica rubia. No había dudas. Era Daniela Ackerman.

La llamó al hotel y le dijo que necesitaba verla. Quería hablar con ella con urgencia y, a ser posible, en su habitación. No quería que nadie los pillara charlando en el *hall*.

Pasó expresamente por su casa, se cambió de ropa y se perfumó. Ni siquiera se acordaba de la última vez que había agarrado el frasco de Ermenegildo Zegna para oler mejor. También revisó su vestuario delante del espejo, cuidando que todo estuviera en orden. Quería tener el mejor aspecto posible para visitar a Daniela.

Subió a la quinta plana. Se ordenó el pelo, intentando disimular las entradas, antes de llamar con los nudillos a la puerta.

—¿Usted por aquí? ¡Qué extraño!

—No tan extraño. Un amigo visita a una amiga, sin más.

La detective tardó unos segundos en cederle el paso. No se creía ese "sin más" utilizado por Machuca. Si el inspector había decidido buscarla en su hotel era por algo. Lo que más le desconcertaba era la pinta que llevaba. Queriendo ser elegante, el inspector solo parecía ridículo.

Tomaron asiento. Machuca dirigió una mirada curiosa a la habitación. Encima de la mesa fosforecía la pantalla de un ordenador portátil.

—¿Cómo va con su cuadro? —le preguntó, para romper el hielo.

—Falta un día menos para que dé con él. Estoy convencida de que lo tendré en mis manos antes de que usted cace al asesino de las bailarinas.

—¿No me va a conceder ni siquiera hoy una tregua?

—¿Tregua?

—Sí. Desde el primer día está siendo muy dura conmigo.

—¿Acaso no tengo motivos? Ya han aparecido tres chicas muertas, las tres con las mismas características, y aquí nadie parece hacer nada por evitar una cuarta.

—De eso quería hablarle.

Daniela Ackerman lo miró con indiferencia. No le tenía ninguna fe al inspector, pero encendió un cigarrillo con el que andaba jugueteando desde que Machuca se coló en su habitación, y se preparó para escucharlo.

—Para empezar, tenemos que descartar a un sospechoso. El mejor pistolero del Zar, el Toti, ya está enterrado.

—¿Cómo?

—Sí, a los muertos se les entierra. Y al muchacho le han dado plomo. Cayó ayer. Esperaba junto al Chino a la salida de una sucursal del BSCH y le dispararon. No le negaré que pensé en él como un serio candidato para atribuirle las muertas. No se separaba de su Magnum ni para dormir.

—Sí, pero las chicas no mueren por recibir el impacto de una bala, sino estranguladas.

—El Toti conocía todas las muertes posibles: pistola, arma blanca, estrangulamiento, y en todas era un maestro.

—Y sin embargo, estaba en la calle.

—Ya no. Le han aplicado la justicia divina.

—Que es la única que se puede esperar aquí, ¿no?

No le gustaba el tono que estaba usando también ese día la detective. En cualquier otra situación, ante otra persona, no habría aceptado esos comentarios irónicos, pero había algo en Daniela Ackerman que impedía al inspector sacar su mala leche, como si con ella siempre tuviera la batalla perdida.

Machuca se levantó del asiento que ocupaba. Quería que Daniela lo mirara de otra manera y consideró que era el momento de contarle algo que quizá la pusiera de su parte.

—He descubierto dónde fabrican la tinta que se está usando para tatuar a las bailarinas.

—¿Ah, sí?

—Sí, es una tinta que deja una pigmentación especial en la piel.

Un teléfono móvil sonó en la habitación. Era el de Daniela Ackerman. Lo atendió inmediatamente.

—Sí, dígame.

La detective escuchó lo que le decía el inspector, la historia del veneno de la serpiente de cascabel y el componente especial que daba a los tatuajes unos colores muy llamativos. Machuca explicó todo, sin quitarle ojo a Daniela. Había sido un error dejarlo subir a su habitación. Sonó de nuevo el teléfono de la detective. Ella lo atendió con rapidez, y colgó tan pronto como pudo.

—¿Un novio? —le preguntó Machuca.

—Yo no tengo novio.

—¿Seguro? Hay muchas cosas que usted me esconde.

—Pero no pierda el tiempo en investigarlas. Lo va a necesitar para otras tareas, por ejemplo, descubrir quién ha matado a la nueva chica.

—¿Nueva chica?

—Sí, esa tercera muerta aparecida en la refinería. El que me ha llamado para darme detalles ha sido Freddy Ramírez.

El inspector Machuca frunció el ceño. Algo no le cuadraba.

—¿Y por qué se fía de la información que le da un periodista? Y mucho menos ese Freddy.

—¿Tiene algo contra él?

—Sí, que publica muchas mentiras.

—¿Por eso era mejor quitarlo de en medio, no?

—No sé lo que está insinuando, señorita, pero sea lo que sea, no se lo voy a aceptar. Freddy se pasó varias semanas consecutivas hablando del padre Zanetti y del Zar. La mayor parte eran invenciones. Nadie lo obligó a hacerlo. Y aquí cada uno tiene lo que se merece.

—¿También esa chica, la tercera?

Machuca meneó la cabeza, negativamente. La detective notó que desconfiaba de cada una de sus palabras. Así que abrió su ordenador y se fue directa al enlace que le había ofrecido Freddy Ramírez. Enseguida pudo encontrar el video y le dio al *play*. Una chica, vestida con una falda muy corta de bailarina, era golpeada brutalmente por un hombre antes de estrangularla. La cámara recogía una última imagen de su rostro ya vacío de vida antes de buscar su pecho izquierdo, en el que trabajaba un hombre, pistola de tatuar en mano. En poco tiempo le dejaba grabada la silueta de la Santa Muerte.

—¿Sabe lo que me llama la atención de esta grabación? —intervino Machuca—. Que durante los primeros segundos, mientras matan a la chica, la cámara no se mueve y la imagen es muy limpia, pero cuando entra en acción el tatuador, la cámara se mueve más, como si temblara. Y eso mismo ocurre con las otras dos grabaciones.

—¿Qué significa eso?

—Para empezar, que son dos personas las que manejan la cámara, una con mejor pulso que la otra. Y una de ellas gasta un número de zapato muy alto, según una huella que hemos podido descubrir, concretamente un 46. El guardaespaldas del padre Zanetti usa un 46. Llamativo, ¿no? En fin, esta muerta ya no se la puedo echar a Toti. Repito, lo han matado por la mañana.

—¿Y eso que tiene que ver?

—Mucho. Si se da cuenta, el procedimiento que está siguiendo el asesino es colgar las imágenes en Internet a las pocas horas de que se produzcan los crímenes. Es como si tuviera mucha prisa por publicarlos. Y eso es lo que me tiene desconcertado. ¿Qué persigue?

Una lástima que alguien se hubiera cargado a Toti, y no solo para el Zar, que lo consideraba como un hijo. El inspector lo veía de otra manera: como el principal sospechoso. Lo imaginaba suficientemente loco como para ponerse a jugar a matar bailarinas en el tiempo libre que le dejaba su novia Evelyn. Pero no lo hacía solo. El Chino y él eran la pareja perfecta para realizar esas travesuras.

—Inspector, le voy a ofrecer una pista, totalmente gratis. Hay un vecino de Azcapotzalco, se apellida Sousa y tiene una relojería. Dice que no lamenta lo que está ocurriendo, que es bueno, para que todo el mundo sepa las condiciones de abandono en las que viven en el barrio.

—¿Abandono? Eso es cosa de los políticos, no de la policía. Y los políticos ya ve en qué andan, tirándose de los pelos para ver quién ganó las elecciones, si la izquierda o la derecha.

—Sí, pero usted no ha pensado que alguien del barrio podría estar participando en esos crímenes para denunciar lo que pasa.

—¿Qué pasa?

—Que han muerto quince personas por culpa de los vapores que desprende el petróleo que ha chupado el suelo en el que ha estado trabajando casi cien años esa refinería.

El inspector se quedó pensativo. Estaba contrariado. Él no había subido esa mañana a la habitación de Daniela Ackerman para que le diera lecciones sobre cómo tenía que hacer su trabajo ni para que le ofreciera nuevas pistas. Daniela lo miraba con reprobación. Ni siquiera contarle los avances que llevaba en su investigación había servido para arrancarle una sonrisa, un gesto cómplice.

A Machuca le disgustaban profundamente esos aires de superioridad que utilizaba la detective, pero iba a bajarle los humos. Daniela estaba metiendo las narices donde nadie la llamaba.

El inspector pensó que era el momento de sacar el as que llevaba guardado en la manga. De jugar a poli malo.

—Veo que está muy ocupada haciendo mil cosas en la ciudad. Tanto que ni siquiera tiene tiempo de llevar el coche al lavadero.

—He hecho una prueba. Y he comprobado que el coche corre exactamente igual sucio que limpio.

—Pero necesitará un guardapolvo para subirse en él.

—¿Ahora resulta que el primer problema de la ciudad es la suciedad de mi coche?

Pero Machuca no quiso responderle. Al menos, no en la forma esperada por Daniela. Lo hizo con otra pregunta.

—¿Cuánto tiempo hace que compró las ruedas del coche?

—¿Para qué quiere saberlo?

—Necesito saber si puedo confiar en usted.

—¿Por qué?

—Porque usted no me produce indiferencia. A estas alturas, debería saberlo.

—No se haga muchas ilusiones.

—Usted tampoco. Yo soy un policía viejo, pero no he perdido el olfato.

—Pero sí el tiempo. Conmigo lo pierde.

—No conviene realizar determinadas afirmaciones.

Al inspector Machuca le costaba utilizar ese tono duro con una mujer tan especial. Pero aquellas ruedas eran demasiado nuevas y aquel coche llevaba demasiado polvo.

—¿Cuándo le cambió las ruedas al coche?

—Hace unos días.

—Son unas gomas muy caras —observó Machuca.

—Las anteriores me iban bien, pero un hijo de puta me las rajó.

Machuca se dio la vuelta, con un movimiento brusco.

—¿Y por qué no lo denunció?

—¿Acaso me van a pagar ustedes la factura de las nuevas?

—Es demasiado elevada.

—Además, ¿qué importancia tiene para usted que en la ciudad aparezca un coche con las ruedas rajadas?

—Mucha, si son las gomas de usted. Y no me gusta que las gaste haciendo preguntas por ahí. Una antigua refinería no es un sitio muy agradable. Además, usted vino a buscar un cuadro, no muertas. Hágame caso y céntrese en lo suyo. No me lo ponga más difícil.

Ella consultó nerviosa el reloj. Hizo un mohín de disgusto. Se le estaba haciendo tarde para llegar a algún sitio, o había llegado a la conclusión de que llevaba demasiado tiempo dándole explicaciones tontas al inspector. Machuca se dio cuenta y se dispuso a apretarle aún más las clavijas.

—¿De qué conoce usted a Marcelo Estéfano?

—¿Marcelo Estéfano?

—Sí. Se lo pondré más fácil. Marcelo el Chilango.

—¿El Chilango?

—Sí. Y no me ponga esa carita de que no le suena de nada, porque no me la voy a creer.

Daniela dio una larga chupada a su cigarrillo. El inspector se dio cuenta de cómo tembló entre sus dedos. Sacarle el nombre del Chilango la había puesto nerviosa, como nunca antes la había visto.

—Pensé que ningún hombre era capaz de alterarla. Pero todo ha sido nombrarle a Marcelo Estéfano y le ha cambiado la cara. ¿Qué pasa con él?

La situación era surrealista. Oír el nombre de Marcelo salir de los labios de un inspector de policía que quería seducirla era lo último que podía esperar.

—No se haga la tonta. Sé que se vieron varias veces en 2003. Les gustaba cenar en el mejor restaurante del paseo de la Reforma, el Danubio, ese que está en la calle Uruguay. No me extraña que usted haya elegido el Fontán para alojarse. Esta zona se ve que le trae buenos recuerdos.

¿Buenos recuerdos? En otro momento Daniela Ackerman habría soltado una sonrisa sarcástica, pero no en este. El inspector la examinaba, muy serio.

—¿Cuántas copas de vino bebió aquella noche? Sí, el día que le pararon. Dio 0,8, eso es mucho. No me la imaginaba a usted empinando el codo. Es muy feo ver a una mujer borracha. Fíjese en la fiscal Chacalita.

—Esa es una historia ya vieja.

—Sí, pero me ha engañado. Usted me dijo que jamás había estado en México DF. ¿En qué más me ha mentido?

—En nada. Además, no creo que sea delito salir a cenar con un hombre.

—¿Tiene idea sobre quién es Marcelo Estéfano?

—Un abogado con muchos clientes.

—Sí, pero no conoce al cliente principal.

—¿Quién?

—El Zar.

El rostro le cambió completamente a Daniela, como si le hubieran dicho que Bin Laden trabajaba para los americanos en misiones secretas. Aplastó violentamente en el cenicero lo que le quedaba de cigarrillo. Se sentía muy confusa, totalmente perdida.

—¿Quién le ha dicho eso? —acertó a preguntarle al inspector, intentando recomponerse.

—Está totalmente acreditado. El Zar y el Chilango son socios desde hace mucho tiempo; lo que pasa es que han llevado la relación con tanta discreción que nadie, ni siquiera uno de esos cagatintas que escriben en los periódicos, se ha atrevido a asociarlos. Para el Chilango el Zar es como una especie de amante con la que no conviene aparecer en un *cocktail,* por el qué dirán. No sé si me entiende.

No, a Daniela no le sorprendía lo que le estaba diciendo Machuca, ahora que pensaba con un poco de frialdad. Si algo sabía hacer bien Marcelo, aparte de regalarle frases románticas, era esconder su doble vida. Y esa segunda vida parece que no solo se refería al número de mujeres con las que practicaba la infidelidad, sino también a sus negocios oscuros. Era el abogado del mayor capo del narcotráfico que se conocía en el Distrito Federal.

—¿Ha tenido últimamente contacto con él?

—¿La pregunta es personal o profesional?

—Solo profesional. Necesitamos conocer todos los movimientos del Zar y sus colaboradores. Y el Chilango no es el más importante de los suyos, pero tampoco el menos.

La sangre le batía sordamente a Daniela en las sienes. Marcelo era una caja de sorpresas que no tenía fondo.

—No, hace ya mucho tiempo que no hablo con él.

—¿Qué recuerdo tiene de él?

La detective no quiso responder a esa pregunta. Tampoco estaba preparada para hacerlo. A fin de cuentas, todo había acabado. Pero habían sido tres meses muy intensos en los que su corazón se había desbocado. Después nunca había vuelto a sentir lo mismo. Algo le debía a ese cabrón, aunque fuera rencor.

—Le rogaría que, si tuviera algún contacto o supiera algo de él, me lo transmitiera.

—¿Y a qué viene ese interés ahora por todo lo que hace el Zar? Me sorprende, teniendo en cuenta que yo vi cómo usted entraba en su despacho, en el Manhattan, como un amigo más.

—Los policías nunca son amigos, señorita.

—¿Me va a decir que está trabajando para detener al Zar?

—Todavía podemos adelantarnos a la justicia divina.

Daniela Ackerman miró de arriba a abajo al inspector. Con esa facha, esa pinta de hombre derrotado por la vida, le parecía una broma que ahora quisiera meter entre rejas al Zar. Una hormiga no puede hacer gran cosa frente a un elefante, salvo evitar que la pisen.

—¿Sabe que su cuadro podría tenerlo el Zar?

—Sí. Todos los indicios apuntan a él, pero lo que no acabo de entender es por qué un narcotraficante se ha interesado por una obra de arte. Y menos este en particular. Según mis averiguaciones, jamás se había interesado por ningún otro cuadro, en toda su vida. ¿Usted lo entiende?

—No, ese no es mi trabajo. Mi trabajo consiste en transformar en pruebas los indicios. Estoy buscando la cinta que debió de grabar la cámara de la galería Babel, pero no hay manera. Si en ella sale el Toti, el Zar tendría que dar muchas explicaciones, por ejemplo, dónde esconde el cuadro de Frida Kahlo. Deme algo más de tiempo. Cuando vuelva a Madrid, quiero que guarde un buen recuerdo de mí. Y limpie su coche. A una mujer como usted no le pega un coche lleno de mierda.

Se despidió con una leve inclinación de la cabeza. Por una vez, se sintió orgulloso de sí mismo.

VEINTINUEVE

Ciudad de México, 1940

LOS CUSTODIOS QUE CUIDAN DE LEÓN TROTSKY notaron que la noche estaba en calma. Sin duda, todo el mundo dormía en la Casa Azul. Pero estaban equivocados.

El héroe de la Revolución de Octubre daba vueltas desesperadas por su despacho. En su mente no paraba de rebotar una imagen. En ella aparecía Frida Kahlo, totalmente desnuda. Desnuda para él.

Le extrañaba la fuerza mecánica que sale de un cuerpo tan pequeño, un cuerpo menudo que desaparecía bajo el suyo apenas unos segundos, para de nuevo recobrar la iniciativa en una entrega furiosa, como si quisiera protestar contra todas las injusticias que la vida había cometido con ella, contra los dos grandes accidentes de su vida, el del autobús y su marido Diego.

A Trotsky se le encendía la sangre en las venas recordando el tacto de sus pechos, ni grandes ni pequeños, solo llamativos por unos pezones oscuros, el roce de sus labios llenos de carne, su pasión enardecida, como si fuera la última vez, la última entrega, el último regalo para él. ¿Quizá por eso se había comportado así hace un par de noches en la casa de Cristina? ¿Sus movimientos rabiosos, recorridos por una corriente eléctrica, eran el anuncio de una despedida?

Dejó la puerta de su despacho entreabierta. A Natalia le sorprendía que su marido, tan celoso de su intimidad, no la cerrara totalmente, quedando expuesto a que cualquiera pueda interrumpirle en sus tareas trascendentales. Incluso había notado, ella que parecía no darse cuenta de nada, que Frida Kahlo andaba colándose con demasiada frecuencia en aquella estancia casi sagrada, aquel rinconcito del que salía el trabajo intelectual destinado a cambiar el mundo. La mexicanita había adoptado la costumbre de pasarse muchos minutos en el despacho. Su marido parecía complacido con esas visitas. Natalia había notado que estaba de un excelente humor, que superaba incluso el que sentía de vez en cuando, cuando traía del campo una nueva especie de cactus, o cuando comprobaba cómo engordaban los conejos alimentados personalmente por él. Incluso llevaba varios días sin saludarla con su frase habitual:

—Felicidades, Natalia, él nos regaló un día más de vida.

Parecía que ya no se preocupaba de Stalin y solo andaba preocupado por elegir el traje más adecuado. Se pasaba muchas horas frente al espejo, estudiando el efecto que producía el nuevo pantalón bombacho que había elegido entre varios traídos directamente de una tienda de Insurgentes. Ahí se quedaba, parado ante el espejo, maldiciendo que el pelo ya le escaseara. Trotsky se había vuelto coqueto, a la manera que se vuelven los adolescentes. Natalia llevaba demasiado tiempo casado con él como para no saber o sospechar lo que pasaba. Ella también tenía ojos y no era ajena al calor que parecía irradiar Frida a sus veintinueve años de juventud desbordante. Trotsky se dedicaba minutos y minutos ante el espejo. A Natalia no le hacía falta colocarse delante de él y sabía que, de golpe, le habían caído diez años encima.

Ya ni siquiera se atrevía a preguntarle a su marido, empujando tímidamente aquella puerta que se había convertido en una frontera que los separaba, si necesitaba algo. Es como si la mexicana le hubiera robado todo, incluso ese derecho, o a lo mejor es que temía encontrarla dentro del despacho, dedicándole un gesto cariñoso a su marido.

—Esta casa es nuestro nuevo planeta.

La frase la había repetido varias veces. Estaba tan agradecida a la hospitalidad de Frida y Diego, que en esa frase se resumían todos sus sentimientos, y ahora aquel planeta empezaba a convertirse para ella en un infierno, se había transformado en un baile en el que todos reían y bailaban, mientras ella se quedaba marginada en un rincón, sin entender nada. O entendiéndolo todo.

No hubo preguntas, no hubo reproches. Natalia era muy lista. Contra Frida nada podía hacer. Solo Frida podía ayudarla.

Y empezó a hacerlo esa misma noche.

Trotsky se pasó las manos por la frente. La notaba ardiendo. Tenía el cuerpo dolorido. Se sentía enfermo.

Oyó una puerta cerrarse.

Frida acababa de volver a casa. Ya era madrugada. A esa hora solo podía estar abierto algún garito de mala muerte.

Trotsky llevaba tantas horas espiando su llegada que no sabía ahora qué hacer, hasta que por fin reaccionó, levantándose. Sus huesos crujieron. Ella fue dando saltitos despreocupados por la escalerita, haciendo sonar el collar de Tehuantepec que llevaba al cuello. Trotsky salió a su encuentro. Se cruzaron en el estudio de la pintora. Frida dio un grito apagado, como de sorpresa atenuada, como si estuviera esperando ese recibimiento. La luz de una bombilla le hirió los ojos.

—Buenas noches.

Pero Frida no respondió. En la boca llevaba colgada una sonrisa bobalicona y enseguida Trotsky entendió por qué. Le bastó escuchar la primera frase que salió de su boca.

—¡Vaya bienvenida tan especial!

No hizo falta que Trotsky descubriera los ojos turbios, el pulso nervioso, los movimientos torpes, para darse cuenta de que Frida había llegado bebida. Era suficiente escuchar las palabras que salían desmadejadas de su boca.

—¡Cuánto te quiero, Piochitas! ¡Te quiero rete hartísimo!

Y se puso a tararear una canción que Trotsky le había oído cantar más de una vez.

—Me encanta *Salón México*, esa pieza sinfónica de Aaron Copland. ¡Es tan dulce!

Frida volvió a cantar a voz en cuello. Trotsky tuvo miedo de que despertara a todo el servicio, y especialmente, a Natalia, que es verdad que tenía el sueño profundo, pero Frida se acercaba al grito con sus frases demasiado sonoras.

—¡Cuánto te quiero, pero esto es imposible!

Trotsky la miró con incredulidad. ¿Qué quiere decir exactamente? De nuevo la ardilla que llevaba dentro se le puso a saltar en el corazón. Ella pareció darse cuenta, entre las brumas del alcohol, de la mirada de estupor que le dirigía Trotsky.

—¿Se sorprende, Piochitas? Verá...

Y empezó a rebuscarse torpemente, a pelearse con sus ropas hasta encontrar algo que se le escondía. Al fin, hizo un gesto, satisfecha.

—¡En las enaguas! ¡Aquí estaba escondida! ¡Nadie se dio cuenta!

Y Frida alzó, como un trofeo, una petaquita. La desenroscó para comprobar contrariada que estaba completamente vacía.

—¡Pero si no queda ni una lagrimita de Cuervo!

Viendo sus movimientos de ventrílocuo, a Trotsky no le hizo falta ese gesto para darse cuenta de que Frida estaba borracha como una cuba. Eso le preocupaba y, al mismo tiempo, le tranquilizaba, porque igual era solo el tequila el culpable de todo eso que estaba diciendo.

—Un amor se va... Es la letra de un corrido. A usted un día también le harán un corrido.

Y la pintora siguió desafinando, intentando cantar el corrido, pero la letra se le escapaba, fugitiva.

—Bueno, de momento, no tiene un corrido. Pero se ha ganado una cartita.

Frida volvió a registrarse. Trotsky temía que fuera a sacar de las enaguas otra petaca, pero esta vez, en efecto, rescató un trocito de papel.

—La he escrito mientras me aburría en la fiesta. Es para usted. Guárdela.

Frida se despidió de Trotsky con un beso tibio en las mejillas y se dirigió al dormitorio con sus pasos inseguros. Trotsky se coló en su despacho. Desplegó la nota. No entendía nada. Y no era por la caligrafía descuidada, sino por su contenido.

Aquello era el fin, en efecto.

Frida le agradecía todo el afecto que le había brindado, pero tenía que volver con Diego.

—Como no tengo otra forma de pagarle todo lo que me ha dado, solo se me ha ocurrido regalarle el cuadro en el que venía trabajando, es un autorretrato. En él salgo con el pelo muy largo, como usted me pidió.

Trotsky quedó muy confundido, porque había en esa carta pasajes muy tiernos, pero, al mismo tiempo, otras frases que eran auténticos navajazos, navajazos que le estaban arrancando las entrañas, línea a línea. Releyó la nota varias veces, hasta que acabó memorizándola, pero no le encontró sentido.

Una ardilla seguía saltándole en el corazón.

Quiso estrangularla. Pero ya era tarde.

—Al día siguiente Frida le llevó el cuadrito al despacho de Trotsky para dárselo personalmente. Ahí el bolchevique tuvo la confirmación de que Frida iba en serio, que la cartita que le había dado la madrugada anterior era real. Pero rechazó el cuadro, no lo quiso. Era una forma de rechazar los hechos, la realidad... No estaba dispuesto a que de Frida solo le correspondiera un cuadrito...

—Sigo sin entender que trotskistas desencantados o agentes de la GPU estuvieran más interesados en ese cuadro que en el propio Trotsky.

Daniela ha encendido un nuevo cigarrillo. Se ha prometido que será el último que fume en la habitación de Freddy Ramírez. Pero sabe que incumplirá esa promesa. Le había ganado la batalla a los hombres, o eso creía ella, pero no al tabaco.

—El cuadro era importante, y novedoso, porque hasta ese momento Frida había sido muy opaca en sus cuadros, dejándolos abiertos a mil interpretaciones. ¿Por qué ahora era tan explícita, rozando la descripción naturalista, como para que no quedara duda de que había sido amada por uno de los mayores símbolos del pensamiento revolucionario? Fíjese que sus cuadros atentaron tanto contra la realidad que incluso se la adscribió al movimiento surrealista. Hay dos explicaciones a ese cambio: la primera, es que quiere certificar que ha amado a Trotsky; la segunda, romper con los surrealistas, desmarcarse de ellos. Llega incluso a mofarse de André Breton. Es un cuadro de gran valor y mucho más desde que se extravió esa carta.

—¿Qué carta?

Freddy Ramírez toma aire.

—Trotsky echó de su despacho a Frida. Le dijo que se llevara bien lejos el cuadro. Al minuto se arrepintió, pero ya era demasiado tarde. Frida no quiso atenderlo, ni ese día, ni al siguiente, y el pobre Trotsky, Piochitas, como lo llamaba Frida, se pasó recluido en su despacho todo el tiempo, escribiendo una larga carta de nueve hojas, en la que primero le pedía disculpas, y luego, una segunda oportunidad. En ella hablaba como un adolescente. Decía que estaba completamente enamorado de ella, que ella había sido su auténtica Revolución, así, con mayúsculas. Se la dio metida en un libro, pero ese libro nunca lo abrió ella. Lo abrió —y aquí Ramírez deja pasar unos segundos, para crear un suspense mayor.

—¿Quién lo abrió?

—Diego Rivera.

Daniela se queda mirando a Freddy Ramírez. Ya no le despierta la desconfianza inicial, pero aún hay un no sé qué que le impide creer al cien por cien lo que dice.

—Trotsky le pedía a Frida en la carta que la destruyera nada más leerla, pero ella no pudo cumplir el encargo, y Diego se la guardó. Y esa carta acabó en las manos de trotskistas que dejaron de serlo un minuto después de leerla.

—Esa es solo una elucubración.

—Pero no lo es que Ramón Mercader cenó en la Casa Azul dos semanas más tarde de que Diego Rivera descubriera esa carta que no iba destinada a él.

—¿Y por qué Rivera, si quería reconciliarse con el Partido Comunista, e incluso tenía relaciones con Mercader, no hizo llegar la carta al GPU?

—Porque, en ese momento, Diego duda entre hacer o no hacer un movimiento claro de aproximación a Stalin.

Prefiere que sean los propios trotskistas los que acaben con Trotsky.

—Pero Mercader no lo era.

—En ese momento, nadie sabía quién era Mercader, solo el novio de una norteamericana muy fea llamada Sylvia Ageloff. Mercader siempre fue el hombre de los mil disfraces.

—Hay algo que no entiendo. Me parece muy peliculero eso de que Diego Rivera encontró la carta de Trotsky escondida en un libro. Parece una solución fácil adoptada por un novelista malo.

—Es usted una ignorante, pero la perdono. A fin de cuentas, me empieza a caer bien. Mire, durante todo el romance de Frida y Trotsky hubo un continuo tráfico de cartas, que iban y venían escondidas en libros que se prestaban uno a otro. No tanto por Diego como por Natalia Sedova. El pintor andaba siempre montado en el andamio y complaciendo a alguna hembra; decía que la fidelidad era una virtud burguesa; pero fueron tantas las cartas que se escribieron, fueron dejando tantas pistas, que era imposible que Natalia o Diego no interceptaran una de ellas, en un descuido. Y esto que le voy a decir le va a sorprender, y sí le va a parecer novelero. Verá. Quien encuentra la carta no es Diego, sino Natalia. Pero, en vez de montarle una escena a su marido, se la deja a Diego en su habitación. Era la manera más inteligente de que el romance acabara. Para Natalia, la casa de los Rivera no era ya un nuevo planeta.

—¿Y qué hizo Diego?

—Pues mire, no le armó bronca a Frida, aunque le disgustaran profundamente sus veleidades. Una cosa es que tuviera aventuras con mujeres. Pero... ¡con hombres! No se peleó con ella, pero sí discutió con Trotsky. Le pareció una puñalada.

—¿Por qué discuten principalmente, por política o por Frida?

—Esa es la pregunta más inteligente que me ha hecho desde que cruzó esa puerta.

—Espero que la respuesta esté a la altura.

—Usted me dirá. Trotsky acusó a Diego de atender solo a su ego. Pero ya conocía al muralista. Diego siempre pensó en sí mismo, y luego, en los demás, como todo genio. No creo que fuera más díscolo que en las primeras semanas en las que trabajaron hombro con hombro. Pero, para Diego, lo de Trotsky de manoseos con su mujer es una traición, y las diferencias políticas, que las había, se hicieron insalvables. El ruso llegó a decir de él que era tan dañino para la Cuarta Internacional como la hierba seca para los conejos. La frase le llegó al pintor. Diego no podía, ni por un segundo más, estar a su lado. Fueron necesarios varios años para convertirlo en un trotskista irreductible, pero bastaron nueve hojitas para lanzarlo a los brazos de Stalin. Diego es un ex trotskista desde el momento en el que acaba de leer esa carta que no sabe cómo le han dejado en su recámara. En ese momento, no hay mucha diferencia entre él y Ramón Mercader. Piensa que la Cuarta Internacional, como todas las ideas de Trotsky, es un fracaso, una pantomima, y lo manda a comer caca. Así, textualmente.

—Pero de ahí a desear la muerte de Trotsky...

—Trotsky lo traicionó. Era imposible que en ese momento alguien odiara más a Trotsky, salvo Stalin.

Un fragmento de ceniza se desgaja del cigarrillo que sostiene en los dedos Daniela. El relato la tiene tan abstraída que es imposible que le preste atención a cualquier otra cosa.

—En todo caso, Diego no fue el responsable del asesinato de Trotsky —matiza Daniela.

—Pero pudo evitarlo. Me juego los dedos de esta mano, los únicos que me quedan sanos, a que Ramón Mercader le insinuó sus planes, mientras Frida lo esperaba en su estudio, y simplemente aguardó a que se ejecutaran. Las nueve hojas de la carta que le escribió Trotsky a su mujer le tenían encendida la sangre.

—¿Tan clara era?

—Era la carta de un adolescente enamorado hasta las trancas.

—¿Y cómo reaccionó Frida?

—Frida estaba cansada del viejo. La aventura le había servido para desquitarse de Diego. Nunca olvidaría su historia con Cristina, con su propia hermana, pero al menos le había pagado con la misma moneda, porque no eligió un amante al azar. Buscó, nada más y nada menos, que al creador del Ejército Rojo, al faro del pensamiento marxista revolucionario, un hombre de una talla intelectual y política inalcanzables.

—¿Y a partir de ahí?

—Trotsky se muda a una casa cerca del Río Churubusco, apenas a tres cuadras de la Casa Azul, en la avenida Viena. Frida y Diego se reconcilian, una vez más, en un proceso eterno que solo acabó con la muerte de ella. Trotsky intentó recuperar a Diego para la Cuarta Internacional, sin éxito. Luego vino lo del piolet. Pero esa historia es demasiado conocida.

Daniela hace esfuerzos para que Freddy Ramírez no note el entusiasmo que le ha producido el relato. Aquel tipo, allí tirado en la cama como un fardo, ha logrado romper la incredulidad con la que ella siempre salía a la calle. Creer es el primer síntoma de un tonto. Daniela no creía, para empezar, en los hombres, y ahora, sin embargo, se ha tragado entera toda esa historia que le ha contado Ramírez. El periodista la mira con aire satisfecho, sin importarle que los ojos de Daniela permanezcan duros.

Ella manipula la presilla que recoge su pelo. Enseguida se deshace la cola de caballo. Todo lo hace con calculada desenvoltura, sin dejar de mirar a Freddy Ramírez. Es el único gesto de coquetería que le dedica. Un gesto que se ve reforzado con una pregunta.

—¿Cuánto tiempo le queda en la cama?

—Los médicos dicen que unos pocos días. Pero no se fíe de ellos. Son como los periodistas. Siempre andan mintiendo.

—¿Usted también?

—Por supuesto. Es la única forma de que usted venga a visitarme de vez en cuando.

Y Freddy Ramírez le guiña el ojo derecho. Le caía bien la españolita. No le gustaría que le pasara nada, pero le cuesta creerlo. La mira de arriba a abajo, como si un oscuro presentimiento le estuviera susurrando al oído que esa iba a ser la última vez que le contaría un nuevo capítulo de los amores de Frida y Trotsky.

TREINTA

PUSO LA RADIO. ESTABAN ENTREVISTANDO AL ENTRE-
nador del Cruz Azul. Javier Clemente soltaba su
discurso, pero no le prestó atención. Le faltaba
concentración. Su mente estaba en Daniela Ackerman.
Ahora guardaba en el bolsillo una dirección de Azcapotz-
calco, la del vecino que supuestamente se alegraba de los
crímenes del *Monte de las hormigas*. Su apellido era Sousa.
Se preguntó cómo la detective había dado con él. Seguro
que Freddy Ramírez andaba detrás de todo. Ese periodista la estaba utilizando para que le hiciera el trabajo gratis
y, dado que él no podía moverse de la cama, había encontrado la pieza perfecta para ayudarlo: Daniela. El inspector sintió una punzada de celos. ¿Cómo es posible que la
española se fiara más de un pinche periodista seboso que
de él? Y enseguida le vino a la cabeza otra pregunta.
¿Cuánto tiempo tardaría Freddy en publicar un reportaje
poniéndolo a él al pie de los caballos y haciéndolo responsable de todos los crímenes? Calculó que muy poco. Odió
al periodista, pero también a Daniela. Los dos jugaban en

el equipo contrario y le atacaban por las dos bandas. Él bastante tenía con defenderse ahí, colgado del larguero, como hacía el Cruz Azul cuando las cosas se ponían feas.

El Mustang dejó atrás la avenida de las Culturas. Seguía haciendo mucho viento. Machuca prefirió llevar las ventanillas subidas. No le costó dar con la dirección. En la calle había un puesto callejero. El vendedor gritaba que había tamales. El inspector llevaba hambre, pero no quería perder ni un segundo. La persiana de la relojería estaba echada, pero al lado vio una puerta y tocó al timbre. Le atendió una mujer bajita, de unos cincuenta años.

—¿Vive aquí Sousa?

—Sí, pero ahora mismo no está en casa. ¿Quién lo busca?

—Inspector Machuca, de la policía federal —respondió, sacando su placa.

—A esta hora lo puede encontrar en el bar Candela, a cuatro calles de aquí. ¿Ocurre algo?

—Nada. No se preocupe. Dígame dónde está exactamente ese bar.

La mujer le dio las indicaciones. Menos mal que no le hizo caso y en vez de ir al Candela a pie, como le recomendó, cogió el Mustang. Además, hacía demasiado viento como para andar por la calle. Parecía que la ira de los dioses se había desatado y se habían puesto todos a soplar, a un mismo tiempo, para borrar del mapa Azcapotzalco. El bar estaba de bote en bote y le resultó complicado que el camarero lo pudiera atender. Le preguntó por Sousa. Le respondió que estaba al fondo, cerca de los baños.

Era un hombre fibroso, de rasgos regulares y pelo todavía negro y abundante. Delante tenía una botella ya mediada de Sauza. Discutía acaloradamente con dos sujetos. En la televisión aparecían imágenes de un nuevo altar destrozado de la Santa Muerte.

—¿Sousa?

El hombre tardó tiempo en responderle, como si dudara de su propia identidad. Al fin hizo un gesto afirmativo.

—Me gustaría hablar con usted a solas —le pidió el inspector, presentándose.

Sousa ordenó a los otros dos que se fueran, con un gesto autoritario. Se notaba a la legua que era un hombre de carácter.

—Es raro encontrar en México un Sousa. ¿Usted es de origen portugués?

—Sí, mi padre lo era.

—Entiendo. Vayamos al grano. Imagino que estará al corriente de los crímenes que se están produciendo en la refinería.

—¿Crímenes?

—Sí, no me mire de esa manera. Usted le dijo a una persona, hará solo unos días, que esa era una forma de que todo el mundo supiera lo que pasaba aquí.

—Ah.

Machuca endureció el rostro. No le gustaba que el otro se quisiera hacer el tonto, ni que estuviera más pendiente de la televisión que de lo que le dijera él. Una reportera entrevistaba en ese momento al Obispo.

—¿Qué está pasando en Azcapotzalco?

—¿Pasando?

—Sí, y no se haga el despistado. He investigado y usted tiene poder aquí, tanto como para decir que las muertes le vienen bien y que nadie se ofenda por ello.

—No sé si dije eso exactamente, pero es verdad que nadie se acuerda de nosotros. Desde hace años estamos pidiendo que draguen la refinería. Ahí abajo hay ciento cincuenta mil litros de petróleo que no paran de emitir gases tóxicos. Ya han muerto muchas personas.

—¿Quién le dice a usted que el culpable sea ese gas?

—Los informes. Hay un estudio científico, hecho por los mejores profesionales, que ha demostrado que ese petróleo, en contacto con la tierra arcillosa del *Monte de las hormigas*, genera una reacción química al contacto con el aire que lo vuelve altamente tóxico y hasta mortal. Hemos ido con esos informes a todos los sitios, empezando por Medio Ambiente, y nadie nos ha hecho caso.

—¿Y por eso se dedican a matar bailarinas, para hacerse notar?

—Le ruego que, si tiene pruebas de eso, lo demuestre. Si no, levántese. Usted es policía, pero yo soy inocente.

—Y, además, le protege la Santa Muerte —le dijo Machuca, observando el colgante que llevaba Sousa en el cuello. Estaba claro que era devoto de la Santita. El Obispo tenía razón: el culto iba ganando fieles, día a día. Si el padre Zanetti, mandado por el Vaticano, era el que estaba detrás de los asaltos a los altares de la Santa Muerte, tenía mucha tarea por delante. Los feligreses estaban viendo reforzada su fe en ese esqueleto vestido con traje de novia.

—¿Podría darme una copia de ese informe?

Sousa lo miró con desconfianza. Pero pensó que no le quedaba opción. Se levantó, pagó las consumiciones que se había tomado y salió a la puerta, acompañado por el inspector. Todas las miradas se posaron en ellos. Sousa controló un acceso de tos.

Su mujer se sorprendió al verlos llegar juntos. Entraron por el garaje. El viento azotaba con fuerza la persiana. Sousa caminaba a grandes zancadas. Quería darle el informe al inspector y que este se perdiera cuanto antes. No le gustaba que nadie le sacara del Candela, que era donde se tomaba los mejores tragos. Afortunadamente, tenía localizado el informe. Lo sacó de una carpeta.

—Aquí tiene.

Machuca lo leyó por encima, pero no entendió nada. Le recordaba a las crónicas que hacía un periodista de *El Universal* de los partidos del Cruz Azul. Utilizaba palabras raras como festoneado, cascabeleante, levítico o llamear. Y todo eso para hablar de fútbol. Menudo gilipollas. Para el inspector la cosa estaba bien clara: había que echar al entrenador. No hacían falta más análisis llenos de palabras que seguramente serían inventadas.

—Espero que le sea de utilidad.

—Sin duda.

Sousa lo acompañó a la salida, por el garaje. Estaba casi tan atestado de cachivaches como el del Chino y tenía casi tanto polvo. El inspector Machuca intentó no mancharse los pantalones. Eran sus preferidos.

—Hasta pronto, señor Sousa.

El otro también se despidió y rápidamente se perdió dentro, a hacer sus cosas.

Treinta y uno

Ntró en la parroquia, pero lo hizo de un modo distinto a la otra vez. Lo recibieron los mismos rostros de expresión huraña, como si él fuera el responsable de todo lo que estaba ocurriendo en la ciudad. Pero ahora, en vez de agachar la cabeza, la mantuvo alta. El miedo se le había ido del cuerpo. Además, Machuca se había levantado de buen humor. Mientras desayunaba había oído en la radio que la junta directiva del Cruz Azul estaba por fin decidida a echar al entrenador, ese vasco bajito y con mala leche que se llama Javier Clemente. Incluso el club preparaba hasta tres fichajes. Con esas incorporaciones, igual el campeonato no estaba totalmente perdido.

Sospechaba que en la parroquia podía estar cociéndose algo y quería que el Obispo le respondiera a algunas preguntas.

Apareció con una casulla blanca. Del cuello le colgaba una estola de color verde. Hizo una genuflexión ante el altar de la Santa Muerte y pidió al inspector que lo acompañara. Dejaron atrás a un hombre que limpiaba una figura de la Santa con el humo de un habano y entraron en el despacho del Obispo. Machuca no aceptó la invitación a sentarse. Prefirió dar una vuelta y analizar todo lo que le rodeaba. Cualquier detalle era importante. Las cosas pequeñas nos hacen ver las grandes. Esa era una de sus frases.

—¿Qué le trae por aquí, inspector? Usted no es devoto.

—La curiosidad, Obispo, solo la curiosidad.

—Pensaba que venía a traerme buenas noticias de su investigación, que me contaría que por fin ha dado con el bárbaro que está destrozando los altares.

—No, de momento no sabemos quién hace eso. Sí hemos llegado a una conclusión: la letra que se utiliza para escribir el mensaje "En nombre de Dios" no corresponde a la del padre Zanetti.

—Eso tampoco lo exculpa.

—Sí, pero significa que no está solo. Alguien le podría estar ayudando. Los grafólogos están de acuerdo en una cosa: la letra picuda habla de una sólida formación cultural, la que, por ejemplo, y esta es una conclusión mía, se obtiene en un seminario. Ese cabrón que deja los mensajes tiene letra de amanuense.

El Obispo se rascó la cara. Se le clavaron las púas de la barbilla. Necesitaba un afeitado y se pondría delante del espejo tan pronto como el inspector abandonara la parroquia. No quería que Zoila lo viera con ese aspecto.

—¿Usted sabe lo peor de todo? —le preguntó a Machuca.

—¿Cuénteme?

—Que esas bailarinas de la refinería están haciendo mucho daño a nuestro culto. Se nos está acusando de asesinos. Y nosotros, los devotos de la Santa, no tenemos nada que ver con esas muertas.

—Algo tendrán que ver, Obispo. Hay un tipo que se toma la molestia de hacer un tatuaje con la imagen de la Santa Muerte. Eso también es un mensaje que tenemos la obligación de analizar, igual que el otro de "en nombre de Dios". Esconde algo que todavía no hemos podido desvelar.

El Obispo sacudió la cabeza. No estaba de acuerdo con el punto de vista del inspector. Se puso a acariciar las tapas de cuero de un libro que parecía de contabilidad. A Machuca le habría gustado llevárselo. Seguro que se encontraría con sorpresas si examinara los números que allí se esconderían.

—¿Qué tal le va el negocio?

—¿Negocio? —preguntó el Obispo, como si le hablaran de su relación con Bin Laden.

—Sí. Usted vende velas a los fieles con la imagen de la Santa, ¿no? ¿O acaso se las regala?

—Las vendo, pero como un medio para recaudar fondos y tener cuidada y limpia la parroquia. Difundir el culto de la Santa Muerte no sale gratis.

—Sobre todo, si hay que llevarlo a Estados Unidos, ¿no?

El Obispo tardó unos segundos en responder. No le gustaba el tono que estaba usando con él Machuca. No se lo iba a aceptar, y menos en su propio despacho, con el altar de la Santa Muerte a unos pocos metros. La Santita se podía enfadar.

—¿Qué está insinuando?

—Ayer venía en el periódico que había sido detenido en Piedras Negras, junto a la frontera, un individuo con un cargamento de velas. La policía no tiene nada en contra de la fe. Pero el problema está cuando se quema toda la cera de la vela y descubres que debajo hay bolsitas de plástico llenas de cocaína. Reconozco que es un método ingenioso para pasar la droga de un lado al otro de la frontera. Pero no deja en buen lugar a la Santa Muerte ni a sus seguidores.

—¿Y cree que yo estoy detrás de eso?

—Si lo creyera estaría ya detenido, se lo aseguro.

—¿Entonces?

—Solo le digo que la Santa Muerte, entre las muertas y las velas que ocultan droga, no está quedando en buen lugar.

—Por eso he hecho un llamamiento a la guerra santa.

—Explíqueme eso. Me lo contó la fiscal Chacalita y pensaba que esa mañana se le había ido la mano con el Herradura.

—Pues eso, la hemos puesto en marcha para defendernos de acusaciones como la que usted está realizando esta mañana aquí, en el santuario. Simplemente actuamos en legítima defensa. Y ya que las autoridades no cuidan nuestros intereses, empezando por la policía, tenemos que ponernos en acción nosotros para salvaguardarlos.

—¿Soldados de la Fe, no?

—Anja. Eso mismo. Y ahí los tengo, vigilando las veinticuatro horas el altar de la Santa. Le puedo asegurar que matarían por defenderlo.

Al inspector Machuca no le cabía ninguna duda. Todas esas personas fanatizadas, se sentían tan presas de las palabras e ideas que les había inoculado el Obispo, que harían cualquier cosa por seguirlo, aunque hubiera que declararle la guerra al mundo. Y él, Machuca, no era más que una minúscula mancha en ese mundo, un mero inspector de policía, pero no se iba a rendir. Pensó en Daniela Ackerman. Se lo debía a ella. Le sostuvo la mirada al Obispo. Ya no tenía el miedo pegado al culo, aunque el otro hubiera endurecido la voz.

—Tengo la sensación de que no nos toma en serio, inspector.

—Será que me falla la fe. No olvide que tengo una hija muerta.

—No nos subestime. En México ya tenemos cinco millones de fieles y alguno de ellos muy importante. Por ejemplo, el Zar.

—Sí, eso lo sabía. Y no me sorprende. El Zar está metido en todas las salsas.

—Es muy fácil echarle todos los muertos.

—¿Acaso cree, Obispo, que no tiene nada que ver con lo que le está pasando a las bailarinas? ¿O es casualidad que el Chino paseara a la primera de ellas pocas horas antes de que su cuerpo apareciera tirado en la refinería?

—Eso no prueba nada.

—¿Y qué me dice del robo en la galería Babel? Voló un cuadro de Frida Kahlo. El que se lo llevó no quiso pagarlo y a cambio dejó una colección de casquillos de AK-47.

—No entiendo que se esté hablando tanto de ese robo, con lo que está cayendo: altares destrozados, muchachas que son asesinadas. Viene una rubia de España y alborota el gallinero. Ah, se me olvidaba: el otro día estuvo aquí, haciendo preguntas, que es lo que mejor se le da, aparte de mover el culo.

—¿Y bien?

—No, es otra incrédula, como usted. Ve a la Santa Muerte como una atracción de feria. La trató de forma muy irrespetuosa y la tuve que echar de la parroquia. No se relacione mucho con ella. No es una buena compañía.

Sí, es posible que así fuera. Pero había una especie de imán invisible que lo atraía hacia ella, de manera irremediable. Y el descubrimiento de que había tenido un romance con el Chilango, lejos de distanciarlo, le había estimulado más. Ella representaba un enigma, el más grande de toda esta trama de historias cruzadas, y no pararía hasta descifrarlo.

Machuca dio una última vuelta por el despacho del Obispo. Analizó sus ojos, duros como el metal, lanzando destellos afilados. Camino de la calle, observado con desprecio por una docena de jóvenes malcarados, pensó que el Obispo era cualquier cosa menos inocente. ¿Qué relación tenía con el Zar? ¿Era solo su confesor o había algo más?

TREINTA Y DOS

L A CALLE ERA SUCIEDAD Y DESOLACIÓN. LA BASURA
se amontonaba en las aceras, sin que a nadie pareciera importarle. El olor era tan fuerte que Daniela
se sintió mareada. Qué hacía una mujer tan joven caminando sola por aquel barrio no tenía explicación, a lo mejor, ni siquiera para ella. Pero ahí estaba, dejando en el
suelo la huella de un taconeo constante, los ojos ocultos
por unas gafas de sol. Los tenía irritados. Ayer se atrevió a
encaminar su Golf hacia la refinería. A Daniela le resultó
llamativo el contraste entre el bullicio nocturno de la ciudad, llena de ruidos, las músicas del Manhattan sonando
hasta las tres de la mañana, y el silencio irremediable de
aquella zona abandonada. Y sin embargo, los dos mundos
aparentemente tan separados, desconectados, estaban
unidos por las muchachas que bailaron en el Manhattan
antes de acabar en la refinería de Azcapotzalco.

Oyó que alguien le chistaba. Pero no hizo caso. Siguió avanzando por las calles, con todos los sentidos alerta. Freddy Ramírez ya le había advertido por teléfono: allí

no se atreve a entrar ni el mismísimo diablo. Al escuchar aquella frase por teléfono, Daniela no pudo evitar una sonrisa. Ni el diablo, insistió Ramírez.

Ahora entendía por qué.

Coches desguazados, miradas de hombres sin nada que hacer. Había que ser muy valiente para entrar allí, o buscar algo desesperadamente. Por ejemplo, un cuadro muy valioso. El cuadro más valioso, tanto, que ni siquiera se puede comprar con dinero, no está en venta. Daniela pensó en el padre Zanetti. No pudo imaginárselo entrando clandestinamente en ese barrio, aprovechándose de la oscuridad, bate de béisbol en mano, en busca de cualquier altar levantado en honor a la Santa Muerte.

Se sentía observada. Pero no eran miradas de deseo, como las del Manhattan, sino de suspicacia. Daniela aligeró el paso. Lo que estaba haciendo era arriesgado. No hacía falta que se lo jurara Freddy Ramírez, pero era muy necesario para su investigación. Cada vez tenía más claro que la ciudad se había dividido en dos bandos, los que estaban con el padre Zanetti, y todos los demás. Y a juzgar por el número de fieles que había a la entrada de la parroquia, la Santa Muerte ganaba, por goleada.

No había duda. Enseguida Daniela reconoció la pared encalada que había visto en el reportaje transmitido por la televisión, inconfundible con su característico azul cobalto. Se acercó a la entrada. Un par de individuos le cerró el paso.

—¿Qué es lo que desea, señorita?

Es verdad que la frase la había dicho el tipo con esa cordialidad untuosa que siempre gasta la gente nacida en

Latinoamérica. Pero, por alguna razón, a Daniela le pareció cualquier otra cosa antes que una muestra de hospitalidad.

—Pretendía ver al Obispo.

Los dos tipos se miraron. Daniela no podía distinguirlos. Los dos, igual de feos, los dos, igual de serios, como si tuvieran que pagar para sonreír.

—¿Para qué quiere verlo?

—Necesito hablar con él. Y no me gustaría haber venido de tan lejos como para perder el viaje.

—¿Cómo de lejos? —preguntó uno de ellos.

—Por ejemplo, de Madrid.

El otro hizo un gesto, como dando a entender que se hacía cargo. Le dirigió a Daniela una mirada valorativa. Parecía solo eso, una mujer, pero no podía fiarse de nadie. Desde que esos cabrones estaban atacando a la Niña Blanca, cualquiera era sospechoso. También podía serlo aquella rubia.

—Deme el bolso.

—¿Cómo?

—El bolso. Debe dejarlo en depósito. No permitimos que nadie lo introduzca. Medidas de seguridad. Se lo ruego.

Y solo cuando Daniela se lo entregó, le franqueó el paso, cortésmente, tanto que incluso la acompañó hasta dejarla muy cerca del altar.

Daniela entendió enseguida de dónde venía la música festiva que había escuchado mientras los hermanos gemelos de la puerta jugaban a hacerse los tipos duros. Un hombre atacaba las cuerdas de una guitarra. Le acompañaba un coro que llenaba la parroquia con sus cánticos. Llevaban pantalones charros y pistolas al cinto. Estaban tan abstraídos en su fiesta, que ni siquiera se dieron cuenta de la presencia de una extraña. Solo hubo uno de ellos que sí lo hizo. Ahora mismo estaba derramando sobre la cabeza de un bebé una mezcla de agua y pétalos de flor. Siguió haciendo la operación, a pesar de que sus ojos ya no estaban pendientes del bebé, sino examinando a Daniela. Eran muy oscuros, penetrantes. Levantó el bebé y le hizo la señal de la cruz en la frente, moviendo los labios para pronunciar una fórmula litúrgica que cerró la ceremonia.

El sonido de la guitarra cesó, pero los cánticos se hicieron más fuertes, con el Obispo ahora vuelto al altar, las dos manos cruzadas en actitud orante, observado por la imagen estremecedora de la Santa Muerte. Hace solo unos pocos días, la figura de la Niña Blanca había sido atacada con rabia. Quedó destrozada. Todo el mundo lo vio por televisión. Ahora volvía a brillar majestuosa en su altar. Daniela la estudió unos segundos. En sus facciones descarnadas creyó ver un deseo de venganza. Nunca, en ninguna de las imágenes que había visto de ella, multiplicadas en veladoras y colgantes, le había parecido tan siniestra.

Unas mujeres se acercaron al altar. Encendieron unas velas y dejaron unos cigarros encendidos, a modo de ofrenda. Daniela entendió que no eran cigarrillos rubios. Hacía mucho tiempo que no fumaba marihuana, pero no le costaba ningún trabajo reconocerla. Tenía la nariz en forma. El Obispo le hizo un gesto a uno de los hermanos gemelos. Aléjate, le vino a decir. Quería quedarse a solas con la mujer, los dos encerrados en una habitación llena de cachivaches.

El Obispo no se sorprendió de verla, como si anduviera esperando su visita. Eso puso aún más nerviosa a Daniela. Su mente actuó con rapidez. El mismo hombre que le había rajado las ruedas quizá había anunciado al Obispo su llegada. Seguro que también le encendía velas a la Santa Muerte. Pero ¿para quién trabajaba? ¿Para Machuca? ¿Para el jefe de ese invento llamado narcotráfico, el Zar?

Cuando vio la cantidad de oro que le colgaba al Obispo incluyó una tercera posibilidad: que fuera el individuo gordo que tenía delante quien le pagara el trabajo de espiarla.

El Obispo estuvo durante unos segundos callado. Hasta que no se echó a la boca un buen trago de Sauza, no se sintió preparado para hablar.

—Cada vez somos más...

Daniela no supo si la frase iba dirigida a ella o la dijo para sí mismo.

—Necesitamos muchos fieles para luchar contra el enemigo.

Cuando el inspector Machuca le dijo que el Obispo era una persona que debía conocer, para bien o para mal, no se imaginó que sería así. Así era con unas cadenas de oro de las que no suelen llevar los obispos. Así era con un aire insolente. Así era con unos ojos que la miraban desconfiado, como si fuera una intrusa.

—Ya verá como al final ganamos la guerra.

Y se echó un nuevo trago de tequila. Aquello le soltó la lengua.

—De momento, hemos conseguido que no destruyan más altares. Ni siquiera se atreven. Han atacado a la Niña Blanca, sin tener en cuenta que ella es muy vengativa.

—¿Quién lo ha hecho?

—El Vaticano, por supuesto.

El Obispo hablaba con autoridad. No había ningún titubeo en su voz. Tenía la lección bien aprendida. Ojalá, pensó Daniela, el inspector Machuca tuviera las ideas tan claras, o ella misma, que andaba perdida en un mar de dudas.

—¿Conoce al padre Zanetti?

—No.

Daniela se dio cuenta de que el Obispo no le había creído. Poco a poco tenía más claro que el hombre que la seguía trabajaba para él. Si se había comprado esas cadenas de oro, también podía pagar determinados trabajitos.

—¿No lo conoce? ¿Qué raro? Sale mucho en los papeles, le encanta. Pronto volverá a salir. Será noticia. La Iglesia está muy equivocada. El padre Zanetti nos está haciendo todo el daño que puede, con su ignorancia, con sus homilías. Es falso que el culto a la Niña Blanca sea una invención de cuatro locos. ¡Nos ha llamado secta satánica! La Iglesia de Roma tiene el rumbo perdido, no puede tolerar que aparezca otro credo, o eso creen ellos.

El Obispo tapaba con su cuerpo inmenso la pantalla de un ordenador. Una señal acústica le indicó que había recibido un mensaje. Lo miró rápidamente, pero no pareció interesarle, porque siguió hablándole a Daniela.

—Mire, desde que esta parroquia ha quedado consagrada para el culto a la Niña Blanca, el padre Zanetti no ha parado de decir tonterías sobre nosotros. Lo más suave que he oído es que veneramos a la muerte. Constantemente están invocando a San Pablo, que dijo que Cristo venció a la muerte. La clave está en que nosotros no veneramos a la muerte, la que entró por el tejado, sino al ángel de la muerte. La Santa mata por orden de Dios.

El Obispo se levantó para buscar un libro de la estantería de madera que tenía a su derecha. Lo puso encima de la mesa, para ofrecerlo a Daniela como una evidencia.

—Mire, esta es una Biblia aprobada por el Consejo Episcopal Latinoamericano y reconocida por el Concilio Vaticano II. Mire este párrafo: "Ni murmuren contra Dios como algunos de ellos murmuraron, por lo que el ángel de la muerte los mató". Pero no solo hay referencias aquí, también en el Éxodo, concretamente en el capítulo doce, versículo veintitrés, aparece la referencia al ángel de la muerte. Todas esas referencias aparecen en las mismas Sagradas Escrituras que maneja Roma. Esos textos, los mismos del Vaticano, son los que nos dan plena legitimidad. Le estoy hablando con los pelos de la burra en la mano.

Daniela miraba al Obispo sin estar muy convencida de los argumentos que le estaba dando. Él se dio cuenta y volvió a rebuscar en la estantería. Volvió con otro libro.

—¿De dónde me dijo que era usted?

—De Madrid.

—Pues en Madrid están editados los ocho tomos de esta colección. La sacó de la imprenta la editorial Rialp. Es la teología dogmática de Michael Schmaus, un escritor teólogo católico que se atrevió a escribir esta obra y la publicó en 1961. Este es el tomo dos, titulado *Dios creador*. Le leeré solo un fragmento de la página 122, en la que habla de la posición de los ángeles en la historia de la salvación: "Los ángeles son solo instrumentos ejecutores de la voluntad redentora divina. Dios los tiene de un lado a otro para que sean instrumentos de la salvación del hombre. De aquí se deduce que los ángeles están en relación con Dios. Ellos no pueden prestar a los hombres servicios redentores por su cuenta. En silencio y obedientes ejecutan las palabras y prescripciones divinas. Por encargo divino ejecutan los castigos contra los enemigos de Dios y de la salvación del hombre. Los ángeles del castigo y la venganza desempeñan una misión terrible, pero no son internamente malos como Satanás. No están interesados en dañar al hombre. No hacen más que ejecutar las órdenes de Dios".

Daniela se quedó pensativa durante unos segundos. No reflexionaba sobre las palabras que acababa de leerle el Obispo. A fin de cuentas, le parecían sacadas de cualquier catecismo, llenas de ese aroma que huele a sotana y latín. Pensaba en el poder de esas palabras, de esas y otras que salían esa mañana de la boca del Obispo, que habían sido capaces de provocar una guerra abierta entre su iglesia y la Vaticana.

—¿Ustedes se denominan Iglesia Católica Tradicional?

—Así es. Exactamente Iglesia Santa, Católica, Apostólica, Tradicional MEX-USA.

—¿Y la fundó usted?

El Obispo soltó una carcajada.

—No, no... En el siglo XVI yo aún no había nacido —y durante unos segundos se estuvo riendo de su propio chiste—. Nosotros no tenemos nada que ver con los lefebvristas, ni con los tradicionalistas que se pelearon por la misa. Venimos de las Iglesias heterocatólicas, las que se extendieron en los Países Bajos y en Alemania, las mismas que se separaron de Roma discutiéndole la infalibilidad papal. Ya entonces, aquí en México, se hablaba de la Santa Muerte. Hay documentos que acreditan que los primeros misioneros franciscos trajeron una imagen que era un esqueletito. Un cronista de la época, del año 1582, habla de procesiones en Santa Prisca y Puebla en las que se veneraba a una especie de Santa Muerte, unas procesiones que eran parecidas a la del Viernes Santo en Sevilla, donde creo que siguen sacando a la canina. O sea que la Santa Muerte tiene cuatrocientos años de vida en México. Es curioso, la muerte vino con la cristiandad. Pero la Iglesia la persiguió aquí durante mucho tiempo, utilizando el brazo poderoso de la Inquisición. Es más, un edicto de 1700 prohíbe que la imagen del esqueleto esté cerca de los altares. Durante siglos la devoción se mantuvo subterránea, hasta que ahora ha estallado, con toda su fuerza. Y nuestra sucesión católica viene de la Iglesia apostólica brasileña. De hecho, estamos adheridos a la declaración de Utrecht.

A Daniela, todo ese aparato de erudición no le provocaba aturdimiento, sino algo parecido a la indiferencia. Se fijaba más en los gestos del Obispo que en lo que estaba diciéndole. Hablaba con vehemencia. Se le entrecortaban las palabras. Le iba la vida en cada palabra. No había gestos suaves, los que se le imaginan a un sacerdote, sea de la religión que sea. Sus dedos estaban crispados.

—De momento, muchos se han dado cuenta de que nacemos de las raíces de este país. Ya somos cinco millones de devotos en México. Estamos llegando a Estados Unidos. Y estamos a punto de iniciar la colonización mundial. ¿Me dijo que usted venía de Madrid, no?

—Así es.

—Pues a Madrid, a París, a toda Europa... van a caer rendidas ante el poder total de la Santa Muerte. ¿Qué puede hacer el papa Benedicto XVI contra eso? Se lo diré: nada. La Iglesia de Roma ha creado una religión para las clases ricas, acomodadas. La Santa Muerte ayuda a todos, sobre todo a los pobres. Por eso en Latinoamérica Roma está perdiendo tantos adeptos, millones cada año, y no solo porque se hagan evangelistas, eso es una anécdota, sino porque se van acercando de forma masiva a la Santa Muerte, la que protege a todos, a ricos y a pobres, a narcos y a policías. Es la Niña Blanca, la Diosa de todos. Nosotros no vamos contra Dios. Queremos que los fieles se liberen de las ataduras que la Iglesia les ha puesto durante siglos, que vivan el cristianismo desde nuestra fe. A todos estos tipos salidos de Roma les gusta mucho el terrorismo intelectual, les gusta mucho hablar del infierno, y ellos andan más chamuscados que nadie. Roma no ha llegado a entender el ministerio del Señor. Nosotros somos seguidores de Cristo, que no quede ninguna duda. Y además de acoger en nuestro seno a pobres y ricos, estamos en pleno contacto con la realidad. Nuestra Iglesia lleva el mismo paso que los tiempos, acepta el uso del preservativo, masculino o femenino, igual que la píldora del día después, o el aborto en caso de violación. Hay que desmitificar el mito de la virginidad, y además aprobamos el matrimonio de los sacerdotes. Yo, sin ir más lejos, estoy casado y tengo dos hijos.

Daniela no se sorprendió por la revelación.

—Y lo último que hemos hecho es celebrar bodas gays.

Ahora sí, la detective hizo un gesto de asombro.

—Naturalmente que sí. Lo que nosotros bendecimos es el amor que esas personas sienten, el amor no tiene sexo, en contra de lo que sostiene Roma. En definitiva, señorita, que somos una piedra que se ha encontrado el papa Benedicto en el zapato. Es un zapato grande, pero la piedra es demasiado gorda; por eso ahora el Vaticano no solo practica el terrorismo espiritual, sino también el otro. Son capaces de atacar a la Santa Muerte en su propio altar. Quieren su eliminación. Cultivan las mismas maneras que otros totalitarismos que hemos conocido.

En sus palabras había una determinación inquebrantable. Su mirada era la misma de la figura que presidía el altar. Estaba llena de odio, de venganza.

El ordenador volvió a emitir una nueva señal acústica. Otro mensaje. Pero esta vez el Obispo ni siquiera se giró para comprobar quién se lo había mandado. Tenía algo muy importante que decirle a Daniela.

—Cerca de Dios, pero lejos de la Iglesia. Ahí estamos nosotros.

—¿Cómo dice?

—Pues eso, que creemos en Dios, pero no en la Iglesia. Criticamos las reformas del Concilio Vaticano II y, por supuesto, no le reconocemos autoridad alguna al Papa. Por eso ahora se dedican a romper nuestros altares.

—¿Usted conoce al Zar?

El Obispo miró a Daniela con sorpresa. Cayeron unos segundos que utilizó en medir a la chica. ¿Quién era aquella tipa a la que se había visto acompañando al padre Zanetti? No cabe duda, quería sonsacarle.

—¿O prefiere que le llame el capo del narcotráfico? —insistió Daniela.

—Los actos contra la Niña Blanca no van a quedar impunes. Se lo puedo asegurar. Si ha venido buscando noticias, ahí tiene una. Habrá guerra. Y va a ser cruel.

—Yo no soy periodista.

—¿Qué cosa es entonces?

—Busco un cuadro. Un cuadro que está, o ha estado, en manos de un empresario muy importante. Un empresario de la muerte que se llama el Zar.

Daniela pudo captar perfectamente que el nombre no le producía extrañeza al Obispo. En ese momento, viendo su rostro, se jugaba el cincuenta por ciento de lo que iba a sacar de la operación a que el Zar era uno de los habituales de esa parroquia. Que el Obispo y el Zar eran socios. Llegar a esa conclusión la puso aún más nerviosa. Intentó disimularlo sin mucho éxito.

—Dicen que es muy poderoso.

—Ese señor es un benefactor. Y por eso es poderoso, porque ayuda. Pero la Santa Muerte es la más poderosa.

—Sí, lo es. Pero no tanto como para evitar que tres bailarinas sean asesinadas.

El Obispo negó con la cabeza.

—¿Quién le ha dicho que no lo merecían? Hay muertes necesarias.

—Eso dicen los narcos.

—No —repuso él—. Eso dice la Niña Blanca. Eso dice el ángel de la muerte en los textos bíblicos. La Santa Muerte da y quita la vida. Y la quita porque alguien no le cumplió. Ejecuta una voluntad divina. ¿Y usted? ¿De qué parte está? ¿De Dios... o de la nuestra?

—De la parte que me permita acabar mi trabajo.

El Obispo se entretuvo jugando con un crucifijo que le colgaba del cuello. Lo estuvo mareando durante unos segundos. Luego observó a Daniela. No le inspiraba ninguna confianza aquella mujer, por alguna razón, o por varias, viniera de Madrid, o de La Habana. No le gustaba que nadie metiera las narices en sus asuntos, ni en los del Zar. Ya le habían adelantado que una rubia estaba merodeando por Tepito. Y viéndola allí, haciendo más preguntas que un fiscal, su intuición le decía que la tipa era del bando enemigo. Lo del cuadro y toda esa mierda era puro invento. ¿A quién se le ocurre buscar un cuadro en una ciudad de veinte millones de habitantes? Seguro que se trataba de una espía. El Zar le había contado que se le había visto en tratos con el padre Zanetti, que había fotos que lo acreditaban. Al Obispo empezó a hervirle la sangre. La imagen de la Niña Blanca completamente rota, desarticulada, como el muñeco de un ventrílocuo, se le coló en la mente.

—Lo que busca no lo va a encontrar en esta parroquia. Ahora debe abandonarla. No quisiera que la Niña Blanca se enojara por su presencia. Y ahora tengo *mala vibra*.

—¿*Mala vibra*?

—Márchese, por favor. Se lo ruego.

Daniela comprendió que su tiempo se había acabado, que no era un buen negocio quedarse ni un minuto más encerrada en esa habitación llena de cachivaches, soportando la mirada dura del Obispo. Al menos, había sacado dos conclusiones: el Zar y el Obispo estaban en el mismo barco, el mismo al que también parecía que se había subido Machuca; el mismo del que se bajó el padre Zanetti. Ahora se lo querían hacer pagar, por traidor. La guerra será cruel, le había pronosticado el Obispo.

—¿Me va a devolver mi bolso?

—En la entrada de la parroquia se lo darán.

Daniela se levantó. Abandonó la habitación sin despedirse. El Obispo esperó a que se perdiera definitivamente su silueta para buscar entre las vestiduras su teléfono móvil. Marcó un número, rápidamente. De esos que sabemos de memoria.

—¿Zar? Está aquí.

Pero ya no estaba allí, sino en la calle. Los hermanos gemelos que le bloquearon la entrada al principio, le habían devuelto el bolso con un gesto cortés. Daniela lo abrió para comprobar que todo estaba en orden. Metió la mano derecha. Sacó la agenda telefónica. Dentro de ella llevaba una tarjeta con la dirección de Freddy Ramírez en

México. Pero esa tarjeta había volado. Miró con reprobación a los tipos. Estos le dedicaron un gesto cortés.

—Que tenga un lindo día.

Cuando llegó a su Golf, lo encontró algo cambiado. El azul fiordo de la pintura metalizada ya no lucía igual de limpio. En el capó alguien se había dedicado a escribir, punzón en mano. Y había garabateado una frase que a Daniela Ackerman le costó entender: *hocicona.*

La silueta de Daniela se quedó en mitad de la calle, solitaria. Uno de los hermanos gemelos empezó a caminar en dirección a ella, como si quisiera interesarse por lo sucedido, pero se frenó en seco. Un Ford Mustang entró a toda velocidad por la calle. Se puso a la altura de Daniela.

—Suba, por favor.

Daniela no tuvo más remedio que aceptar la invitación, aunque la había hecho el inspector Machuca.

—Yo intento cuidar de usted, pero no para de meterse en líos.

Daniela Ackerman no encontró ninguna réplica para las palabras del inspector Machuca. En efecto, saltaba de un problema a otro.

—¿Sabe lo que le han dejado escrito en su coche?

—Sí, una palabra.

—Mucho más que eso: un narcomensaje.

—¿Narcomensaje?

—Así es. Los narcotraficantes son gente amante de las letras, no crea. Y las utilizan para transmitir sus pensamientos. A veces es un mensaje de advertencia, y otras, para explicar una muerte. Le dejan al finadito unas letras escritas en su propio pecho o en una cartulina con unas palabritas para que todo el mundo sepa por qué había que hacer ese acto justo de eliminarlo.

—¿Y lo que me han escrito a mí es un mensaje de advertencia?

—Sí, usted ha tenido suerte. Y le puedo asegurar una cosa —Machuca se puso muy serio. Ya no tenía ganas de frivolizar con las costumbres raras de los narcos—, a la próxima le dejarán una cartulina encima de su bonito cuerpo.

—¿Sabe por qué? Porque me estoy aproximando demasiado a la verdad, y ahora es cuando no puedo recular. Uno no puede abandonar la partida cuando está a punto de ganarla.

—Pero es que esta la va a perder.

—En absoluto. Tengo claro que el cuadro de Frida Kahlo lo tiene el Zar. Que se encontraran los casquillos del AK-47, el fusil que usan sus hombres, es una prueba contundente.

—Sí, pero no hace falta una prueba contundente, sino la definitiva, y esa viene en la cámara de vigilancia de la galería Babel. Y no termina de aparecer. Le aseguro que la estoy buscando por todos los sitios, removiendo cielo y tierra, pero no hay manera.

—¿Tan importante es? Esa imagen solo probaría que un tipo destroza el cráneo de un galerista y luego roba un cuadro. Además, ese individuo ya está muerto.

—Pero su jefe, no. Y demostrar la conexión Toti-Zar es tan fácil como sumar dos y dos. Por eso necesito esa cinta. Tengo a Figueroa buscándola las veinticuatro horas, aunque no se puede decir que Figueroa tenga el olfato de un *cocker,* pero es lo que hay.

—Existe otra forma de incriminar al Zar, aparte del cuadro de Frida. Y es demostrando que él es el que está detrás de las bailarinas muertas.

—Eso no lo tengo tan claro. ¿Sabe a lo que se dedicaba Sousa antes de montar su relojería?

—¿A qué?

—A vender cámaras de video. Como el tipo no me dio buena espina cuando lo interrogué en aquella cafetería de Azcapotzalco, he revuelto en su pasado, y me ha llamado la atención eso. Y a las bailarinas las graban con una cámara profesional.

—Según su razonamiento, inspector, cualquiera que tenga una tienda donde vendan cámaras, o sencillamente tenga una en casa, se convierte en sospechoso.

—Olvida la tinta que encontré en su garaje. Uniendo las dos evidencias llegamos a una conclusión aplastante: Sousa es el culpable. No lo va a salvar ni Dios ni el colgante de la Santa Muerte que lleva en el cuello.

—¿Y por qué no lo ha detenido ya, si lo tiene tan claro?

—Porque quiero verlo actuar. Quiero pillarlo con las manos en la masa. Y porque estoy cuidando de usted. Soy su ángel de la guarda.

Daniela Ackerman sonrió débilmente. Machuca notó que ya no había sorna en ese gesto. Ella lo miraba de un modo diferente. La sonrisa le formó dos hoyuelos en las mejillas. Se sintió feliz y, al mismo tiempo, preocupado. Sería una pena que alguien le diera matarile, ahora que empezaban a ser amigos. Por una parte, sería bueno que Daniela encontrara el cuadro de Frida Kahlo. Pero por otra, cuando lo tuviera, volaría de su lado. Ya no le quedaría nada que hacer en México DF. Machuca aspiró profundamente buscando el aroma que estaba dejando Daniela. Olía a carne tibia, a piel que no necesita de ningún perfume, porque ningún perfume puede mejorar ese aroma, todas las mujeres bonitas que han pisado este planeta resumidas en ella, y sin embargo, diferente a todas, pensó el inspector. La examinó, minuciosamente, queriendo grabar cada rasgo de su cara, cada relieve de su cuerpo, porque un día ella desaparecería, como hacen todas las mujeres que de verdad nos interesan, y solo le quedarán las imágenes que su mente retenga y un olor de carne tibia.

Pero Machuca, simplemente un policía, un pobre hombre, con cincuenta y tres años y una hija muerta, también traficaba con esperanzas. Como hace todo el mundo.

El sonido de su teléfono móvil sacó al inspector de esos pensamientos. Era Figueroa. Lo llamaba desde la comisaría.

—Jefe, hemos recibido un telefonazo de Azcapotzalco.

—¿Qué sucede?

—Han encontrado otra muchacha. En el mismo sitio que las otras, en el *Monte de las hormigas*.

Machuca acompañó de nuevo a Daniela hasta su Golf. La vio subirse en él y rezó para que ella no fuera la próxima muerta. De momento, lo único que podía hacer por ella era escoltarla hasta la salida de Tepito.

TREINTA Y TRES

L A MANCHA HABÍA APARECIDO EN UNA PATA DEL PAN-
talón, a la altura del tobillo. El inspector Machuca
la vio cuando llegó a casa y se quitó la ropa. Se había puesto expresamente el pantalón de lino, el mejor que
tenía, porque tenía previsto encontrarse con Daniela Ackerman, a ver si se había metido en algún lío de nuevo, y
quería impresionarla.

Mirando disgustado el tamaño de la mancha, se puso
a darle vueltas a la cabeza. ¿Dónde se la había hecho? No
tardó demasiado en llegar a una conclusión. No había podido ser ni en la cantina de doña Lita en la que se tomó el
primer café de la mañana, ni subiendo o bajando de su
Mustang. El coche podía tener quince años, pero siempre
lo llevaba limpio.

Lo que no estaba limpio era el garaje de Sousa, en
Azcapotzalco.

Fue a la salida, recordó el inspector, cuando tuvo
que sortear varios cachivaches que salieron a su encuentro. Maldijo a Sousa, mucho más cuando vio que la man-

cha no saltaba de ninguna de las maneras, a pesar de fro-
tarle con fuerza debajo del grifo.

La única solución era llevarlo a la tintorería.

El pantalón, unos días después, acabó en las manos
del forense. Cuando Fuentes vio al inspector aparecer por
allí, le sorprendió muchísimo. Incluso un hombre como
Fuentes se había percatado de que el policía no se sentía
muy a gusto en el Instituto Forense.

—¿Qué le trae por aquí?

—Tranquilo, Fuentes, que hoy no vengo con una
muerta. Esos dos cabrones que nos llevan de cabeza parece que se han tomado un respiro. ¿Y tú? ¿Has encontrado
algún dato nuevo en el cuerpo de la tercera chica, la que te
entró hace un par de días?

—No, salvo eso que le dije de la tinta. Es la misma de
las otras dos. En todos los casos la tinta que se usa es la
misma, con el componente que solo se haya en el veneno
de la serpiente de cascabel.

—Pues de eso quiero hablar contigo, Fuentes. Quiero que analices, con los aparatos tan modernos que tienes,
esta mancha del pantalón. No ha saltado ni en la tintorería.
Me la traje del garaje de un tipo que no me gusta un pelo.

—¿Qué le pasa?

—Ya te contaré. Tú dedícate a lo tuyo, y lo tuyo son
los muertos, no los vivos.

Fuentes hizo un gesto avergonzado. Su cuerpo ya
pequeño de por sí pareció encoger. No le gustaba que el
inspector le hablara en ese tono. Él era un buen profesional y hacía muy bien su trabajo.

—¿Cuánto tardarás en darme los resultados?

—Muy pronto, inspector, no se preocupe. Mañana a lo más tardar le llamo.

Fuentes lo telefoneó a su despacho. El inspector estaba examinando la foto que le habían hecho a Daniela Ackerman besando al Chilango. Machuca se fijó en un detalle: ella tenía los ojos cerrados, como para saborear más el beso. Sintió una nueva punzada en el interior. Los celos empezaban a comérselo, sin que hubiera ningún motivo. A fin de cuentas, Daniela siempre lo había mirado como a un policía, no como un hombre. Pero no perdía la esperanza.

El inspector atendió a Fuentes sin apartar los ojos de la foto. El Chilango acariciaba la nuca de la detective mientras le daba el beso.

—He descubierto en sus pantalones algo que le puede interesar.

—¿Qué cosa?

—Efectivamente, es una tinta indeleble. Lo siento por sus pantalones, pero ni la mejor tintorería del mundo podría borrarla. Es una tinta especial, pero no totalmente desconocida para mí. La he encontrado en el cuerpo de las tres muchachas que usted me ha traído.

—¿Las bailarinas?

—Exacto.

Machuca hizo chasquear los dedos. Estaba en forma. Su intuición no le había fallado. Sousa le parecía cualquier cosa menos inocente y los datos que le estaba proporcionando el chico del Instituto Forense lo confirmaban. La tinta que trajo el pantalón del garaje de ese individuo era la misma que usaba el tatuador que dibujaba la imagen de la Santa Muerte en el cuerpo sin vida de las bailarinas. ¿Era Sousa el que engañaba a las chicas y se las llevaba a la refinería? ¿Quién le ayudaba? ¿El Chino? ¿Qué estaba pasando en Azcapotzalco, en ese paraje llamado el *Monte de las hormigas*?

Para esas preguntas no había todavía una respuesta definitiva, pero el inspector tenía una cosa bien clara.

El barrio se defendía matando.

Sousa iba a tardar mucho tiempo en volver al Candela a tomarse sus tragos. Antes tenía que dar muchas explicaciones.

Treinta y cuatro

S E LLAMABA VERONIQUE. ERA OTRA BAILARINA. EL INS-
pector nunca se había fijado en ella. Tenía las rodillas
muy gordas, para su gusto. Nada que ver con la figura delicada y un poco infantil de Cora. Seguro que la imagen de su cuerpo tatuado, muerto para siempre, ya estaba
siendo consumida por miles de internautas en todo el
mundo. A la pobre la habían matado hacía poco. El cuerpo no estaba aún rígido. Machuca se sintió culpable. Si
hubiera estado unos minutos antes por allí y no hablando
con Daniela, algo habría hecho, seguro que habría pillado
a Sousa en la escena del crimen.

Dejó que el forense recogiera todas las muestras que
viera y se subió al Mustang. No podía perder ni un segundo.

El viento seguía soplando con mucha fuerza en Azcapotzalco. Nubes de arenisca se colaban por las calles.
Machuca maldijo el mal tiempo.

Las persianas de la relojería estaban echadas,
como la otra vez. El inspector se preguntó si Sousa de

veras tenía interés en vender relojes. Parecía que no, que estaba entretenido en otras tareas, como matar bailarinas.

Tocó al timbre de la puerta, insistentemente. Pero nadie le respondió. Por fin un vecino asomó la cabeza por la puerta de su casa.

—¿A quién buscaba, señor?

—A Sousa.

—Se lo llevaron hace unos días.

—¿Se lo llevaron?

—Sí, una ambulancia. Está en el hospital. De vez en cuando pasa. Parece que es fuerte como un roble, pero cada vez está peor.

Machuca intentó reponerse de la sorpresa. Que Sousa estuviera en el hospital era una mala noticia para el relojero, tuviera lo que tuviera, pero sobre todo para él. Si el vecino no lo estaba engañando y Sousa llevaba unos días en el hospital, no había podido matar a la cuarta bailarina. Quiso saber más.

—¿Qué le pasa a Sousa?

—Los pulmones. Por las noches se le oye toser muy fuerte. Su dormitorio da al mío y siempre me despierta. Los pulmones, eso es. Y es que aquí se vive mal.

—¿Y eso?

—Esa refinería, esa maldita refinería. Nos está matando. Pero, ¿a dónde vamos ahora? ¿A dónde voy yo con setenta años? A ver si este viento que no para de soplar se lleva esos gases muy lejos y Dios nos deja vivir en paz.

—¿Le tienen cariño a Sousa?

—A pesar de que me despierta por las noches, sí. Está peleando por el barrio. Pero no le hacen caso. Y nos vamos a morir todos por culpa de los gases.

Machuca se acordó de la copia del informe técnico que le había dado Sousa. Un equipo de científicos lo estaba examinando. De momento no le habían dicho nada. Las palabras de Sousa sobre la toxicidad de los vapores que emitía la refinería podían ser más alarmistas que otra cosa, e incluso una buena cortina de humo.

—¿En qué hospital está Sousa?

—En el de La Raza.

Machuca se despidió del vecino y puso rumbo al hospital. Afortunadamente, la avenida Couitláhuac estaba despejada, y solo tardó unos quince minutos en llegar, bajando por Vallejo. Después de identificarse preguntó en recepción por el jefe de planta. Enseguida lo atendió un señor alto, muy delgado. El inspector se presentó, le contó por qué estaba allí y le pidió datos de Sousa.

En efecto, era la cuarta vez que lo ingresaban por una afección pulmonar. De momento, le explicó el médico, no podían determinar su origen. Machuca preguntó si podía relacionarse con aspirar gases de hidrocarburo y el otro se encogió de hombros. No parecía dispuesto a darle mucha información. El inspector le pidió una última cosa: que le dejara ver a Sousa. El médico aceptó, resignado.

Lo encontró con una mascarilla de oxígeno en la cara. Abrió los ojos como platos al ver al inspector por allí. La forma en la que agarró con la mano derecha un pliegue de la sábana le indicó a Machuca que no era bienvenido.

El inspector no aguantó en la habitación ni un minuto. Sintió que había fracasado, de nuevo.

Machuca sacó varias conclusiones rápidamente: Sousa no era el que estaba acabando con las bailarinas del Manhattan. Alguien había querido incriminarlo, colándole en el garaje una garrafa de tinta, la misma que se usaba con las chicas. Ese alguien sabía que tarde o temprano él, Machuca, acabaría haciéndole una visita a Sousa, y a poco que el inspector tuviera los ojos bien abiertos, descubriría la prueba. Ahora, ese alguien conocía perfectamente los pasos que estaba dando el policía como para prever su visita a Sousa. Y eso era lo más inquietante. ¿Quién diablos estaba espiando a Machuca? ¿El Chino? No, lo descartó. No lo veía con inteligencia suficiente para eso. Solo estaba preparado para correr a toda velocidad con su Ford deportivo y esa era la función que le había asignado el Zar. Además, últimamente no se le veía el pelo. La muerte del Toti también parecía haberle afectado a él, pensó Machuca.

TREINTA Y CINCO

D E SU ROSTRO HABÍAN DESAPARECIDO LOS RASGOS suaves que le había dedicado aquella mañana en la cafetería. Los ojos apacibles se movían ahora nerviosamente. A la frente acudían unas gotas de sudor que no podía combatir el aire acondicionado de la parroquia. El padre Zanetti no sabía dónde poner los dedos.

Frente a él se recortaba la silueta de una mujer de cabellera rubia.

La recibió con una mueca de disgusto. Aquella no era una buena visita, pero podía haber otras peores, por ejemplo, la de los tipos que le habían pintarrajeado la fachada. Un inmenso grafiti la ensuciaba. Sus autores se habían esmerado, no solo en pintar un esqueleto vestido con una túnica roja, sino también en escribirle un mensajito: *Hestamos hasta los uevos de Dios.* La calavera del esqueleto parecía burlarse. Te vamos a chingar, padrecito.

—No sé si vengo en mal momento.

El padre Zanetti le daba la espalda. Manipulaba una llave. Estaba guardando el vino consagrado. Daniela se aproximó al altar.

—Vamos a la sacristía.

Inmejorable percha, pensó Daniela. Exactamente igual que Montgomery Clift en la película que hizo con Alfred Hitchcock. ¿Cómo se llamaba, caramba? Tenía la mente tan ocupada que ni siquiera acertaba con el nombre de la película. A ver si se acordaba de buscarla en *google* cuando encendiera su ordenador portátil.

—¿Qué es lo que está ocurriendo? —le preguntó Daniela, nada más tomar asiento.

—¿A qué se refiere?

El padre Zanetti prefirió no sentarse. Apoyó su cuerpo de metro ochenta largo, le calculó Daniela, sobre una estantería, abastecida por Libros de Canto y una edición antigua del Libro de la Seda.

—Están apareciendo bailarinas tiradas en una refinería. Son destrozados altares. El país no tiene presidente. Y, en fin, veo que le han pintado la fachada.

—¿Usted está preocupada?

—¿Y usted?

Todo iba a ser más complicado de lo que ella creía. El padre Zanetti estaba a la defensiva, con muy pocas ganas de hablar. Incluso eso también lo había perdido, la fascinante locuacidad que le había mostrado la vez anterior en el café, justo hasta que Daniela le enseñó las fotos en las que el cura aparecía recogiendo dos bolsas de plástico. Igual era que al padre Zanetti le molestaban dos tipos de mujeres: las rubias y las que venían con preguntas. Y

Daniela había entrado esa tarde en la parroquia con un cargamento.

—Hoy no tengo apenas tiempo para atenderla. Otro día la invitaré a un café, si es que no le importa la compañía de un cura —le dijo, evasivo.

—¿Qué quiere decir esa pintada llena de faltas de ortografía?

El padre Zanetti se revolvió, igual que hacen los tigres enjaulados. Hizo un movimiento rápido para indicarle a Daniela la puerta de salida. Fue un escorzo tan brusco que provocó un golpe seco. Algo había escapado de debajo de la sotana. Un objeto. Primero lo descubrió Daniela. Luego, él.

Era una *Star.*

La recuperó inmediatamente.

—¿Tiene miedo?

Era una pregunta innecesaria. Examinando sus facciones, los movimientos nerviosos, cualquiera podía darse cuenta de que el cura tenía miedo de algo, o de alguien. Tanto miedo como para llevar encima una pistola. Daniela estaba convencida de que la tenía cargada. Ahora fue él quien tomó asiento, quedando a tan poca distancia de la mujer que incluso ella pudo fijarse en los cercos violáceos que rodeaban sus ojos.

—Usted es muy perspicaz. Freddy Ramírez le informó bien, es un buen periodista. Durante la misa pedí donativos para la parroquia. Necesitaba algunos arreglos, y al acabarla se me acercó un señor vestido con ropas humildes, recuerdo perfectamente. Quería darle a la parroquia una ayudita y le di un número de cuenta. Me dijo que era mejor que acudiera a una dirección, que todo sería más fácil… más directo, recuerdo que me comentó. Acudí allí y me dieron dos bolsas de plástico, las que se ven en la foto que me trajo usted. Contenían mucho dinero, tanto que permitió acometer todas las reformas, con mármol de Carrara que nadie sabía de dónde salía. Aparecía y ya. Pero, cuando acabaron las obras, empezaron los problemas. Llegaron hombres, con sus botas de piel de iguana, pidiendo protección para actos… —el padre Zanetti no quiso completar la frase. Tragaba saliva continuamente.

—¿Qué actos?

—Secuestros, asesinatos… Decían que solo moría quien debía hacerlo, nunca inocentes. La Iglesia defiende la vida como bien supremo. Ellos nos dieron mármol de Carrara a cambio de perdón.

—¿Quiénes?

—Los narcos. Y siguieron los asesinatos, los secuestros, y las visitas a esta parroquia para que los ayudara. Les dije que solo podía confesarles, pero ellos querían más, que en la homilía hablara de muertes justas, querían que las purificara. Y entonces empezaron a levantar esos altares. Si Dios no los protegía, ya lo haría la Santa Muerte. Esos ritos, la Santa Muerte y todo eso, son incompatibles con rezarle a Dios. Y enseguida empezaron a recordarme lo de las limosnas.

—¿Por qué las aceptó?

—Porque se limpian si se destinan a bienes sagrados. Las limosnas se purifican, pero las amenazas, no. Ya ha visto cómo me han dejado la fachada.

—¿Son ellos?

—Si son capaces de colgar un video en Internet mostrando una ejecución, lo de pintar a la Santa Muerte en la casa de Dios es para ellos un juego de niños. ¿Qué es lo siguiente que harán?

El padre Zanetti sostenía la pistola. Quería sujetarla con fuerza, pero el nerviosismo o la falta de práctica hacían que se le resbalara entre los dedos. Resopló. Daniela examinó sus facciones. Viéndolas, le resultaba fácil imaginarlo entrando a una tienda de cosmética.

—Y le diré más: estoy convencido de que fueron ellos, los narcos, los que me hicieron esa foto recogiendo las dos bolsas de plástico. Ni el periodista más astuto del mundo puede adivinar cuándo se va a hacer una entrega de esas. Y nadie, ni siquiera Ramírez, es capaz de acercarse tanto a una mansión como la del Zar, toda rodeada de guardaespaldas armados con cuernos de chivo. No hay teleobjetivos tan avanzados como para sacar una foto de esa calidad. Es absolutamente imposible.

—¿Por qué está tan seguro?

—El Zar no solo contrata a los mejores guardaespaldas. El narcotráfico ya no es solo eso, pistoleros con mucha puntería. Ahora tienen las tecnologías más avanzadas, y no digo porque sean capaces de colgar de Internet las imágenes que les interesan, eso lo puede hacer hoy hasta un adolescente, no. Voy a lo de la foto. Toda la mansión del Zar está protegida por una pantalla que repele el fogonazo de cualquier máquina fotográfica. Le aseguro que lo que le estoy contando no es ciencia ficción.

—¿Por qué es imposible sacar una foto de lo que pasa dentro de la mansión?

—Porque yo lo he intentado.

Daniela se quedó pensativa. El padre Zanetti estaba insinuando que Freddy Ramírez tenía tratos con los narcos, que a los narcos les interesaba que esa foto se difundiera, o al menos, que existiera, para hacerle chantaje al cura. Recordó al periodista, encerrado en una habitación, con varios huesos rotos. Le costaría mucho ver a Freddy metido en el mismo saco que los narcos.

—La persona que me proporcionó esa foto fue víctima de un atropello. Está tirado en una cama.

—Tuvo suerte. Los narcos no avisan, simplemente matan. Señorita, no se engañe, ese amigo suyo no estará tan a malas con esos hombres tan duros. Al contrario, estoy seguro que ha hecho algún chalaneo con ellos. Si no fuera así, ahora usted no lo visitaría en su casa, sino en el cementerio.

¿Freddy Ramírez de negocios con un narco? Por alguna razón, no le pareció del todo una idea absolutamente disparatada. Tenía treinta y cinco años, y ya había conocido a muchos periodistas capaces de darle la mano a un criminal o de vender a su madre a cambio de un titular.

Daniela quiso cambiar de tema. Imaginar a Freddy Ramírez haciendo negocios, los que fueran, con el narcotráfico le revolvía las tripas.

—¿Quién es más viejo, Cristo o la Santa Muerte?

El padre Zanetti miró a Daniela con incredulidad. Le parecía increíble que la española hiciera esa pregunta, así de improviso.

—¿Por qué pregunta esa estupidez?

—He leído por ahí que había una región, la región de los muertos. Creo que se llamaba Mitclan. Eso viene de los aztecas.

—No, no viene de los aztecas. Viene de Satanás...

—Y que abajo, en la región de los muertos, habitaban dos dioses, según he leído. Se llamaban Mictlantecuhtli y Mictecacihuatl, y que había que ofrendarles sangre y vísceras —prosiguió Daniela, sin importarle la cara de asco que le estaba poniendo el padre Zanetti.

—Usted lo ha dicho, juguemos a creer esos cuentos de Satanás. Quien muera por otra razón, asesinado, no se gana el derecho a bajar a esa región. Por ejemplo, esas pobres muchachas que son abandonadas en la refinería de Azcapotzalco. Las mujeres son matadas siguiendo un rito. Nada se hace por azar, y ese ritual confirma que estamos ante una secta satánica que ataca, para empezar, el primer mandamiento de Dios: amar a Dios sobre todas las cosas. Las Sagradas Escrituras explican que Cristo, con su pasión, muerte y resurrección, venció a la muerte. "La muerte ha sido vencida. ¿Dónde está, muerte, tu victoria? ¿Dónde está, muerte, tu aguijón?". Eso dice San Pablo en la primera carta a los Corintios. Dios es vida. ¿A quién se le ocurre venerar a la muerte? Y le diré una cosa: igual que Cristo la venció, y eso viene en nuestro catecismo, nosotros venceremos también a ese peligro que hoy se llama Santa Muerte.

A Daniela los argumentos del padre le recordaban otros tiempos. Los tiempos en los que la obligaban a ir a misa, todos los domingos, sin faltar uno. Hizo un esfuerzo por entender las razones del cura.

—Es el mismo San Pablo, en esa primera carta a los Corintios, el que dice textualmente: "Por eso, queridos hermanos, huyan de la idolatría". Y quien rinde culto a la Santa Muerte, que es un ídolo o un amuleto, se hace idólatra. La palabra de Dios nos enseña a dar culto al verdadero Dios y a rechazar la magia y las supersticiones. Y lo peor de todo es que toda esa gente está olvidando lo más importante.

—¿Qué cosa?

—Que el diablo no trabaja gratis.

Daniela se quedó pensativa durante unos pocos segundos. La frase era contundente. El diablo no trabaja gratis. Para Daniela Dios o el diablo eran la misma cosa: invenciones, tonterías, y no estaba dispuesta a cambiar su idea, por mucho que la gente se empeñara ahora en echarle la culpa de los crímenes a Dios o al diablo.

—¿Quién está destrozando los altares?

El padre Zanetti reaccionó dando un respingo. Miró a Daniela y la midió, como para comprobar si estaba de su parte, o no, también ella se había pasado al otro bando, al bando de sus enemigos, esos que le habían obligado a llevar una pistola escondida en la sotana.

—La Santa Muerte es cosa de Satanás, pero yo no estoy detrás de los ataques a los altares. Entiendo que alguien esté muy enfadado. La Santa Muerte es un negocio, un negocio muy grande.

Daniela hizo un gesto de no entender. El padre Zanetti no tardó ni dos segundos en hablarle.

—La parroquia que maneja el Obispo tiene el derecho exclusivo de venta de las velas. Antes se vendían en cualquier sitio, en los mercadillos callejeros, en tienditas… Ahora el Obispo se ha quedado con las ventas, en exclusiva, y ha subido el precio. Antes se compraban a trece pesos, ahora valen veinte, y se venden muchas, muchísimas… Haga cuentas.

—¿Y qué hay del cartelito con la frase en nombre de Dios? —preguntó.

—El nombre de Dios lleva usándose durante siglos así, erróneamente, pero nunca tan equivocadamente como ahora.

—¿Y esas mujeres que aparecen muertas en la refinería?

Daniela se apartó de los ojos un mechón de pelo que le molestaba. El gesto le pasó inadvertido al padre Zanetti, que tenía la mirada perdida en el infinito. Es como si no estuviera allí. Descubrió de nuevo la pistola que le pesaba en las manos, y eso le dio fuerzas para hablar.

—Los narcos siempre han dicho que matan a quien de verdad se lo merece. Todas esas chicas no tienen en común el pecho izquierdo tatuado. Eso son truculencias de periodistas jugando a los misterios. Lo que les une es que son inocentes. Los narcos han dado un paso más, ya no les vale con ajustar sus cuentas. No matan por negocio, y su negocio es la muerte, sino para atacar a la Iglesia. Quieren demostrar que son más poderosos, más poderosos que nadie, incluso más que el mismísimo Dios, y por eso atentan contra la vida así, atacando a chicas desvalidas, indefensas, inocentes. Pero no solo le quitan la vida, también intentan quitarle el alma, tatuándole la imagen de la Santa Muerte. Cuando te tatúas esa imagen siniestra, le estás entregando también tu alma. Por eso las tatúan después de muertas…

Daniela estuvo a punto de soltar una carcajada. Si no fuera por la seriedad con la que había hablado el padre Zanetti, se habría reído, pero el cura no estaba para bromas. No había más que mirar cómo agarraba con su mano derecha la pistola.

—A las chicas les roban el cuerpo y también intentan robarles el alma. Y la Santa Muerte aprueba esas acciones. Satanás las aplaude.

Había fiebre en las palabras del padre Zanetti. Sudaba copiosamente.

—¿Qué piensa hacer?

—Rezar y aprender.

—¿A qué?

—A disparar. ¿Acaso cree que la Gendarmería Vaticana va a cuidar de mí?

—Depende de la relación que tenga con Roma.

—Tan estrecha como para necesitar una pistola.

—¿Y no le es suficiente con ese hombre tan alto que le vigila de cerca? Lo he visto en la entrada de la parroquia. ¿También necesita una pistola?

—No creo que Dios sea suficiente para protegerme.

Daniela se quedó pensativa. El padre Zanetti la miraba fijamente, los ojos inyectados en sangre. Viéndolo así, no le costaba nada imaginarlo atizándole con saña a uno de esos altares que aparecían destrozados por toda la ciudad. Eran los mismos ojos alucinados que le descubrió mirando atento el televisor, en el café, la primera vez que se vieron. A pesar de su firmeza, de la energía con la que había dicho que él no tenía nada que ver con los altares destrozados, no terminaba de creerlo, seguramente porque Daniela siempre había visto a los curas como unos trileros de la fe, y ni siquiera aquel, con su bonita cara, con su insoportable parecido a Montgomery Clift, iba a engañarla. Aunque es verdad que había empezado a creerle, vagamente, justo desde que había detectado el miedo pintado en su rostro. Porque todo se puede disimular, todo, menos el miedo.

Ella se levantó. El padre no la imitó.

—Los narcos siempre te cobran el favor al doble. Con ellos, el mejor negocio es el negocio que no se hace —le dijo, o le advirtió.

Eso debió pensarlo usted cuando agarró aquellas dos bolsas, estuvo a punto de responderle.

Nada más salir al exterior, se encontró con el grafiti. Ahí estaba la Santa Muerte, protegiendo a los narcos. Se acordó de su cuadro y pensó que quizá no sería un disparate preguntar dónde podía comprar una pistola en condiciones.

En el campanario sonaron las cuatro de la tarde.

Daniela apuró el paso.

Llegó muy tarde al Fontán y sin apetito. Se lo había quitado el olor fuerte a comida que siempre había en la calle Colón. Jamás había podido cruzarla sin sentirse algo mareada, ni ahora ni cuando estaba con Marcelo. Afortunadamente el inspector no había insistido en él, después de la visita que le hizo planteándole preguntas muy incómodas. Marcelo estaba muerto, o eso se repetía ella todos los días. Pertenecía al pasado y nadie tenía derecho a hurgar en él.

Encendió la televisión. En un canal, el Peje hacía la señal de la victoria, rodeado de militantes de su partido, el PRD. Después el presentador hizo una conexión en directo con la refinería de Azcapotzalco. El reportero informó de que no había noticias nuevas sobre la muerte de las cuatro bailarinas en el paraje denominado *Monte de las hormigas*. La policía seguía investigando, pero las pesquisas no habían dado resultado alguno. En verdad, pensó Daniela, la información se ajustaba a la realidad, por mucho que Machuca intentara convencerla de lo contrario. El inspector estaba lejos de dar con el asesino, y ella tampoco andaba más cerca de su cuadro.

Llamó a Vargas. Quería poner al corriente a su jefe. Lo encontró dormido.

—Con la cantidad de horas que tiene el día, eliges las cuatro de la mañana para llamarme.

—Lo siento. De nuevo olvidé la diferencia horaria. Llevo tantos días aquí que he perdido la noción del tiempo.

—Cuéntame qué has descubierto como para telefonearme a esta hora.

La voz de su jefe sonaba soñolienta.

—El cuadro lo tiene el Zar, eso está clarísimo. Y ese es el problema. Generalmente, en nuestro trabajo, lo difícil es encontrar un objeto. Pero aquí no importa el *dónde* sino el *cómo*. Cómo arrebatárselo. La única posibilidad es incriminarlo, demostrar que fue uno de sus hombres el que se lo llevó de la galería Babel. La policía busca la grabación de la cámara de seguridad de la galería, pero no aparece por ningún sitio. Parece que alguien la robó también, días después de que se llevaran el cuadro.

—¿El mismo ladrón? Quizá se percató de que podía quedar registrada su fechoría y volvió para borrar cualquier pista.

—Esa es una posibilidad. Es una lástima. Esa grabación puede probar que el Zar robó el cuadro, y aunque se trate de un capo como él, al dejar un muerto en la galería, podría ser incriminado.

—El tiempo se va acabando, Daniela.

—¿Qué quieres decir con eso?

—Que el cliente pide resultados.

—A propósito, ¿por qué te empeñas en ocultarme la identidad del cliente? Es algo que no entiendo.

—Céntrate en tu diez por ciento. Lo demás queda de mi cuenta.

La detective gruñó, contrariada. Bastantes enigmas tenía abiertos como para sumarle uno más: ¿quién quería conseguir el cuadro de Frida Kahlo, costara lo que costara? Fuera quien fuera, le estaba apretando las clavijas a Vargas, eso estaba claro.

—¿Vargas, te ha dicho algo la policía del asalto que sufriste en la agencia?

—El tipo que la allanó no dejó ni una sola huella. La única pista que tenemos es la figurita de la Santa Muerte. Y que se llevó justamente lo que quería: no han vuelto a molestar. Me pregunto qué estará haciendo con el *dossier* de Frida. ¡Con el trabajo que me costó prepararlo antes de mandarte a México! En fin. Mañana llámame de nuevo y hazlo un poco antes. Aunque lo hayas olvidado, los bares cierran en España muy tarde, pero cierran, y la gente normal se va a su casa a dormir. Yo no pertenezco a la generación *after*. Y, por favor, piensa en Frida y dame resultados. Nuestro cliente está perdiendo la paciencia.

No se despidió de Daniela Ackerman, que escuchó un largo pitido a través del auricular. Su jefe acababa de colgarle.

TREINTA Y SEIS

Ciudad de México, 1940

LO RECONOCIÓ INMEDIATAMENTE. EL HOMBRE QUE se había sentado a la mesa era el mismo que le había querido regalar un ramo de rosas en París, hacía justo dos años. Lo reconoció aunque ahora no llevara colgada del cuello la Leica con la que le había hecho una foto, casi a regañadientes, nada más salir de la exposición que los surrealistas habían preparado en su honor en la galería Pierre Colle. Ahora lucía un elegante traje cortado por un sastre y llevaba el pelo esmeradamente peinado. La crema fijadora le daba una apariencia burguesa que confirmaba la manera elegante que tenía de fumar.

Habían pasado dos años, pero en todo ese tiempo no se había disuelto ese acento canalla que lo distinguía de todos los hombres.

Notó cómo Frida lo examinaba durante varios segundos, buscando diferencias y parecidos con aquel tipo que la había perseguido una tarde entera por las calles de París, empeñado en entregarle un ramo de rosas. Sí, era él, no había ninguna duda. Cohibido por la mirada escrutadora de Frida, el hombre bajó los ojos hacia el plato en el que la cocinera depositaba una sopa espesa. En la mesa brillaban unos cubiertos de plata traídos de Chiapas que el matrimonio Rivera sacaba solo en las grandes ocasiones.

—¿Y piensa casarse pronto?

Diego Rivera estaba esa noche de un humor excelente. No había parado todo el día de gastar bromas. Estaba a punto de acabar un mural en el Palacio de Bellas Artes. Sentía la mente aliviada. Es como si el día tuviera más de veinticuatro horas. Las broncas con Trotsky habían desaparecido. El ruso se había ido de la Casa Azul. Muerto el perro, se acabó la rabia, le decía a sus más allegados. Aún no tenía totalmente claro qué es lo que había pasado entre su mujer y el barbas de chivo, ni qué tipo de sentimientos habían surgido entre ellos, o si sabía algo, se lo guardaba íntimamente, al menos, de momento, pero Diego Rivera ya no estaba en la Cuarta Internacional. Trotsky no solo había jugado a los romances con su mujer sino que lo había ninguneado, a él, que le abrió generosamente las puertas de su casa cuando todo el mundo le huía, como si fuera un apestado.

El hombre había escuchado la pregunta de Rivera, pero esperó a tomar dos cucharadas de sopa antes de responder.

—Muy buena —dijo para halagar a la cocinera—. ¿Casarse? Todo a su tiempo. Las cosas hay que hacerlas cuando procede, ni antes ni después.

—Su novia es Sylvia, ¿no? —preguntó Frida.

—Sí, así es.

Había sido esa tarde cuando Diego Rivera había telefoneado a su casa para informar a Frida Kahlo de que esa noche vendría a cenar Jacques Mornard. ¿Jacques Mornard?, le preguntó sorprendida ella. Sí, el novio de Sylvia, la chica que hace de cartera del Viejo, o sea de Trotsky, dice que quiere conocer tu pintura.

—¿Y a qué se dedica usted exactamente? —insistió Frida.

—Ejerzo de novio de Sylvia.

Diego Rivera soltó una carcajada sonora. Por alguna razón desconocida, le caía bien aquel tipo, le daba buena espina.

—No, en serio. Compro y vendo obras de arte.

—¿Cuadros?

—Sí, también.

Así que marchante de arte. Había subido varios escalones, desde que en París la asaltó con aquella barba proletaria y aquel desparpajo que asustaba. Ya no era un simple fotógrafo que ofrecía sus servicios al periódico deportivo *Ce Soir*, como le confesó, al mismo tiempo que le mostraba su Leica, como si tuviera necesidad de probar que, en efecto, ese era su trabajo. Y, para confirmarlo, quiso hacerle varias fotos a Frida.

—Mi mujer ya me gana en talento. Siempre ocurre, llega un día en el que el alumno supera al maestro. Lo que pasa es que el público todavía no se ha dado cuenta. Dicen que su pintura es surrealista.

—¿Usted conoce ese movimiento? —preguntó Frida.

—Sí, por supuesto, mi trabajo es estar al corriente de todas las vanguardias. Por eso viajo tanto.

—¿Ha estado en París?

—Aún no.

—Debe hacerlo. Prométame que lo hará muy pronto.

El tipo le respondió con una leve inclinación de la cabeza. Se sentía vagamente incómodo, pero estaba acostumbrado a estas situaciones. En peores plazas había toreado y no había pregunta para la que no tuviera respuesta.

Frida se lo quedó mirando. Así que le engañaba. Era él, en efecto, el mismo que le había lanzado una sonrisa seductora para que Frida no pudiera decir que no. Pero la pintora no aceptó el ramo de rosas y solo se dejó fotografiar, de mala gana. París estaba lleno de locos, no solo los surrealistas, y aquel individuo no le inspiraba otra cosa que desconfianza, exactamente igual que hoy, dos años después. Es verdad que era guapo y no le extrañaba que Sylvia Ageloff, la chica que hacía de correo de Trotsky, hubiera caído rendida a sus pies, pero tenía esa belleza objetiva que no acababa de convencer a Frida, esos guapos que parecen hechos de porcelana, como una muñeca, que a Frida le olían a aburrimiento, a rutina. Y este, con sus respuestas cortas y falsas, con su mirada huidiza, le olía incluso a chamusquina. Me late que esconde algo muy gordo, se dijo Frida, mirándolo fijamente.

—Y dice que es canadiense...

Diego Rivera hablaba con la boca llena. Estaba cenando con voracidad. Carne de res estofada en salsa de tomate con chile chipotle. Ummm. Por fin. Las peleas con Frida y con el ruso le habían hecho perder el apetito. Perdió hasta ocho kilos. Estuvo a punto de enfermarse. Quizá el lío con Cristina no había sido un buen negocio, se reprochaba viendo cómo le colgaban flojos los pantalones que antes se ajustaban a su figura. Ahora intentaba recuperar el terreno perdido, acercando el plato de tortillas para acompañarlas con guacamole. Le ofreció al invitado, pero este hizo un gesto negativo. No le gustaba la comida mexicana. Por eso se dejaba caer cada vez que podía por el restaurante Don Quijote del hotel Regis, en el que le servían buenos platos españoles.

—Así es, aunque voy de aquí para allá. Pronto tengo previsto viajar a Nueva York. Conozco a un galerista.

—Podría intentar colocar algún cuadro de Frida.

—No será difícil. Su pintura es muy buena.

Las frases eran cortas, tan cortas que Frida Kahlo no tenía tiempo para encontrar en el acento del tal Jacques Mornard un residuo de la forma con la que se dirigió a ella, con una Leica colgada del cuello, en perfecto francés, tan perfecto como el inglés que ahora usaba.

—¿Es muy grande su producción? Me han dicho que sí. Grande, pero oculta.

Ahora fue él el que miró directamente a Frida. Empezaba a cansarse de la carne de res. La mitad se iba a quedar en el plato. Él no había venido esa noche a la casa de los Rivera solo a comer sopa o vaca muerta.

—Son unos pocos cuadritos —respondió ella con humildad o desconfianza.

—¿De cuál se siente más orgullosa?

—Del último.

A Frida parecía que se le habían comido las palabras, ella que regalaba sonrisas y conversación a todos los que pisaban la Casa Azul. No tenía tantas ganas de hablar de su pintura con aquel impostor. ¿Le contaría a Diego Rivera lo que le pasó en París? No, Diego no debía saberlo, igual que tampoco le contaría jamás lo que había ocurrido con Trotsky. Además, ¿qué le importaba a él? Pero sí debía hablar con Sylvia. Ella le había confesado que conoció a un novio en París. Es muy guapo, muy guapo, la cartera de Trotsky parecía que solo era capaz de repetir esa frase, como si fuera un papagayo. Lo dijo veinte veces, con las mejillas encendidas. Si se habían conocido en París, ¿por qué el tal Jacques negaba ahora que hubiera estado allí? ¿A qué jugaba?

La cocinera sirvió el segundo plato, pollo en salsa de almendras con ajonjolí. Diego Rivera lo celebró con grandes aspavientos. Por el contrario, Frida apenas le prestaba atención al pulque y a las quesadillas de flor de calabaza a las que era tan aficionada.

—Al barbas de chivo le encantaba este plato. Ahora su ración me la como yo —y cortó con el cuchillo un trozo de pechuga bien grande que se echó a la boca inmediatamente. Tardó un segundo en tragarlo.

—¿Cuándo verá a Sylvia?

—Espero que muy pronto.

—Pues, cuando la vea, le dice que le transmita a Trotsky, ya que es su cartera, que su amigo Diego Rivera está muy feliz, que come muy bien.

—¿Ya no son amigos?

—Sí, pero amigos que no se entienden políticamente. ¿Qué opina usted de la política? ¿De la Cuarta Internacional, por ejemplo?

—Yo solo opino de arte.

—Pero su novia es nada más y nada menos quien le lleva y le trae las cartas a Trotsky. Hablará de política alguna vez...

—Intentamos evitarlo.

—Pero si la política está con nosotros como el aire que respiramos.

—Sylvia tiene su trabajo y yo el mío. Además, quiero evitar discusiones con mi novia. A veces no pensamos lo mismo.

—¿No le cae bien el barbas de chivo?

—¿Cómo?

—Sí, el barbas de chivo. Mi ex huésped León Trotsky.

—¿Trotsky? Me es indiferente. Por mí, como si desaparece —dijo el hombre.

—¿Y de qué iba a vivir su novia entonces?

—De mi trabajo.

—Ve cómo sí le interesa la política —afirmó Diego.

Diego Rivera mostró una sonrisa satisfecha, que ni siquiera pudo tapar la servilleta con la que se limpió la boca. Apenas quedaban en el plato unos restos de pollo. El muralista estaba feliz esa noche, y no se había equivocado al invitar al novio de Sylvia a su casa. Sentía una corriente de simpatía hacia él, y encima, acababa de confesarle que Trotsky no figuraba en su lista de preferidos. Por fin los impostores estaban siendo descubiertos. Trotsky no era otra cosa que un dictador que gastaba los mismos métodos estalinistas que atacaba fervientemente.

La cocinera apareció con el tercer plato: conejo asado.

—Trotsky se levantaba de la mesa cuando llegaba este plato. Adoraba a los conejos y no podía verlos en otro sitio que no fuera una conejera o correteando por el campo.

El tal Jacques Mornard le dio un leve empujoncito al plato, como si tampoco le gustara el conejo asado.

—¿No me diga que le va a hacer un feo a la cocinera?

—Estoy lleno.

—O sea que no le gusta el conejo encima de un plato, como a Trotsky. ¿Seguro que no son amigos? —preguntó Diego Rivera apuntándole con el cuchillo.

El hombre meneó la cabeza negativamente. Otra vez se atrincheró en su silencio enigmático. Diego estaba demasiado entretenido, dando cuenta del excelente conejo asado, como para advertirlo, pero Frida, con menos apetito, mucho más perspicaz, no le quitaba ojo, analizando cada gesto, cada movimiento, y una vaga intuición le decía que aquel hombre no estaba allí para interesarse por sus cuadros, ni para estrechar lazos de amistad con Diego. Buscaba algo. ¿Por qué había hablado con un fingido desprecio de Trotsky? ¿Le interesaba tan poco la política como había confesado? No, no le creía.

Era un buen actor, pero Frida era muy aguda. No se le escapó su nerviosismo, la manera atropellada con la que bebió el café, a grandes sorbos, como si fuera un trámite enojoso que tuviera que cumplimentar. Por eso no le extrañó que ni siquiera esperara a que ella o Diego acabaran el suyo para decir.

—¿Le echamos un vistazo a sus pinturas?

—Déjeme saborear este café —le respondió Diego.

—Entonces iré al baño.

—Está abajo. Junto a la escalera de entrada.

—Ya lo sé.

Aquella frase, aparentemente banal, lo delató. Aquel "ya lo sé" fue su único error esa noche, pero fue suficiente. Un error inapreciable para Diego, para el propio Jacques Mornard, demasiado inquieto a estas alturas de la cena, pero no para Frida. Ya lo sé. El tal Jacques Mornard había estado antes en esa casa o, al menos, conocía perfectamente su disposición. No, esa noche no había venido a cenar, había venido a algo más, y Frida se criticaba porque no sabía exactamente a qué. Tenía alguna pista, estaba bastante más interesado por su pintura que por el conejo asado, pero dudaba seriamente de que hubiera vendido un cuadro en toda su vida, de igual modo que dudaba de que estuviera tan desconectado de la política como decía. No, no era un *playboy,* no era un tipo que se estuviera aprovechando de la buena posición económica de Sylvia, era algo más. Frida estaba deseando que volviera del baño para llevarlo a su estudio. Igual allí encontraría una pista sobre la identidad del tipo que se empeñó en regalarle un ramo de rosas en París.

Regresó con una medio sonrisa bailándole en la boca. Frida entendió que algunas mujeres se pudieran sentir atraídas por él, fascinadas por unos silencios que acentuaban todo el enigma que representaba Jacques Mornard, ese extraño novio de Sylvia, a estas alturas de la cena un amigo más de Diego. Pero a mí no me das gato por liebre, andas en algo, se dijo Frida, que estaba ya cansada de la presencia del hombre, así que se levantó despreciando el café que traía la sirvienta y se dirigió al estudio.

—Le espero allí —se limitó a decir.

—Ahora voy.

Sobre el caballete, Frida tenía un lienzo en el que estaba atascada. No, no era problema de inspiración, de imaginación, ni cualquiera de esas tonterías, era la maldita columna. El dolor siempre estaba ahí, pero a veces, cuando Frida lo obviaba y se entregaba furiosamente a la pintura, él se encargaba de hacerse notar. Y los últimos días lo hacía con unos pinchazos agudos. Los médicos le habían recomendado una nueva operación. Agarró un pincel, sin mucha convicción. La mente la tenía en otro sitio, en los ojos vivos del tal Jacques. ¿Tendría valor para hablar con Sylvia de él? Porque, a fin de cuentas, qué hacía ella metiéndose en medio de una relación. Durante varios minutos, oyó su voz mezclada con la de Diego, en una especie de murmullo ininteligible. Frida puso atención, pero apenas le llegaban frases descabezadas, sin sentido, frases que eran incesantes, y la voz que más se oía era la de Jacques, como si se le hubieran desatado las ganas de hablar justo al quedarse a solas con Diego.

—¿Se puede?

Lo dijo así, con la misma entonación educada con que le había pedido que aceptara aquel ramo de rosas después de hacerle varias fotos. Por un momento, Frida pensó que tenía que responderle lo mismo que en París, que no, que no quería que él, él en concreto, viera ni uno solo de sus cuadros, ni siquiera el proyecto de nada que era ese que tenía subido en el caballete. Pero, por alguna razón, esta vez le dijo que sí.

—Adelante, por favor.

Ahí estaba, de nuevo, a solas con él. Ahora no era un fotógrafo. Hoy era un marchante de arte. ¿Qué sería mañana? Ojalá pudiera penetrar en sus pensamientos, pero dudaba de que ni siquiera los conociera incluso Sylvia. El hombre lanzó una mirada distraída a varios cuadros, sin detenerse en ninguno, como si le importara bien poco el trabajo de Frida, o lo conociera de sobra. Ni siquiera compuso ese gesto de incomprensión tan habitual en los espectadores de su obra. Ese estupor admirado que despertaban sus lienzos.

—¿No tiene ningún autorretrato?

La pregunta sorprendió a Frida. A fin de cuentas, pensaba que Jacques iba a abandonar el estudio sin decir ni una palabra, como si todo lo que había visto allí no sirviera a sus propósitos, fueran cuales fueran.

—No —respondió lacónicamente Frida, sin volverse.

—¿Cuál ha sido el último que ha pintado?

Frida se giró y lo miró directamente, pero esos ojos se le seguían escapando. Claro que pintó un autorretrato, no hace mucho, el que dedicó a León Trotsky, pero no estaba en sus manos. Se lo habían robado mientras ella escuchaba a Wagner. Frida cabeceó negativamente.

—¿No? Una verdadera lástima. De sus autorretratos me habían hablado maravillas.

—Yo pensaba que a usted solo le interesaba la fotografía.

—También.

—¿Y qué más le gusta?

—Moverme por el mundo.

—¿Qué hace aquí en Ciudad de México?

—Tengo una misión.

—¡Ah! ¿Sí? ¿Cuál?

—En este momento, abrirle las puertas de Nueva York.

—No me gustan demasiado los gringos.

—Ni tampoco los surrealistas.

—Ni los impostores.

—Su catálogo es muy extenso.

—Así es.

Todo había durado un minuto, no más. Pero Frida y Jacques tuvieron la certeza de que no tenían nada más que hablar. O que tenían todo por hablar. Pero Frida estaba cansada de esos ojos penetrantes que atravesaban como un cuchillo, sin darte cuenta. Esos mismos ojos miraron con resignación, solo un mes más tarde, a la cámara de un fotógrafo, un fotógrafo de verdad, y no como él. Le dedicaba una mirada dolorida o resignada que se multiplicaría indefinidamente, arrojada al mundo por decenas de periódicos.

La foto del asesino de Trotsky.

TREINTA Y SIETE

TODO AQUELLO PODÍA SER UN DISPARATE, PERO ESTA vez Daniela no había realizado aspavientos escandalizados. Se limitó a guardar silencio. Creía que todo aquel desbarajuste de piezas guardaba una secreta coherencia.

—O sea que Frida tuvo en su casa cenando a Ramón Mercader, el falso Jacques Mornard.

—Sobre todo, Diego Rivera.

—¿Por qué subraya eso?

—Porque es el detalle más importante. Es él el que lo invita a cenar.

—Pero no lo invitó como futuro asesino de Trotsky, sino como marchante de arte y novio de Sylvia Ageloff.

—No olvide usted que ya, para ese momento, la relación entre Diego y Trotsky estaba totalmente quebrada. El muralista quería deshacer cualquier lazo que le uniera al trotskismo. De hecho, su ruptura con el trotskismo es el primer movimiento que hace de acercamiento al Partido Comunista. En esas circunstancias, el gordo Rivera jamás hubiera invitado a Ramón Mercader para hablar de su novia.

Daniela guardó de nuevo silencio. Jugó a ordenarse el pelo. Le molestaba. Sacó de su bolso una presilla y todo ese pelo frondoso quedó recogido. No quería que nada le estorbara para intentar entender todo aquel entramado.

—En una conversación, Diego Rivera dijo que él había atraído a México a Trotsky para que pudieran matarlo allí, con más facilidad. Y que solo lo iba a sentir por los conejos, que se iban a quedar sin nadie que les pusiera hierba en los comederos.

—Esa es una *boutade*. Diego Rivera tiene mil.

—De esas mil, esta es la única real.

Freddy Ramírez lo había dicho muy serio. La frase tenía el mismo peso que una piedra de varias toneladas. Hasta él pareció darse cuenta de la gravedad de lo que acababa de contarle a la españolita.

—Diego había roto con la Cuarta Internacional. Incluso, y esto le fastidió mucho a Trotsky, apoyaba la candidatura de Almazán a la presidencia del Gobierno. Y Almazán representaba en ese momento a la reacción, a la derecha. Eso era incomprensible. Incluso hoy lo vemos así, entre otras cosas, porque lo que realmente quería Rivera es ser readmitido por el Partido Comunista. Que le prestara un buen servicio a Ramón Mercader, aunque fuera llenándole el estómago en su casa, era un gesto que Moscú interpretaría debidamente.

—Eso no lo convierte en colaborador de Ramón Mercader.

—Los dos se quedaron mucho rato en el salón, mucho más del que se necesita para acabar un café. Mi teoría es que fue en ese momento en el que Mercader le insinúa lo que va a hacer. Él ha venido a cumplir una misión, le llega a decir a Frida, echando un vistazo a sus cuadros. Estaba haciendo exactamente lo mismo que está haciendo usted ahora. Buscando un cuadro. El mismo cuadro.

—¿Por qué insiste en lo del autorretrato?

—Porque la GPU, o sea, la policía secreta de Stalin, la NKVD, para entendernos, estaba al corriente de que se había extraviado un cuadro que era el golpe mortal a la credibilidad de Trotsky. Pero ni Moscú ni Mercader saben dónde está. Mercader quiere verificar que Frida no lo tiene, que ha sido robado. Esa es la versión oficial que circula, pero Mercader debe comprobarla. En ese momento, ese cuadro se lo disputan trotskistas y estalinistas. Unos, para proteger el prestigio de su líder, los otros, para hundirlo. Y lo más curioso de todo es que el hombre de los mil disfraces, Ramón Mercader, fue engañado por otro disfraz: el que utilizó con él el Güero, el tipo que había robado el cuadro de la Casa Azul, con la connivencia del agente Donovan. Iban de parrandeo juntos, incluso visitando una mercería que hacía las veces de casa de citas, muy cerca del Real Cinema, en la calle de Colón y Balderas, un sitio que se llamaba el Tiboy. Se fueron juntos de putas antes y después del robo. Lo que pasó es que los trotskistas que le habían encomendado la tarea no se fiaron de que supiera llevar bien el disfraz y, una vez que ya tenían en sus manos el cuadro, lo mataron. El cuadro no solo le costó la vida a Trotsky, sino también a un individuo al que llamaban el Güero.

—Pero Frida ya había acabado su lío con Trotsky.

—Pero, según ese cuadro y la frase que había escrito en él Frida, no. Era demasiado reciente como para no hacerle daño al héroe de la Revolución de Octubre. Demasiado reciente, incluso para Diego Rivera. Hasta hace unas semanas, su huésped, el mismo por el que dio la cara ante el mismísimo presidente Lázaro Cárdenas, se acostaba con su esposa. Diego no olvidó. Tenía muchas más razones para colocarse al lado de Mercader que para echarlo de su casa.

—Pero, según la biografía de Frida, la pintora apenas estuvo detenida veinticuatro horas en la comisaría tras el asesinato de Trotsky. Y a Diego Rivera, ni lo interrogaron.

—¿Quién iba a atacar en 1940 a una figura de la magnitud de Diego Rivera? Él era el único que podía decir Dios no existe, sin que le pasara nada. Y a fin de cuentas, insisto, había sido el que le había pedido al presidente del Gobierno Lázaro Cárdenas que le concediera asilo a Trotsky. Hacerlo sospechoso de su muerte era entonces una teoría inverosímil.

—A mí todavía me lo parece.

—Eso es porque se queda anclada en 1940. Además, no crea que yo estoy fantaseando en esta historia. Frida y Rivera fueron espiados por la Dirección General de Seguridad, y hay informes realizados por los servicios de inteligencia mexicanos que acreditan todo, empezando por la cena de Ramón Mercader en casa de Diego Rivera y acabando por la detención de Frida cuando al ruso le dan matarile. Se puede consultar en el Archivo General de la Nación.

Daniela siguió dándole vueltas a la cabeza, buscándole coherencia a todo aquello. Y luego tenía una pregunta aparentemente trivial, pero que, para ella, no lo era.

—¿Y usted me ha dicho que el tipo que roba al cuadro de la Casa Azul se iba de putas con Ramón Mercader? Desconocía esas aficiones del asesino de Trotsky.

—¡Mire que es usted chismosa! Pero es verdad. Iba a una falsa mercería a buscar mujeres. Le venía de familia. De hecho, su papá llevaba a su mamá, a Caridad Mercader, la llamada "Pasionaria catalana", a prostíbulos del barrio chino de Barcelona en los que le obligaba a ver, a través de un agujerito, cómo otras parejas hacían el amor, para que le entraran ganas. Por eso ella siempre dijo que los Mercader eran unos hijos de puta.

—¿Eso está acreditado?

—Que los Mercader eran unos hijos de puta, no. Que le gustaban las mujeres de la vida, sí.

Unas gotas de saliva se le quedaron enganchadas a Freddy Ramírez. Las recogió con la lengua. Parece un viejo, se dijo Daniela, y se sorprendió de sus planteamientos tan lúcidos, capaz de hacer pasar por verdad una mentira, como si quisiera imitar a Ramón Mercader, todo el tiempo jugando a ese juego que solo pareció advertir Frida, si es que había algo creíble en todo el relato del periodista metido ahora a escritor de novelas rosas.

—Maldita hormiguilla —se quejó Freddy removiéndose inquieto en la cama.

Daniela lo miró con compasión. Había algo que lo emparentaba con su jefe Vargas, y no eran las pecas que empezaban a motearle el dorso de las manos. De momento, no la había mirado con deseo, solo con curiosidad. Cuando lo encontraba escribiendo frenéticamente sobre el teclado del ordenador, es como si nada le interesara en el mundo, salvo su amor por Frida Kahlo.

Treinta y ocho

A FIGUEROA NO LE GUSTABA MUCHO PISAR EL MAN-hattan, aunque dijeran que era el mejor garito de la Zona Rosa y siempre estaba a reventar de gente. Él prefería estar con su novia, a pesar de que últimamente no le estaba dedicando demasiado tiempo. El inspector Machuca le había encargado encontrar la grabación que hizo la cámara de vigilancia de la galería Babel. Había des-aparecido misteriosamente. Llevaba varios días con eso, pero no había obtenido resultado alguno. Tampoco en-tendía esa obsesión de Machuca por dar con la cinta. Mu-cho más preocupante era la muerte de las bailarinas y ese era el asunto que lo había colocado esa noche en el Man-hattan.

Con lo que no contaba era con ver al Zar. Desde que mataron al Toti, no se le había visto en público.

Estaba acodado en la barra. Le hacía alguna observa-ción a la camarera. Se le acercaron un par de chicas muy escotadas, pero él las rechazó. No estaba con ganas de fiesta. Consultó la hora en su Rolex de oro.

Figueroa se pidió una Corona. Antes de que le diera el primer sorbo, tuvo al Zar a su altura. Se puso nervioso.

—¿Qué te trae por el Manhattan, Figueroa?

—De momento, una cerveza.

—¿Y no te apetece un rato de gusto con una chica? Tengo las mejores.

—Y yo a mi novia.

El Zar hizo un gesto de no entender nada. El que uno tuviera una mujer no significaba que no pudiera acostarse con todas las demás. Pero tampoco le sorprendía el comentario de Figueroa. Nunca lo había tenido por un tipo espabilado.

—¿Te apetece acabar esa Corona en mi despacho? Aquí hay demasiado ruido y la música que está poniendo Félix es para matarlo.

Figueroa dirigió una mirada a la zona del pinchadiscos. Allí estaba Félix, con su cara de tonto, los auriculares encasquetados en su cabeza deforme.

—¿Vienes, no?

—Sí, claro.

Ascendieron al piso superior. El Zar utilizó una llave magnética para abrir la puerta e invitó al policía a pasar. Figueroa nunca había estado allí. Si abajo todo era ruido y sordidez, en el despacho solo se olía a nuevo, a moderno. Los focos halógenos colgados del techo creaban zonas de intimidad. El silencio era tan grande que se oía la respiración del Zar.

Sacó una botella de un minibar que tenía detrás del escritorio. Se fijó en sus manos. Le llamó la atención que las tenías muy cuidadas. En el dedo corazón de la mano derecha brillaba un anillo con la efigie de la Santa Muerte.

—¿Cómo va tu jefe, el tal Machuca?

—Va.

—¿Cuánto tiempo le queda para retirarse? Ya no es un jovencito y, además, se está quedando calvo. Yo lo veo un poco perdido. Se está tomando más a pecho el asunto de las bailarinas que las derrotas del Cruz Azul. Y eso es mal asunto.

Figueroa asintió. Se sentía tan cohibido que no podía hacer otra cosa que darle la razón al Zar en todo. Se creía un policía muy valiente, el más listo de la comisaría. Pero, con el capo de los narcos delante, no tenía muchas ganas de demostrarlo. Además, estaba muy intrigado. ¿Por qué lo había llevado allí?

—Está raro Machuca, ¿eh? Antes no era un mal policía. Pero nunca ha superado lo de su hija. Y ahora está medio tonto por culpa de la española esa. Según tengo entendido la está ayudando en la búsqueda de un cuadro. ¿Qué sabes tú de eso?

—Que está loco por saber qué pasó en la galería Babel. Quiere tener alguna imagen que le sirva de prueba para cazar al ladrón que se llevó el cuadro de Frida Kahlo.

—¿Sabes que uno de esos maricas que escriben nota roja en los periódicos me ha querido atribuir el robo del cuadro?

Sí. La foto del Zar había salido dos veces en los papeles. La primera, por culpa de una rubia de pechos operados, una de esas de uñas lacadas en rojo sangre, dispuestas a sacarte los ojos o el hígado si no les dejas meter la mano en tu cuenta corriente. El caso es que apareció colgada del cuello del Zar. La chica avisó a los fotógrafos. No fue una buena idea. El Zar tuvo que darle una patada en el culo, justo después de que se la cepillara hasta el último de sus hombres, incluso Toti, que estaba muy enamorado de Evelyn. Pero aquello era como un acto de servicio, no se cansó de repetir el Zar. Y la segunda vez que había asomado la jeta por los periódicos es por culpa de un periodista de *El Universal*, según le estaba contando a Figueroa. Por fortuna no había sido Freddy Ramírez quien había firmado la noticia.

—Ya ves. He salido en los papeles por culpa de una puta y un maricón.

El otro rio.

—¿De qué coño te ríes? ¿Acaso he contado un chiste?

Figueroa notó cómo los huevos se le arrugaban. Se le encogieron como si les hubieran arrojado un cubo de agua recién sacada del Polo Norte. Pasó unos minutos antes de que el Zar relajara el semblante de nuevo.

—¿Sabes una cosa, Figueroa? A mí no me resultaría complicado solucionar el problema de la española. ¿Cómo dices que se llama?

—Daniela, Daniela Ackerman.

—A lo que iba. Una Daniela más o una Daniela menos en el mundo no creo que a nadie le importe, pero no tengo ganas de que mi foto aparezca en los periódicos una tercera vez, y ahora están empeñados en echarme la culpa de todo, hasta el escándalo de las últimas elecciones. Además, la Santita me ha recomendado prudencia, y eso que tengo motivos para estallar y tomar mis medidas, porque es injusto que me quieran endosar lo que le pasó al galerista. Tú, ¿quién piensas que pudo robar el cuadro de Babel?

—Nunca me ha interesado la pintura. Que se cargaron al galerista de Babel... Bueno, un maricón menos. Yo lo que quiero es dar con el tipo que está matando a las bailarinas. Ya han caído cuatro, pero encontraré al cabrón ese antes de que baje a la quinta. Los cuadros no me importan una mierda.

—Chico listo, y no como Machuca, o el bobo de Félix, que está ahí fuera poniendo un disco tras otro sin quitarle ojo a Cora. El tonto cree que un día se casará con él. ¿Sabes que el inspector se va con ella todos los jueves?

—Sí. Estoy al corriente.

—Chico listo, repito, chico listo. Tú y yo tenemos algo en común: somos gente inteligente rodeada de tontos y, aunque solo sea por eso, creo que puedo hablar de negocios contigo.

—¿Negocios?

—Anja. Me has dicho que quiere encontrar al asesino de las chicas, ¿no?

—Sí. Antes quería salir en el Big Brother, para ser famoso y eso. Pero ahora quiero firmar autógrafos por ser el mejor poli, el que resolvió el caso del *Monte de las hormigas*, como dicen los periódicos. Y estoy seguro que lo voy a conseguir, porque yo tengo un pelo negro y muy fuerte, fíjese, no como el inspector Machuca. Claro que lo voy a conseguir.

Había una mirada soñadora en los ojos de Figueroa. De pronto su imaginación se había puesto a volar. Se veía en todas las portadas recibiendo palmaditas en la espalda, siendo condecorado. El Zar confirmó que era tan tonto como Félix. Pero le siguió la corriente. Igual podía serle de utilidad.

—Mira, yo estoy tan interesado como tú en que el asesino de la refinería sea cazado. Para el Manhattan, en contra de lo que están diciendo por ahí, es una mala publicidad que sus bailarinas aparezcan tiradas como si fueran basura. El Manhattan es tan especial que no necesita de eso para llenarse. Ya has visto cómo está ahora. Da igual la música que ponga Félix, siempre está a tope. Y como los dos perseguimos lo mismo, y me caes bien, te voy a revelar quién está matando a las muchachas.

—¿Quién?

—El padre Zanetti.

—¿El padre Zanetti?

—Sí, el cura es un tipo listo, más listo de lo que te crees. Con la aparición de las difuntitas tatuadas, intenta desacreditarnos, atacar a la Santa Muerte, y no solo rompiendo sus altares. Está diciendo: esto es cosa de los narcos, de los seguidores de la Santa Muerte. Al padre Zanetti le interesa que esas muertas hagan mucho ruido para que el Gobierno nos ponga las cosas difíciles, para que el Gobierno se oponga al culto. Y de momento, ha denegado la inscripción en el registro correspondiente de credos religiosos, a pesar de los argumentos dados ante la secretaría de Gobernación. No lo dudes: el que está detrás de esas muertes es el padre. Esa sí que es una buena línea de investigación. Es la línea que te puede llevar a tener en tu muñeca un reloj como este.

Figueroa mira el reloj del Zar con envidia.

—Ahí tienes al padre Zanetti. Te lo he puesto en bandeja de plata. Ahora tú solo tienes que detenerlo.

—¿Y qué me pide usted a cambio?

—Que me cuentes todo lo que sepas de la investigación que llevan entre manos Machuca y la detective sobre el cuadro robado en Babel. ¿Entras o te abres?

—Entro, entro. Yo soy un macho. Y no le tengo miedo a nada.

—Buen chico. ¿Seguro que no te apetece pasar un buen rato con una de mis bailarinas? Te invito yo.

—No, gracias.

—En ese caso, hasta la próxima. Y mantenme informado. No te preocupes por buscarme. Yo te encontraré.

Figueroa abandonó el despacho con sensación de triunfo. El Zar le había parecido buena persona. Estaba dispuesto a ayudarlo a que fuera famoso. Machuca se iba a enterar.

Al bajar las escaleras se quedó unos segundos viendo las evoluciones de Cora sobre la tarima. No estaba mal la bailarina con la que se acostaba el inspector, pero él prefería a su novia. Enseguida notó unos ojos clavados en él. Venían de arriba. Félix se había quitado los auriculares y lo taladraba con la mirada. Figueroa se apuntó mentalmente una tarea: tenía que hacerle una visita cuanto antes para demostrarle que nadie se atrevía a mirar así a Figueroa, el mejor poli de la ciudad.

Treinta y nueve

Esta vez Internet no enseñaba al mundo la imagen de una nueva muerta. Pero Machuca pudo leer un mensaje que le produjo el mismo estremecimiento.

—El Día de Difuntos aparecerá la quinta mujer. La más bella de todas. Tan bella como la Santa Muerte.

El mensaje estaba colgado en la misma página que había mostrado a las cuatro muchachas que iban asesinadas ya. La tipografía usada por el hijoputa que mataba el tiempo escribiendo esos mensajes era idéntica a la usada otras veces, con la diferencia de que esta vez no había errores ortográficos. Machuca sacó la conclusión de que había varias personas detrás de todo aquello, y no solo el que hacía el tatuaje a las chicas, o el que las mataba. Lo que tenía bien claro es que quien estaba haciendo aquellas atrocidades andaba empeñado en vincularlas a la Santa Muerte. ¿Por qué? Era tan inexplicable como aquel partido que el Cruz Azul, lleno de bajas, había conseguido ganarle al América.

—Esto es tan difícil como dar atole con un dedo.

Con esa frase que Machuca se había dicho, quería resumir sus esperanzas de detener los crímenes. Soñaba con aparecer ante Daniela y decirle que se acabó la pesadilla. Que todo había terminado.

Pero el último mensaje mostrado por Internet decía todo lo contrario.

Es curioso, pero a Machuca le había producido más terror ese anuncio hecho por Internet que encontrar esa misma tarde, en la calle Morelos, un nuevo altar destrozado. Como si la auténtica realidad se recluyera en los márgenes de una pantalla de ordenador, y lo otro, lo que hay fuera, se tratara de una mera ilusión. Había visto un nuevo esqueleto hecho trizas, un nuevo cartelito reivindicando la acción: en nombre de Dios. Era el séptimo altar atacado en el último mes, el único que quedaba en pie. Pero ni siquiera el celo de los devotos a la Santísima había podido evitar que fuera atacada en el único momento de descuido.

Dando una nueva vuelta a la cama, Machuca quiso unir dos imágenes: los rostros de rabia de los fieles y el mensaje de Internet que avisaba de la próxima muerte. Y no terminaba de asociarlas, por mucho que la lógica obligara a hacerlo. Pero tuvo un buen profesor que le enseñó a desconfiar de lo evidente. Lo llamaba la ceguera de lo obvio. Y otra vez al inspector le vino a la mente la imagen de las hormigas en medio de un desfile de elefantes. ¿Por qué nadie se fijaba en ellas? Ellas eran la prueba.

Esa tarde, tosiendo con fuerza por culpa del polvo del esqueleto machucado de la Santa Muerte, quiso leerle los ojos a aquellos hombres, encontrar en ellos una prueba de que allí, a unos centímetros de él, estaba el asesino de las bailarinas.

Pero no encontró nada.

Quizá tenía razón la fiscal Chacalita. Él no era Sherlock Holmes.

El inspector tardó mucho tiempo en dormirse. No tenía miedo de que se le metiera en la cama alguna pesadilla con las imágenes de las bailarinas muertas. Simplemente estaba desvelado, dándole vueltas al mensaje aparecido en Internet y lo que suponía. Era una estrategia diferente. El que estaba detrás de las muertas ya no se conformaba con enseñarlas al mundo a través de Internet, sino que se atrevía a anticipar la próxima, como ocurre con algunas series de televisión, que ofrecen un adelanto del próximo capítulo para que lo esperemos despiertos por la intriga.

A la mañana siguiente se levantó temprano.

Es verdad que se sentía en forma como nunca en los últimos años. Desde que había muerto su hija no había levantado cabeza. Su trabajo se había convertido en algo rutinario. Pero el caso del *Monte de las hormigas* y el robo del cuadro de Frida Kahlo habían conseguido reactivar instintos que creía perdidos, habían recuperado al policía que parecía muerto para siempre.

Por eso, en vez de estar en casa o perdiendo el tiempo en su despacho, el inspector Machuca se había subido a su Mustang y se dirigió a la parroquia del Obispo.

Lo encontró arrodillado frente al altar de la Santa Muerte, en actitud orante. Un grupo de fieles se puso en guardia al ver la aparición del inspector. Cualquiera era una amenaza, incluso un policía. Él les hizo un gesto para que se tranquilizaran. Venía en son de paz.

El Obispo hizo la señal de la cruz y se levantó. Vio a Machuca, pero tardó en darle los buenos días.

—¿Podemos hablar a solas, Obispo?

—Sí, acompáñeme a mi despacho, pero le avanzo que no tengo mucho tiempo. La defensa de la Santa Muerte me tiene ocupado las veinticuatro horas del día.

—Entiendo.

Pero el inspector no entendió nada. Desde hacía unas semanas todo el mundo parecía haberse vuelto loco en el DF. Bailarinas tatuadas, esqueletos de la Santa destrozados... Pero la razón de todo aquello la presentía muy cerca. Podía olerla en el despacho del Obispo. También se olía a *croissants*. Los había dejado en la mesa del despacho Zoila, junto a un vaso de leche. Tenían buena pinta, mejor que los que le servía doña Lita para el desayuno.

—¿Quién le ha hecho esas pintadas al padre Zanetti?

—¿Pintadas?

—Sí, la fachada de San Antonio ha amanecido con dibujos de la Santa Muerte. Imagino que eso no se le habrá ocurrido a un niño que se pone a pintar después de hacer los deberes. Esa travesura la han hecho mayores.

—No tengo ni idea. Y le digo lo mismo que la otra vez respecto al hombre que quiso introducir droga en Texas valiéndose de las velas de la Santa Muerte: no puedo controlar todos los movimientos y acciones de mis fieles. Somos ya cinco millones y no puedo tener ojos para todos.

—Pero usted los está espoleando desde su púlpito para lanzarlos contra el padre Zanetti.

—Estamos en guerra, inspector. Hemos sido atacados y nos defendemos, en legítima defensa. Es Roma la que comenzó todo destrozando nuestros altares.

Machuca meneó la cabeza negativamente. Las alusiones del Obispo a Roma, a la guerra santa y a todo eso, le parecían tonterías que soltaba un predicador con ganas de portadas. Y lo peor es que él las estaba escuchando, pero de momento tenía que disimular su opinión. En toda la historia había gato encerrado y tenía que dar con él, costara lo que costara. Se lo debía a Daniela Ackerman.

—Mire, Obispo. Para que vea que la policía es su aliada, le voy a dar una información que le puede ser útil. Hasta el momento, todas las bailarinas tiradas en el *Monte de las hormigas* han aparecido justo el día después del ataque a un altar de su Santa Muerte. ¿Me sigue?

—Ya le dije que eso era una mera casualidad. No hay ninguna relación entre una cosa y otra.

—Los hechos dicen justamente lo contrario. Por eso, le prevengo: en la misma dirección de Internet donde están colgadas ya cuatro muertas, se anuncia una quinta. Intentaré que no se cumpla ese vaticinio, pero si el asesino sigue el mismo modus operandi, un altar va a ser atacado en breve. Ponga a sus fieles en guardia, a sus Soldados.

—Siempre lo están.

—A propósito, ¿usted sabía que el padre Zanetti era muy aficionado a la pintura de Frida Kahlo?

El Obispo puso cara de sorpresa. Se llevó a los labios el vaso de leche y le dio un sorbo muy suave. Sus ojos miraban al inspector por encima del vaso. Machuca quiso leer en ellos alguna verdad. Lo miró, inquisitivo.

—Lo único que sé del padre Zanetti es que es muy aficionado al dinero. Por eso tiene mármol de Carrara en su iglesia. Nosotros somos más modestos. Mire cómo tengo mi parroquia: limpia y ordenada pero sin lujos.

—Eso será porque no quiere. Relacionándose con el Zar como usted se relaciona, podría revestirla de oro si quisiera.

—El Zar es solo un fiel más, como cualquiera de los otros cinco millones y, como ellos, solo viene aquí a recibir ayuda espiritual.

—Lo que no sabía yo era que el Zar también admiraba a Frida Kahlo.

—Quizá le transmitió esa pasión el padre Zanetti. Antes fueron socios, usted debe de saberlo, lo publicaron los periódicos.

Machuca asintió con la cabeza. Volvió a mirar los ojos oscuros del Obispo. Debían alojar muchos secretos. El inspector se jugaba el cuello a que sabía incluso dónde escondía su amigo el Zar el cuadro que buscaba Daniela Ackerman. Por un momento pensó que la cosa era tan sencilla como detener al Obispo y someterlo a un severo interrogatorio, pero debía andar con cautela. Con todos los fieles de la Santa Muerte puestos en pie de guerra, un paso en falso podía ser fatal.

Le iba a hacer un par de preguntas más cuando alguien llamó a la puerta. Pensó que era de nuevo Zoila, que venía a llevarse los restos del desayuno de su marido. Pero esta vez se coló en el despacho una figura masculina. Era el cartero. Traía un paquete y un par de revistas envueltas en plástico transparente. Mientras que el Obispo le firmaba el justificante de entrega al cartero, Machuca se fijó en un detalle muy curioso. Una de las revistas se llamaba *Strike*. Era una publicación especializada en béisbol, según ponía en la portada. El segundo detalle fue aún más interesante: cuando el Obispo se percató de que Machuca examinaba la revista, la guardó rápidamente.

—No sabía que le interesara el béisbol, Obispo. Pensé que su única afición era cultivar la fe.

—Sí, lo practiqué de pequeño, y no se me daba mal. Pero de eso hace ya mucho tiempo.

—Pero le ha quedado el gusanillo.

—Claro, ese nunca se muere, no hay forma de matarlo.

—¡Y yo que pensaba que no tenía ni un minuto para sus *hobbies* y, fíjese, sí le dedica su tiempo al béisbol! Vaya, vaya, es usted una caja de sorpresas.

El Obispo apuró de un golpe los restos de leche que quedaban en el vaso. La visita del inspector ya le estaba produciendo demasiada incomodidad, como la anterior de Daniela Ackerman, y solo deseaba que se perdiera. Se levantó y dio una palmada en el aire. El otro se dio por aludido.

—Hasta otro rato, Obispo, que tendrá cosas que hacer.

Cuando abandonó el despacho se encontró con varios fieles de la Santa Muerte haciendo corro. Les sostuvo la mirada. Sintió algo de pena por ellos. Igual el Obispo les estaba tomando el pelo. Quizá fuera casualidad, pero precisamente las casualidades son las mejores aliadas de los policías. Los altares de la Santa Muerte estaban siendo atacados por un bate de béisbol según había descubierto Figueroa. La información de su colaborador había sido confirmada totalmente. Y resulta que el Obispo cultivaba secretamente su pasión por el béisbol en un país entregado al fútbol y a la lucha libre.

El inspector pensó con mucha rapidez, con demasiada como para que su pensamiento fuera sólido, pero esa es la idea que se le cruzó por la cabeza: no era Roma la que estaba detrás de los ataques. Era un mexicano el que los estaba realizando.

CUARENTA

EL ZAR LO HABÍA LLAMADO ESA MAÑANA AL TELÉFO-
no móvil. No tenía ni idea de cómo había conseguido el número, aunque tratándose del Zar cualquier
hipótesis era válida. Le preguntó a Figueroa si sabía algo
más de lo que se llevaban entre manos la detective y su
jefe. Él le respondió que había aspirado su perfume cuando se la encontró hacía unos días en la comisaría. Pero
poco más había sacado. Seguían viéndose, le dijo al Zar,
de lo que se deducía que tramaban algo que a él se le escapaba. El capo sometió a Figueroa a un silencio embarazoso, acusador. Luego le exigió que permaneciera con los
ojos bien abiertos, antes de colgarle bruscamente el teléfono.

Figueroa se quedó pensativo durante unos minutos.
No sabía si hacía bien o no al negociar con el Zar. Más de
un policía había optado por cambiar de bando. En vez de
ganar cuatro pesos jugándose la vida todos los días, había
preferido trabajar para el narcotráfico, con todas las consecuencias. Él, de momento, prefería seguir en lo suyo.

Iba en el coche, dándole vueltas a la cabeza. Tenía que hacerle un regalo a su novia. Mañana cumplían tres años de estar juntos. Pero no tenía ni idea sobre qué comprarle. Dejó el coche aparcado junto a una tienda de discos, cerca de la parada del metrobús en Álvaro Obregón. En la radio estaba sonando el último éxito de Alejandro Sanz y quizá no fuera mala elección. A las chicas se les derretía el corazón oyendo la voz de ese español. Seguro que su novia lo cubriría de besos cuando viera lo que le había regalado.

Se disponía a preguntarle al dependiente por el disco en cuestión cuando descubrió una cara que empezaba a serle familiar. La veía siempre pegada al techo del Manhattan. Era un rostro deforme, el mentón saliente, los ojos saltones, el pelo escaso. La naturaleza había sido muy cruel con Félix.

Lo estudió durante unos segundos antes de abordarlo.

—¿Qué haces por aquí, pinchadiscos?

El otro se puso en guardia. Luego respondió, los ojos fijos en el suelo, como avergonzado.

—Estoy comprando novedades, señor.

—¿Novedades? Pero si toda la música que pones en el Manhattan es una mierda. Si solo fuera por ti, no entraba allí ni Dios. Menos mal que están las *teiboleras* y todas están muy buenas.

Félix no se atrevía a mirarle a los ojos. Eso indignó más al policía. Figueroa estaba muy cansado de que lo trataran como a un niño, especialmente su jefe. Machuca estaba muy equivocado. Él iba a descubrir al asesino de las bailarinas y saldría en televisión y no pararía de firmar autógrafos. Y, a pesar de sus infinitas cualidades, el inspector lo ninguneaba. Por eso sintió, con aquel bobo de Félix delante, que tenía una oportunidad única de humillar a alguien. Su cuerpo lo necesitaba. Viendo que el dependiente estaba entretenido atendiendo a otro cliente, empujó al pinchadiscos al interior de un cuarto. Estaba lleno de cajas llenas de CD. Figueroa encendió la luz. Quería ver los ojos cagados de miedo del pinchadiscos.

—¿Sabes lo que les está pasando a las bailarinas del Manhattan? ¿Lo sabes, no?

—Ug ug ug ug —respondió Félix.

—Las matan y luego les tatúan en el pecho izquierdo la imagen de la Santa Muerte. No hay derecho.

—Ug ug ug ug.

—Y tú conoces a todas esas muchachas, a las vivas y a las muertas, a todas les has puesto la música asquerosa que compras en tiendas como esta. Y sabes con quién se fueron la última vez, igual que sabes con quién está ahora tu amiguita, sí, Cora. Desde arriba, ahí en la cabina, se ve todo, hasta el más mínimo detalle, ¿a que sí?

—Ug ug ug ug.

—Claro, y a ti no se te escapa ninguno, seguro que hasta le ves en la cara las intenciones a ese cabrón que se levanta a las muchachas.

—Ug ug ug ug.

—Tú pareces tonto, pero no, los tontos somos nosotros, que no vemos nada, no como tú, que conoces perfectamente al tipo que hace esas cosas tan feas. Y yo estoy muy cansado, muy cansado de jugar a la gallinita ciega.

Tu amiga, Cora, también podría terminar en el *Monte de las hormigas*, como las otras. Y, entonces, no se casará contigo.

—Ug ug ug ug.

—Ya sé que tú quieres mucho a tu amiga, que le pones las canciones que a ella le gustan, pero tu amiga no solo te quiere a ti. Tiene más amigos a los que ve todas las semanas. ¿Tú sabes lo que hace con ellos una hora entera?

Félix no parecía entender. Lo único que le preocupaba es que se estaba haciendo tarde y que, cuando Cora volviera al Manhattan, no podría recibirla con la misma música, una canción de Toni Braxton, esa que era como la banda sonora de su amor imposible.

—¿Sabes lo que dice mi jefe? Que nadie lo hace tan rico como Cora.

Y Figueroa acompañó la frase con un gesto inequívoco, para que aquel bobo entendiera. Aunque estaba completamente seguro de que lo hacía. Sería un tonto, pero también era un hombre.

—Mañana voy a volver al Manhattan, voy a subir a tu cabina y me tienes que decir quién coño está matando a las chicas.

Le apretó el cuello con fuerza. Félix sí lo miraba ahora, los ojos desorbitados. Figueroa apretó tanto que le dejó la marca de sus dedos fuertes. Pensó en darle un puñetazo, pero tampoco quería complicarse la vida. Dejar al Zar sin el pinchadiscos del Manhattan no era buena idea.

Figueroa salió de la tienda sin acordarse del regalo que quería comprarle a su novia.

CUARENTA Y UNO

Ciudad de México, 1940

—SEÑORA RIVERA, ¿LE IMPORTARÍA ACOMPAÑARME a comisaría?

—¿Eso significa que me va a detener?

—Es mi obligación. A León Trotsky le han destrozado el cráneo con un piolet.

Frida miró al comisario de policía con desprecio. Al menos esperaba que con su detención acabara el numerito que había montado en la Casa Azul. Ni siquiera los ladrones que se llevaron el cuadro que le había dedicado a Piochitas habían organizado tal desbarajuste. Entraron a punta de pistola, con sus uniformes azul marino. Eran mucho más de treinta, quizá cuarenta, y sin pedir permiso empezaron a revolverlo todo. Revisaron todas las estancias de la vivienda, concentrándose en su estudio, del que se llevaron varias acuarelas y dibujos, incluso un reloj que Frida le había regalado a Diego, y que guardaba en el clóset. Ella protestó, pero el comisario la hizo callar con un grito que retumbó en toda la casa. Frida lo hubiera insultado de la forma que solo sabía hacerlo ella. Le hubiera llamado jijo de la chingada, cabrón... Pero intentó frenar su cólera. En cualquier caso, por mucho que buscaran, no podrían encontrar nada que la comprometiera, ni a ella, ni a Diego Rivera. Apresuradamente, poco después de descubrir el tumulto que venía de la casa de la avenida Viena, un estrépito de sirenas que interrumpió la siesta en Coyoacán, Frida tuvo la prudencia de guardar en una carpeta todos los documentos políticos que encontró. Había muchos papeles internos de la Liga Comunista Internacionalista y un montón de cartas comprometedoras. Por un momento pensó que lo mejor era arrojarlos al váter. Ahora estaban escondidos detrás de una estantería de libros en la casa de Cristina.

Frida Kahlo fumaba nerviosamente. A este paso iba a acabar con la caja de Lucky que le habían traído desde Estados Unidos. Lo que estaba haciendo la policía no era un registro, sino un allanamiento, pero nada podía hacer, solo esperar.

El comisario se acercó de nuevo a ella. Una sonrisa bailaba en su boca. Frida tardó unos segundos en entenderla. El escrutinio había dado resultado. El policía sujetaba con los dedos de la mano derecha una foto. Se la puso delante.

—Se reconoce en esta foto, ¿verdad?

Frida dio un manotazo para espantar una nube de humo que le estorbaba. Una mujer, con cara de asco, los labios fruncidos, ojos desapacibles, lanzaba una mirada a otro hombre.

—¿Es usted, verdad?

Pero Frida no pudo responder de inmediato. En las últimas horas, desde que Trotsky había salido de su casa con el cráneo hecho papilla, habían pasado tantas cosas por su cabeza que era complicado hacer una operación tan sencilla como reconocerse en una foto. Pensó que estaba hecha por un principiante, ligeramente desenfocada, sin vida. Ella sería incapaz de hacer una foto tan mala. Rebobinó mentalmente. La solemnidad pomposa, los modales aburridos, las calles oscuras, los surrealistas oliendo a nada y un hombre tirándole una foto.

—Mire la firma. Jacques Mornard. El hombre que ha atacado a Trotsky se llama exactamente así, ¿no?

Frida estaba tan aturdida como para entender algo. ¿Qué hacía esa foto en las manos del comisario? Y sobre todo ¿qué hacía en su casa? ¿Quién la había escondido? Hizo un esfuerzo por ordenar las ideas que ahora mismo se le amontonaban en su cabeza. Efectivamente, Jacques Mornard había cenado unas semanas atrás en su casa, pero no recordaba que llevara encima ninguna fotografía. Quizá se la diera a Diego en el rato que se quedaron a solas, ella esperando en su estudio. Si esto era así, ¿por qué Diego no se la había dado a ella? ¿Ocultaba algo su marido aparte del nombre de sus múltiples amantes? Frida no estaba en ese momento preparada para responder a esa pregunta, ni a ninguna otra, aunque el comisario tenía un puñado para ella, a juzgar por la fuerza con la que agarraba la foto.

—Acompáñeme, señora Rivera.

La sacó de casa, marcándola muy de cerca, como si temiera que en cualquier momento la pintora echara a correr, como si fuera cuento que tenía una pierna que no era otra cosa que un estorbo. Nunca olvidaría el aliento picante del comisario, la respiración asmática, su olor a sudor, sus ojos de pescado muerto, la manera en la que se guardó el reloj que había llevado en su muñeca Diego Rivera, la mirada de deseo que le dirigió a su hermana Cristina antes de meterla también a ella en el auto policial.

El viaje desde el barrio de Coyoacán a la Ciudad de México fue lento, pesado.

Por fin llegaron.

En la Sexta Delegación había mucha agitación. Un hormiguero de gente iba de aquí para allá.

Las dejaron en una habitación. Antes debió de ser un despacho. En la pared sobrevivían manchas antiguas. Aquello era más un calabozo que otra cosa. Cristina no pudo evitarlo y se entregó a un llanto copioso. A Frida la rabia no le dejaba soltar ni una lágrima. Le hubiera entrado a patadas al comisario si la hubieran dejado. A través de la puerta entreabierta oía rumor de voces. Frida intentó concentrarse. Ese hombre tan extraño que cenó en su casa hacía unos días había atentado contra la vida del Viejo. Algún vecino ya le había venido con la historia de que había sido con un piolet. Pero aquello le sonó a pura novelería. Otro vecino llegó a decir que escuchó sus chillidos, iguales a los de un cerdo, igualitos, y que eran tan fuertes que se habían oído en todo Coyoacán. Se imaginó al pobre Piochitas con la cabeza abierta como una sandía, los ojos tan azules nublados quizá para siempre. Morir no es un problema cuando un hombre ha cumplido su misión histórica, cuando un hombre ha cumplido la tarea que se le ha encomendado, la muerte es sencilla, estimada Frida, le dijo un día. Ahora la muerte lo llamaba a grandes voces.

Frida vio la cara de espanto de Natalia Sedova, la misma sorpresa que cuando descubrió que su marido se entendía con la joven pintora. Fue un error. Diego Rivera nunca debió pedirle ese favor al presidente Cárdenas, allí en La Laguna. Podía ser una idea romántica eso de dar acogida a un perseguido, a un refugiado político. Pero ¿qué causa defendía realmente el Viejo? Quizá la suya, solo la suya, por puro egoísmo. Diego le había mostrado un número de *El Machete* en el que acusaban a Trotsky de filo-fascista. *La Voz de México* había llegado más lejos al informar de que espías trotskistas colaboraron con el ejército de ese cabrón de Franco, coordinando el levantamiento que acabó triunfando un año atrás. Y luego esa carta que le había escrito cuando ella estaba en Nueva York. Primero acusó a Diego de ser un secretario que nunca escribe, nunca contesta cartas y nunca llega a tiempo a las reuniones. Luego le pedía a Frida que mediara para que Diego reconsiderara su idea de abandonar la Cuarta Internacional. Ella no lo hizo. Me cae bastante *gacho* su manera de ser tan extraña, se dijo en ese momento. Diego hizo bien en mandarlo al diablo. Se formó un *bochincho* padre, pero Piochitas se lo había ganado, pensó Frida cuando se enteró de todo el lío que se había montado. Trotsky se refería a la Cuarta Internacional como el partido mundial de la revolución socialista. Palabras inútiles, vacías. La Cuarta Internacional era una pantomima y sí, había sido un error iniciar una relación con Piochitas, solo por despecho. Frida miró a Cristina, los ojos llenos de lágrimas. Había hecho mal, había sido muy torpe. La traición de Diego, pero sobre todo de ella, su propia hermana, fue excesiva. Pero el remedio nunca debió ser una aventura con Trotsky, a fin de cuentas un viejo que le doblaba la edad. ¿Para qué sirve la venganza?, se preguntó. Y encontró la respuesta inmediatamente: solo para ser más infelices.

Las ideas cruzaban por la cabeza de la pintora a la velocidad del rayo, las imágenes sucediéndose como dicen que pasan cuando estamos a punto de morir. ¿Cómo se le ocurrió dedicarle aquel autorretrato al Viejo, con aquella dedicatoria que ahora se podía convertir en una acusación? "Para Trotsky, sangre nueva para mis venas". Frida sintió un helor recorriendo su espalda machacada. Ni siquiera se había acordado del cuadro. Creía que ocultando todos los documentos políticos que pudieran comprometerle a ella, o a Diego, era suficiente. Pero para la policía cualquier cosa era una prueba que la incriminaba, incluso una foto tomada en París unos meses atrás, cuando el tal Jacques Mornard se le presentó como periodista deportivo del diario *Ce Soir*. Por un momento pensó que ese tipo podría tener en sus manos el famoso autorretrato, que podía ser para la policía la prueba definitiva, no sabía de qué, que la pintura la condenaría. Ella había pensado siempre que la salvaría, pero era falso, como todo, salvo el amor que sentía por Diego. Su pensamiento se fue lejos, a San Francisco. Nada más enterarse de lo que había sucedido en la avenida Viena, lo había telefoneado, sin éxito. En ese momento no se preguntó si andaría encamado con alguna mujer, no había tiempo para celos, solo para salvarse. Y Jacques Mornard, el ciudadano belga que le había clavado un zapapico a Trotsky, había cenado en la casa de los Rivera solo unas semanas atrás. Y luego estaba lo de la foto, la que le hizo el tipo tan atractivo que la persiguió durante un día entero. París también había sido un error. Ese montón de hijos de perra lunáticos, trastornados y mugrosos que eran los surrealistas, empezando por Breton, mucho peor que los gringos. Europa era una mierda. No le extrañaba que fuera allí donde Hitler y Mussolini progresaran con sus ideas disparatadas. Encerrada ahí en la Sexta Delegación, Frida incluso recordaba cómo habían tratado los franceses a los refugiados españoles, portándose con ellos como cerdos. Decían que los tenían pasando calamidades en los campos de concentración, e incluso allí iban a visitarlos gentes trajeadas, con autos muy caros, relucientes, y que les tiraban a través de las alambradas monedas y cajetillas de tabaco, solo por ver a los refugiados agacharse a recogerlas, y así poder hacerles fotos, porque iban con sus cámaras colgadas del cuello. Pero nunca pudieron hacer esa foto. Los republicanos podían haber perdido una guerra, pero no la dignidad. Quiso aplicarse esa frase.

Frida examinó una vez más la situación. Ahí estaba, encerrada en una habitación con las paredes gangrenadas por la humedad, su pelo sucio y desordenado, su hermana Cristina sin dejar de llorar. Tienes lo que te mereces, se dijo Frida, igual que esta pezuña que nunca te deja en paz, también la mereces, y todos esos corsés de yeso que se han convertido en tu segunda piel. Te mereces estar fregadísima. Todo te lo mereces, empezando por Diego.

Un grito resonó en la Sexta Delegación. Solo así Frida fue capaz de salir del bucle en el que se habían quedado atascados sus pensamientos. Era un chillido histérico. Una mujer forcejeaba con los policías. Soltó un insulto. A

Frida le costó reconocer la voz, traspasada de furia. Siempre fue desagradable. Una voz de pito, muy molesta. La voz de Sylvia Ageloff. Insultaba a los policías, pero también a Jacques Mornard, el hombre que la había tenido cegada de amor desde el primer día que lo vio en París, con su pantalón color café con leche y unos elegantes zapatos. El hombre que esa tarde entró a la casa de León Trotsky con un piolet escondido en su gabardina.

Pasó una hora hasta que se oyeron nuevos insultos. En este caso no eran de la novia de Jacques Mornard, sino del comisario. El periódico había salido con una edición especial. Atentado contra Trotsky. La noticia venía a cinco columnas. La información daba hasta el más mínimo detalle. Pero lo peor no fue eso. Un fotógrafo debía de andar por la ciudad, invisible como un fantasma y no solo se había colado en la casa de Trotsky y le había hecho una foto al piolet, sino que incluso había llegado a la cama en la que agonizaba el líder revolucionario.

El comisario dio un puñetazo sobre la mesa, no se sabe si por descubrir en los periódicos, a toda plana, la cabeza de Trotsky cubierta por una venda que tapaba el agujero que le había producido el zapapico, o por las complicaciones que se venían encima si el bolchevique se moría. Y a juzgar por las fotografías, el comisario no podía darle muchas esperanzas de vida. El primer reporte que había recibido del hospital Cruz Verde ya le informaba de la gravedad de la situación. Le dieron ganas de subir y emprenderla a golpes con ese individuo que decía llamarse Jacques Mornard, aunque no tenía forma de acreditarlo. Soy un trotskista desilusionado, eso es lo que había repetido, como una canción que tuviera bien aprendida, y de ahí no había podido sacarlo. El comisario escupió en el suelo. Lo único que le tranquilizó es que ese tipo, se llamara como se llamara, y viniera de Bélgica o de París, se iba a pasar los próximos veinte años en la cárcel de Lecumberri, peleándose con las ratas y los chinches.

Empujó la puerta de la habitación en la que estaban detenidas Frida y su hermana. En la mano derecha llevaba un café. En la izquierda, la portada del *Excélsior*. La colocó ante los ojos de Frida.

—¿Qué le parece?

Y fue en ese momento cuando Frida imitó a Cristina. No pudo reprimir el llanto. El Viejo, Piochitas, León Trotsky, su amante, se moría en el hospital de Cruz Verde.

El comisario no respetó las lágrimas de Frida.

—¿De qué conoce a Jacques Mornard?

Frida levantó los ojos. Miró al comisario, desdeñosa. La pregunta no era esa, sino quién era exactamente Jacques Mornard. ¿Un fotógrafo de origen belga? ¿Un marchante de arte con pasaporte canadiense? ¿El novio de Sylvia Ageloff? Seguramente todas esas cosas reunidas en una: un impostor. Pero no era el momento de reflexiones. El comisario la apremiaba con sus ojos duros.

—Solo lo vi una vez, en París. Se me acercó con un ramo de rosas, que yo rechacé. Luego sacó una foto y le regaló las rosas a la primera mujer que pasó por allí. La mujer recogió el ramo y luego lo arrojó con fuerza, huyendo horrorizada.

Frida había dicho la verdad. Ese fue el episodio que le tocó vivir en París. Pero el inspector no le creyó. Chasqueó la lengua. Metió las manos en los bolsillos y sacó un pañuelo sucio y arrugado con el que se secó el sudor que le chorreaba por la frente y el cuello. En aquella comisaría hacía un calor de invernadero. En esas condiciones, no era fácil arrancarle una confesión a cualquier detenido. Pero tampoco era demasiado complicado que te diera un patatús.

—Señora Rivera, esa foto ha aparecido esta tarde en su casa. Alguien la metió ahí. ¿Cómo y quién? —preguntó, las palabras saliendo por un lado de la boca.

Ni siquiera Frida tenía posibilidad de responderle al comisario. Recordó el tiempo que Diego pasó con el tal Jacques a solas y se le antojó demasiado. Por eso ahora tenía que medir mucho sus palabras. Cualquier comentario desafortunado podía costarle la cárcel a ella, y lo que es peor, a Diego.

—Quizá alguien la envió por correo.

—Lástima que no hayamos encontrado el sobre en el que venía. No tenemos el remitente, solo esta foto de usted.

A estas alturas Frida tenía claro que el comisario no le iba a creer nada. Meneaba la cabeza y daba vueltas nerviosas por la habitación, elevando el tono de voz. Jugaba a la perfección el papel de policía malo.

Alguien entró en la habitación. Agarró por el brazo a Cristina con modales poco ceremoniosos. Frida protestó, pero no sirvió de nada y se llevaron a su hermana.

El comisario se quedó a solas con la pintora. Llevaba manchas en la camisa.

—Hace unas semanas apareció muerto un hombre en el Tiboy, que es una casa de citas. No tengo nada en contra de que la gente se vaya de putas, pero sí de que se vaya a morir a un sitio de esos.

—¿Y qué me quiere decir con eso?

El comisario, por una vez, creyó que la pregunta de Frida era sincera.

—Que ese hombre fue el mismo que entró hace unos meses en su casa, unos dicen que para matar a Trotsky, otros que para llevarse un cuadro. Le llamaban el Güero.

—Yo ese día estaba en la ópera.

—¿Por qué ese cuadro era tan importante?

Pero ni el comisario ni nadie podrían entender jamás por qué era tan importante, solo su corazón, o quizá ni siquiera su corazón. Frida intentó evocar los momentos de intimidad compartidos con el Viejo, las notas amorosas que le colaba por debajo de la puerta, todas las mañanas. Le decía te quiero, te amo, en todos los idiomas posibles, frases enardecidas que salían de su cerebro ahora destrozado por un piolet. De nuevo le entraron ganas de llorar, de echar de la habitación al comisario, pero se frenó.

—¿Sabe por qué es tan importante este detalle? Porque el Güero y Jacques Mornard eran clientes de la misma casa de putas —dijo el comisario antes de dar un sorbo al vaso de café.

A través de la puerta Frida oía el repiqueteo de una máquina de escribir. Le estaban tomando declaración a Cristina. Estaba deshecha, comida por los nervios. En ese estado, podía contar cualquier cosa, incluso que Jacques Mornard había sido invitado a cenar por Diego. El comisario notó que la pintora tenía la mirada perdida.

—Llevamos buscando ese cuadro desde que mataron al Güero. Le llenaron el cuerpo de plomo, en la misma casa de citas a la que iba a buscar a una amiga suya. Estoy seguro que ese cuadro le costó la vida. Unos dicen que ahora pertenece a una colección privada. Pero los periodistas, ya sabe, no paran de inventar, y hay uno que me ha dicho que está en manos de algún enemigo de Trotsky. Jacques Mornard acaba de declarar que ha hecho eso porque es un trotskista desencantado. ¿Sabe cuál ha sido la frase que ha dicho? Que un día se dio cuenta de que Trotsky se preocupaba de la clase obrera tanto como de un calcetín sucio. En esta situación, entiéndame, todo está relacionado. El futuro del sucesor de Lenin está en las manos de unos cirujanos.

—Mi trato con el señor Trotsky era nulo. No sé a qué viene tanta pregunta. Ya no era nuestro huésped, ni nuestro amigo.

—¿Quizá lo contrario?

En los ojos del comisario apareció un destello nuevo. Estaba siendo muy paciente con la pintora. A fin de cuentas, era la señora de don Diego Rivera, que, por cierto, tampoco había sido localizado. Pero el trabajo empezaba a dar sus frutos. Quizá no fuera un disparate que el pintor estuviera mezclado en el atentado a Trotsky. Frida permaneció callada.

—¿Cómo fue que Diego se salió de la Cuarta Internacional?

—Quería volver al origen y el origen siempre es el Partido Comunista.

—Ajá.

Todos esos pintores comunistas le habían caído siempre al comisario como una patada en los huevos. Solo eran una pandilla de alborotadores y, para colmo, estaban llegando a México como si fueran cucarachas. Pensó en todos esos rojos que venían de perder una guerra en España. Y en el bolchevique, claro. No le querían en ningún país y resulta que va el presidente Cárdenas y le abre la puerta. Ahora ha pasado lo que ha pasado, México en las portadas de los periódicos de todo el mundo por culpa de un maldito ruso. El comisario llevaba muchas horas allí en su trabajo, más de las que le exigía su puesto. Se acarició la barba y le pincharon unas púas duras. Miró el vaso de café. Apenas le quedaban unas gotas. Lo tiró a la papelera.

—Voy a subir a ver cómo está el señor Jacques Mornard. Le enseñaré esta misma foto en la que aparece usted. ¡Y a ver qué pasa con mi amigo del piolet! Matar es fácil, lo complicado es callar.

Y el comisario abandonó la habitación.

Frida se quedó sola. Se había hecho de noche. Intentó descansar un poco, pero los pensamientos y su pie derecho se lo impidieron.

Al día siguiente, con las primeras luces del día, la comisaría se llenó de un murmullo nuevo. Cristina y Frida se miraron con sus ojos de no haber dormido, sin entender nada.

Oyeron carreras por los pasillos. Los teléfonos empezaron a sonar, atendidos con palabras urgentes, hasta que el comisario pegó un puñetazo en la pared. Se hizo sangre.

Sin necesidad de preguntar, sin necesidad de salir a la calle, Frida intuyó lo que había ocurrido y supo el titular que los vendedores de periódicos vocearían en unas pocas horas: León Trotsky ha muerto.

Lo que nadie fue capaz de imaginar es que, en contra de los cálculos del comisario, Jacques Mornard iba a callar con la misma vehemencia con la que había matado, así durante casi treinta años, hasta que un día alguien lo llamó Ramón, tú eres Ramón Mercader, ¿verdad?, y él, ya barriga prominente, ya sienes plateadas, se giró, consciente él también de que lo más difícil no era matar, sino callar.

—Imagínese, Daniela. Casi treinta años ocultando su verdadera identidad. Repitiendo a todo el mundo que era Jacques Mornard —dijo Freddy Ramírez después de leerle a Daniela este pasaje, el más estremecedor de los que había escrito el periodista, pensó ella.

—Pero Ramón Mercader no pudo tramar esa gran mentira él solito. Los mexicanos —prosiguió— no aceptaban a los republicanos, por revolucionarios. Mucha gente era pronazi, quizá más por odio al imperialismo gringo que por apoyo verdadero a Alemania. La prensa era muy crítica con Cárdenas, decía que el apoyo del presidente a los exiliados republicanos conduciría a México al comunismo. Si en 1940 hubiera trascendido que el asesino del héroe de la Revolución de Octubre era un comunista, Ramón Mercader no hubiera acabado con Trotsky, sino también con el futuro político del presidente Cárdenas.

—¿Está diciendo que el presidente de México protegió a Mercader?

—Sin duda. Matarlo en la cárcel de Lecumberri no hubiera costado más de quinientos pesos, pero Mercader murió de viejo en La Habana. Conquistó a todas las mujeres. Solo una lo despreció: Frida Kahlo. Pero Frida hizo por Ramón Mercader algo mejor que aceptarle un ramo de rosas en París: pintarle un autorretrato a Trotsky. El cuadro que usted busca, Daniela.

CUARENTA Y DOS

LA FRASE SE LE HABÍA ESCAPADO AL INSPECTOR MA-
chuca:

—La leyenda que lleva el cartelito, en nombre
de Dios, solo es capaz de escribirla así de bien el padre
Zanetti. No se sorprenda: dicen que fue escritor antes de
hacerse cura.

Durante las últimas horas, Daniela se ha estrujado la
cabeza. No sabe si Machuca lo ha dicho como una anécdota irrelevante o, por contra, se la ha dado para que se
ponga a trabajar. El caso es que son las cinco de la tarde y
está encerrada en la Biblioteca Vasconcelos, en la plaza
Ciudadela de Cuauhtémoc. Seguramente perdiendo el
tiempo, piensa. Pero lleva demasiados días en la ciudad
como para descartar cualquier pista. Y en el padre Zanetti
hay algo que se le escapa. No solo es un agitador de masas
para lanzarlas contra la Santa Muerte. No solo un cura
moderno capaz de enamorar a las feligresas. Hay un no sé
qué en su mirada que desconcierta a Daniela. Por eso ahora está peleándose con el ordenador de la biblioteca. Una

muchacha más bien feúcha le ha dicho que sea paciente con la máquina, que va a ratos.

Después de unos minutos de espera, el ordenador hace su trabajo y aparece en la pantalla un listado de títulos.

No pensaba que el padre Zanetti fuera tan prolífico, se dice Daniela. Hay tratados de derecho canónico, estudios sobre teología. Le resulta increíble que un cura tan joven haya podido llegar a esa producción tan alta. Igual tiene un negro, concluye Daniela, antes de que un título llame su atención. *El surrealismo y Frida*. Está firmado por varios autores y uno de ellos es un tal Zanetti. Pincha encima. Se abre una ventana. Es curioso. Le sorprende pero, al mismo tiempo, siente que por fin el mundo empieza a estar redondo, como cuando enciende un cigarrillo. Aquí hay tomate. Por alguna extraña razón, está segura de que esta pista le llevará a algún sitio. El libro está prestado. Hasta el 22 de mayo de 2000. Levanta la vista del ordenador. No acaba de entender. Apunta la signatura. Se acerca a la chica.

—Quería consultar este libro.

—Voy a checarlo.

La muchacha se vuelca sobre el ordenador que tiene a la derecha. Si va igual que el mío, le voy a dar tiempo al padre a escribir otros quince libros, se dice Daniela. La chica frunce el ceño. Hay algo raro. Se gira y abre un cajón repleto de fichas plastificadas.

—Disculpe, ese libro que usted quiere consultar no fue devuelto. Lleva siete años prestado.

En este caso, cualquier mujer que no se llamara Daniela, habría abandonado la biblioteca sin dar las buenas tardes. Pero Daniela era una buena detective, no solo por sus intuiciones, sino sobre todo porque jamás se rendía. Lo último es sacar bandera blanca. Así que encaja la noticia con deportividad. Tranquila, tengo todo el tiempo del mundo, nenita, y ya me llegará mi oportunidad, porque acabo de tener una idea. Se acerca tranquilamente a una de las estanterías. Le llama la atención el primer tomo de *Los miserables*. Lo agarra y se lo lleva a su mesa. Ahora solo tiene que esperar. Tarde o temprano la chica deberá ir al baño o se moverá para hacer algo. Y en efecto, antes de media hora, la ve levantarse y buscar el baño. Daniela tiene que darse prisa, así que echa un vistazo a la sala. El anciano no aparta la vista del periódico que tiene en sus manos, así que no puede ver lo que pasa. Daniela es rápida y mete los dedos en el cajón que ha cerrado con violencia la bibliotecaria nada más decirle que el libro que buscaba llevaba siete años prestado. Pasa las fichas, rápidamente, hasta que encuentra lo que busca. Comprueba el título del libro prestado antes de guardarse la ficha. En ella viene el nombre y datos del usuario que sacó el libro. Oye el ruido de la cisterna antes de que se abra una puerta. Es el momento de volver, pero no a la mesa, sino a la calle.

Sale de la sala sin despedirse. Y solo cuando deja atrás tres calles, agarra la ficha y lee la dirección del usuario. Debía de ser un tipo particular, tanto como para llevar siete años sin devolver el libro que incluía un capítulo del padre Zanetti dedicado a Frida Kahlo.

Mira la ficha, satisfecha, olvidando que al sacarla no se ha acordado de cerrar el cajón. Ahora la bibliotecaria

empieza a entender por qué la turista con pinta de española o italiana se ha ido con tanta prisa. Agarra el teléfono y
marca un número.

Daniela Ackerman entra con pasos decididos en la
comisaría. El primero que la ve es Figueroa. El ayudante
del inspector se pone alerta. Después de la conversación
que había tenido con el Zar en el Manhattan, cualquier
noticia que tuviera de la detective podía ser buena para su
investigación. Más de una vez había estado tentado de
abordarla y formularle algunas preguntas. Pero eso podría
molestar a Machuca. Figueroa también se había dado
cuenta de la manera especial que tenía el inspector de tratar a la detective. Lo mejor era observarla, sin más. Y eso
es lo que está haciendo Figueroa. De momento, lo único
que puede sacar el poli es que Daniela Ackerman llevaba
cara de mala leche. Tampoco a ella la investigación le iba
demasiado bien. El cuadro de Frida Kahlo continuaba sin
aparecer.

Figueroa le clava sus ojos duros antes de que la chica
se cuele en el despacho del inspector Machuca. Necesita
verlo urgentemente. Hay una serie de datos que le bailan
en la mente, un puñado de piezas que no había manera de
hacer encajar en un *puzzle* diabólico. Por ejemplo, no terminaba de ubicar al padre Zanetti. Le parece una figura
resbaladiza. Poco a poco, los continuos ataques a los altares de la Santa Muerte lo han ido colocando, pero para
Daniela Ackerman es un personaje con demasiadas sombras alrededor. A su parroquia la siguen llamando la iglesia de los narcos. No entiende por qué.

—¿Por qué?

El inspector Machuca la recibe recostado en su asiento. Se le ve con mala cara. No tiene ganas de responder preguntas, y menos si son relativas al padre Zanetti.

—Verá. Aquí uno está arriba o abajo, de un día para otro. Un día duermes en un colchón lleno de pesos; y al día siguiente, sobre el raso con el que se forran los ataúdes. El cura estuvo arriba; y ahora, abajo. Es como la bolsa, sube y baja. Así de simple.

—Eso es una obviedad. ¿Cuál es la razón?

Machuca no puede disimular la incomodidad que le produce hablar del cura. Si al menos tuviera un café a mano, pero hasta la máquina que hay junto a su despacho se ha roto.

Se incorpora bruscamente. Los huesos le crujen. Mira a Daniela, sin mirarla. Se concentra en sus pensamientos durante varios segundos, meneando negativamente la cabeza. Después, vuelve a sentarse.

—Le voy a hacer una pregunta. ¿Es posible que la Santa Muerte tenga comandos itinerantes por todo el mundo?

Machuca se queda paralizado. Estudia a Daniela como si quisiera comprobar que ella también le daba a la bebida.

—Seré más explícita. Mi jefe en Madrid ha tenido que pagar a los carpinteros una factura muy alta. Un tipo entró a su despacho y lo puso patas arriba. Y dejó como regalo una imagen de la Santa Muerte.

El inspector sigue sin reaccionar. No entiende nada.

—Creo que a la Santa Muerte no le gusta que yo esté buscando ese cuadro de Frida Kahlo.

—Nunca pensé que usted, usted precisamente, se sugestionara de tal modo que acabara creyendo en la Santa Muerte.

Daniela sacude la cabeza con violencia. No, no creía en ella, pero no le costaba imaginar la mano del Zar detrás de todo aquello. Soldados de la Fe. Tener a un tipo preparado para actuar en Madrid le costaba menos que el mantenimiento semanal de su impresionante piscina. Y ¿por qué había ido directo hacia el *dossier* de Frida Kahlo?

—No tengo ni idea de comandos internacionales, ni de nada por el estilo. Pero le contaré algunas cosas para que vea que no soy tan mal policía.

—Adelante, inspector.

—Preste mucha atención. Le voy a dar una información por la que la mayoría de periodistas de México darían unas cuantas nóminas. En efecto, hubo un tiempo en el que el padre Zanetti tuvo, no buenas, sino excelentes relaciones con los narcos. Ya ve cómo le dejaron la iglesia, no le falta de nada, ni aire acondicionado —y Machuca se limpia una gota de sudor que le corre por la frente—. Al Gobierno le pareció mal. Lo atacó públicamente hasta que se dio cuenta de que era él, sí, el padre Zanetti, un cura, el hombre que necesitaban, que había que negociar con los narcos. Eran demasiados muertos. Y más que llegarían. Y el mejor mediador era el cura. Las negociaciones, la verdad, fueron un éxito. De vez en cuando aparecía algún muerto en el Distrito Federal, tirado en alguna cuneta, a las afueras, pero vamos, poca cosa. Todo el mundo aplaudió la gestión, todo el mundo estaba contento, menos Roma. Y entonces, se produce el asalto a esa galería de arte.

Suena el teléfono. El inspector levanta el auricular. Inventa una excusa y cuelga. Por primera vez, Daniela está pendiente de él. Tiene que aprovechar ese momento. Machuca espera no arrepentirse de las palabras que le queman en la lengua.

—Usted dice que se llevaron un cuadro de Frida Kahlo. No tengo ni idea. A mí no me interesan las pinturas, sino los vivos que dejan por ahí muertos. Y al galerista lo dejaron irreconocible. Y lo peor: el galerista tenía muchos amigos periodistas en el DF. Su cuerpo acribillado estuvo en las portadas muchos días. Hubo una filtración: habían aparecido casquillos de AK-47 en Babel. Y todos los dedos empezaron a señalar al Zar. Eso era un disparate. ¿Qué hace un narco en una operación de robo de obras de arte? No hay ningún caso en la historia de México. Es más, conozco de sobra al Zar como para asegurarle que jamás se ha interesado en su vida ni en cuadros ni en libros ni en nada de eso.

—Sigo sin entender. Oigo la música, pero no la letra.

Machuca mira a Daniela con aire satisfecho. Saborea el momento. Por vez primera, la tiene a su merced. No sabe lo que va a ocurrir a partir de ahora. Si lo que le estaba contando haría que lo mirara de otro modo, o si le costaría acabar como el galerista, con más agujeros en el cuerpo que un colador, pero se siente envalentonado. No le tiene miedo a nada. Lo único que temía era contarle a Daniela más de lo que debía. Así que se frena.

Ella aprovecha la interrupción para meter la mano en el bolso. Machuca piensa que va a extraer un paquete de cigarrillos. Pero no. Saca un libro. Se lo pone delante.

—¿Qué es esto?

—Parte de la producción del padre Zanetti.

—¿Y oye por fin la letra?

—Aún no. Solo música.

El inspector no mira con sorpresa el libro que había logrado recuperar Daniela. Como si supiera de su existencia. O estaba interpretando un papel, o el inspector había abierto alguna vez en su vida ese libro que llevaba siete años perdido por el mundo. Machuca se dedica durante unos segundos a pasarle sus dedos rugosos, sin abrir la boca.

—Ahora le voy a dar información yo, querido inspector. El padre sabía de la existencia del cuadro de Frida. El capítulo tres está dedicado íntegramente a él. Primero explica la relación entre Frida y Trotsky, luego habla de un cuadro del que jamás nunca se supo. Hasta que él se pone a investigar. El cuadro, según cuenta el padre en su libro, estuvo dando tumbos mucho tiempo después de que hubieran incinerado a Frida Kahlo, hasta que apareció. ¿Dónde? En el Huarache, un cine porno del Distrito Federal, el primero que abrieron en la década de los 70.

A Machuca la información no le produce el menor efecto, ni siquiera la historia del cine porno. Simplemente asiente con la cabeza. Daniela no sabe si odiarlo por esconderle todas esas semanas datos que hubieran hecho avanzar su investigación o pedirle que le acompañe a entrevistar al padre.

—¿Cómo ha conseguido este libro?

—Solo le diré una cosa. No estaba en la biblioteca.

Ahora en Daniela persiste ese sentimiento contradictorio respecto al policía. Le ayuda, pero, al mismo tiempo, le pone trabas. Por eso no está dispuesta a contarle en qué barrio de México DF se ha metido hasta dar con el hombre que lleva siete años sin devolver el libro que la biblioteca municipal le ha prestado. Y tampoco le va a contar que ese hombre lleva siete años muerto. La viuda no le supo explicar si murió, o lo murieron. Creyó que era una empleada de la biblioteca que venía a recuperar el libro. Se lo dio y punto.

El inspector Machuca echa un nuevo vistazo al libro que había escrito el padre Zanetti. Eso le da valor para contarle a Daniela más cosas.

—Según mis averiguaciones, es el cura el que informa al Zar del paradero de ese cuadro. A cambio, recibe dos bolsas de plástico. Es falso que el padre reciba tanto dinero en pago de su labor pastoral, de limpiar los crímenes del narcotráfico. El Zar se lo da como compensación a la información que le ha proporcionado el cura, que le dice dónde encontrar el cuadro. A continuación, el Zar lo roba, pero comete dos errores: primero, dejar un muerto en el camino, un muerto con amigos periodistas; y segundo, confiar en que el cura se tomará lo que han hablado como un secreto de confesión. La primera noticia aparece en *El Informador*, periódico próximo al PAN, o sea, del partido que le ganó las elecciones al Peje. En ella se cuentan detalles sobre las operaciones ilícitas que realiza el Zar. Son detalles muy precisos, tanto que son imposibles que el periodista más sagaz del mundo los descubra por sí solo. El Zar llega a la misma conclusión a la que está llegando usted ahora mismo: el cura le está pasando información al periodista. La noticia crece y crece, como le ocurre a todo en México DF. El Gobierno rompe relaciones con los narcos. La secretaría de Gobernación deniega la inscripción de la Santa Muerte. Y empiezan a aparecer mujeres en el *Monte de las hormigas.*

—¿Ese periodista era Freddy Ramírez?

—En efecto. Me sorprende que haya tardado tanto en darse cuenta. Su amigo no es trigo limpio.

—Y por eso intentaron acabar con él, ¿no?

—Sí, entre eliminar al padre Zanetti y al periodista, el Zar vio que lo más fácil era empezar por el segundo. En México un periodista de más o de menos es irrelevante. Nadie echa de menos a una cucaracha. Además, su amigo manejaba demasiada información y lo peor es que se estaba atreviendo a publicarla. Se obsesionó de tal manera con el robo de Frida que estuvo una semana entera publicando mierda. Y eso encabronó mucho al Zar.

—¿Y por qué no acabar directamente con la fuente de información, o sea, con el padre Zanetti?

—Por alguna razón, el Zar lo quería vivo. Lo cree inteligente y sabe que eliminar al periodista era un aviso suficiente para que el padre Zanetti no se fuera más de la lengua.

Daniela Ackerman se queda pensativa. ¿Por qué Freddy Ramírez le había estado ocultando todos esos detalles durante tanto tiempo? ¿Cuál era la razón por la que le obsesionaba tanto la figura de Frida Kahlo como para arriesgar su pellejo por ella? ¿Era solo deseo de publicar las mejores exclusivas o había algo detrás? Machuca parece leerle el pensamiento.

—Freddy Ramírez no es de fiar. Eso lo sabe todo el mundo en México. Lamento que usted se haya dado cuenta tan tarde.

Observa a Daniela. La mirada de ella ya no es de distancia. Nunca la ha sentido tan cerca. Y esa nueva sensación le hace decir cosas que jamás pensó que pudiera revelarle a nadie.

—¿Por qué me dijo que era cosa del guardaespaldas del padre? Que nadie salvo él podía gastar un 46 de zapato...

—Porque es verdad. Hacía de guardaespaldas del padre y de confidente del Zar. Pero el segundo trabajo lo hacía mejor.

—¿Mató a las chicas él?

—No. Él solo estaba allí para darnos una pista falsa. Para implicar al padre.

Machuca no sabe si mañana amanecerá con hormigas en la boca por contarle todo eso a Daniela. Pero al menos, por una vez, le está prestando atención. Por una vez no lo mira con asco.

Durante unos segundos los dos se quedan callados. Era mucha información para digerirla de golpe. Daniela se siente un poco aturdida. Hace mucho calor. Machuca nota como una gotitas finas de sudor le manchan el labio superior.

—Así que solo me queda encontrarme con el Zar —reflexionó en voz alta la detective.

—Eso parece. Le deseo mucha suerte.

Cuarenta y tres

O CURRIÓ EN LOS JARDINES DEL PEDREGAL. CORA bajaba de visitar a un cliente. Era un empresario brasileño que trabajaba de ejecutivo para una empresa de telefonía. Le gustaba porque le pagaba bien y acababa pronto. El servicio era rápido. Si él hubiera tardado más en correrse, Cora no habría visto lo que vio. Y lo que vio, tal como se lo estaba contando al inspector Machuca en su camerino, era una bomba.

—Era un hombre, así gordo, y andaba con algo de dificultad. ¡Ah! Y hubo una cosa que me llamó mucho la atención: llevaba un bate de béisbol en la mano, pegado al cuerpo, como si no quisiera que se lo viesen.

—¿Y estás segura que era esa dirección?

—Sin duda. Es un cliente fijo que tengo y ya he ido muchas veces a su casa. Está en una zona exclusiva. Muebles muy caros, coches alemanes, mucho silencio.

Cualquier otra cosa, cualquier otro cliente, no le habría provocado a Machuca sino un picotazo de celos. Le gustaba creer que Cora solo se acostaba con él. Pero aquí había tomate. En ese mismo edificio, a la misma hora en la que la bailarina le daba gusto al brasileño, se había producido el último ataque a un altar de la Santa Muerte. Había sido erigido por una vecina muy devota que apareció por la comisaría al día siguiente. La mujer, convertida en un mar de lágrimas, explicó que había salido a hacer un recado y que cuando volvió se encontró con el pastel. El inspector intentó consolarla. Pero no lo consiguió. A la mujer hasta le faltaba la respiración. Entre sollozos dijo que la Santa Muerte le había sacado a su hijo de la cárcel y que la Santita no le iba a perdonar que ella no hubiera evitado ese ataque. Machuca escuchó sin demasiada atención. Ahora sí estaba más pendiente de las palabras que le decía Cora. Se preguntó cuánto de verdad habría en ellas.

—¿No escuchaste ningún ruido mientras estabas en el piso del brasileño?

—No, al tipo le gusta hacerlo con la música a toda pastilla, hasta que las paredes retumben. Así se corre más rápido. Hubiera sido imposible oír nada.

Machuca gruñó. No estaba muy satisfecho de las explicaciones de la bailarina. Pero no tenía otras.

—Te dejo que te termines de arreglar. Dame cinco minutos.

—¿Para qué?

—Ahora te cuento.

El inspector bajó las escaleras. De nuevo se encontró con los ojos escrutadores de Félix posados en él. Se preguntó qué pintaba el pinchadiscos en toda aquella historia.

Dejó atrás el ambiente cargado del Manhattan y se fue caminando por una de las calles laterales. Eran ya las once de la noche y estaban cerrando una tienda Oxxo. Pero al inspector Machuca todavía le dio tiempo a entrar y comprar un ejemplar de *El Universal*. Ya lo había visto por la mañana en la comisaría. En deportes leyó decepcionado que la directiva del Cruz Azul no iba a echar finalmente al entrenador. Javier Clemente iba a acabar la temporada. Pero en este momento no eran noticias de su equipo las que buscaba el inspector. Machuca había recordado que había visto una foto que le podía ser útil.

Pagó y salió del Oxxo. Estuvo enseguida de vuelta en el Manhattan.

Iba a emprender el camino de vuelta a los camerinos, pero antes se acercó a la barra. Había descubierto un rostro conocido que alteraba el paisaje. Delante tenía una Sol recién abierta.

—¿Qué onda, Chino?

—Aquí, pasando el rato.

Machuca no sabía qué hacía el Chino allí, pero, conociéndolo, se jugaba el pescuezo a que andaba preparando alguna trastada. Se interpuso entre los dos un silencio que el Chino rompió llevándose la botella de Sol a la boca. Mientras que le daba un sorbo, Machuca se fijó en un detalle que nunca antes había captado: al Chino le temblaban las manos. El otro pareció leerle el pensamiento y dejó rápidamente la cerveza en la barra antes de hundirlas en los bolsillos.

—¿No está buena la Sol?

—¿Por qué?

—No sé, como he visto que la has soltado enseguida.

El Chino no le respondió. Le sostuvo la mirada sin atreverse a sacar las manos de los bolsillos. El inspector le hubiera apretado las tuercas, pero Cora lo esperaba arriba. Ya se ocuparía del Chino.

La encontró haciendo el último trámite del ritual que cumplía antes de salir a bailar: espolvorear purpurina por su cuerpo. Machuca apartó botes de cremas y pintalabios y desplegó el periódico, abriéndolo por la página de sucesos. El titular decía: "El Obispo apela a la guerra santa. Tepito se vuelve contra Roma". Debajo de la información venía una foto suya.

—¿Lo reconoces?

Cora examinó la foto distraídamente. En pocos minutos tenía que subirse a la tarima y solo estaba pensando en su número de baile. Quería cuanto antes perder de vista al inspector.

—¿Puede ser el mismo hombre que viste en la casa de tu amigo el brasileño?

La bailarina miró con más atención. No quería enfadar a Machuca, que le estaba clavando sus ojos inquisitivos.

—Sí, es el mismo, estoy segura. No había mucha luz, pero estoy acostumbrada a distinguir caras en la oscuridad, como si fuera un búho. Eso también me lo ha enseñado el Manhattan.

Machuca intentó creerle. Mis palabras son tan creíbles como mis orgasmos, recordó de nuevo el inspector que ella le había dicho, poco después de conocerse e irse a la cama. Pero, por alguna razón, esta noche optó por concederle crédito a lo que decía, por mucho que pareciera un disparate, así, en un primer momento. Sin embargo, analizado con más detenimiento, tenía lógica. El Obispo había escondido con sospechosa rapidez la revista especializada en béisbol que le trajo el cartero, temiendo que el inspector descubriera esa afición. Verlo con un bate en la mano no resultaba tan difícil de imaginar. No importaban las razones o los porqués. Como decía su jefe cuando él empezaba en esto de luchar contra el mal, México DF es para listos o para locos. En el DF no hay razones o porqués.

El Obispo no solo jugaba al béisbol de pequeño. De mayor también agarraba el bate para destrozar los altares de la misma religión que él defendía desde el púlpito.

Cuarenta y cuatro

La llamaron desde recepción. Había una persona que la esperaba abajo y que no había querido identificarse. Daniela Ackerman bajó de mala gana. Mientras que el ascensor la llevaba al número cero, sacó la conclusión de que no tenía deseos de ver a ninguno de los individuos que se había encontrado en el camino desde que llegó a México. Ni al inspector Machuca, con su olor a perdedor, ni al padre Zanetti, del que no sabía si era realmente un cura o un impostor, y mucho menos a Freddy Ramírez, que la había engañado. Lo único que le faltaba ya era toparse con Marcelo. Pero el hombre que la esperaba abajo era mucho menos guapo que su antiguo novio mexicano.

Estaba sentado en los sillones incómodos del *hall*. Daniela lo reconoció porque notó un par de ojos clavarse en ella. Era un hombre como encogido sobre sí mismo, de unos cuarenta años. Tenía poco pelo y sudaba copiosamente. Se levantó nada más verla.

—Me presento. Soy Aquiles Carcelén. Trabajo como secretario judicial en la oficina de la fiscalía de la Procuraduría General de Justicia de la República.

—Encantada.

—¿Podríamos hablar en un sitio más discreto? Aquí nos ve demasiada gente.

Ella no entendió lo que le decía. Aparte de dos empleados del hotel, no había nadie más. Paseó la mirada por la primera planta, buscando un lugar más tranquilo. Pensó que lo mejor era subir a la segunda. Allí había una cafetería que generalmente estaba vacía.

Cuando llegaron arriba, en efecto, solo estaba el camarero. El hombre rechazó la invitación a tomar algo. Se le veía nervioso, con ganas de salir de allí tan pronto como pudiera. Daniela se fijó en el cuello de la camisa. Lo tenía sucio y gastado.

—Cuénteme. ¿De qué me conoce? —preguntó Daniela mirándolo con curiosidad expectante. No se podía fiar de nadie.

—Sé que es amiga del inspector Machuca.

—Amiga es demasiado. Póngale que lo conozco.

—Bueno, no importa. Sé que está aquí en México buscando un cuadro. Y yo he venido a ayudarla.

—¿Cómo?

El hombre alzó el cuello y examinó la puerta de entrada a la cafetería. Le tenía miedo a algo o a alguien, eso saltaba a la vista. Pero el único que los vigilaba era el camarero, que ahora manipulaba la caja registradora.

—Cuando se produjo el incidente de la galería Babel, una cámara de seguridad lo grabó todo. Esa prueba hubiera sido clave en la investigación del robo y del asesinato, pero jamás fue incorporada al expediente. ¿Por qué? Porque la grabación se la quedó la fiscal Chacalita.

—¿Para qué?

—Eso es lo que ignoro. Lo único que sé es que la tuvo unos días en su despacho. Un día, rebuscando entre sus cosas, porque temía que hubiera hecho un informe negativo sobre mí, encontré dentro de un cajón un CD muy extraño. Lo había rotulado así: Frida. Me llamó la atención y le hice una copia en el ordenador antes de devolverlo. Nunca más volví a verlo por el despacho.

A Daniela la historia le pareció fantástica. No se imaginaba a aquel hombre apocado entrando en el despacho de la fiscal del distrito para hurgar entre sus papeles, en plan Humphrey Bogart en *El sueño eterno*. Pero quiso seguir oyendo su historia.

—Ese CD guarda todo lo que pasó en la galería ese día. Es una prueba contundente, se lo aseguro.

—¿Y por qué no se la dio a Machuca? Si sabe tanto de mí y de él, también sabrá que el inspector está investigando el caso.

—Porque no me fío. ¿Quién se fía de un policía aquí?

Daniela Ackerman asintió. El hombre tenía razón.

—Por eso prefiero dárselo a usted. Pero lo haré con una condición: que no diga jamás quién se lo proporcionó. Necesito preservar a toda costa mi anonimato. En este momento me la estoy jugando.

—Si es así, ¿por qué hace esto?

—Porque la fiscal es mala. No para de putearme, de humillarme públicamente, amenazándome constantemente con el despido. Ella es servil con los que están por encima y déspota con los que se encuentran por debajo. El día que entré en su despacho, aparte del CD con las imágenes del robo también encontré un escrito de tres folios atacando mi incompetencia. Pero la incompetencia es la suya. Ni siquiera ha sido capaz de investigar el robo de Babel. Y como sé que usted anda detrás del cuadro que se llevaron, prefiero darle el CD, para ver si se reabre el caso y la fiscal queda con el culo al aire. Y de paso, que haya algo de justicia en esta ciudad.

Daniela Ackerman recogió el CD que le daba clandestinamente el hombre, como si le pasara material de contrabando.

Cuando comprobó que estaba bien guardado en el bolso de la detective, el funcionario se perdió, con aires de fantasma.

Daniela Ackerman, superando a duras penas el desconcierto, volvió a su habitación. Quería comprobar el contenido de la grabación que le había entregado ese hombre tan raro llamado Aquiles Carcelén. Encendió el ordenador y se dispuso a ver las imágenes. Lo que vio en la pantalla le impresionó. Parecía como en las películas. El protagonista era un joven, casi un adolescente, que Daniela pudo identificar como el Toti. El inspector Machuca le había mostrado algunas fotos del pistolero del Zar antes de que cayera en la acción del banco. Aquí se le veía todavía vivo, haciendo travesuras, y la principal fue acabar con la vida del galerista, valiéndose de una figurita de la Santa

Muerte. Las imágenes eran clarísimas, aunque lo que no entendía era por qué la fiscal se había empeñado en guardarlas. Con esa prueba, meter al Toti en la cárcel hubiera sido tan sencillo como sumar dos y dos, pero había preferido no actuar. Eso era lo extraño.

La detective volvió a llamar a Freddy Ramírez. No tenía tiempo que perder y estaba demasiado enfadada como para esperar a conversar con él, cara a cara. La avenida Insurgentes estaba abarrotada de coches. El metrobús pasó por su carril, lleno hasta los topes de viajeros. La gente volvía del trabajo para iniciar un puente de tres días. Mañana era uno de noviembre.

La detective marcó un número. Esta vez Freddy Ramírez contestó al tercer toque. Estaba malhumorado.

—¿Cómo se le ocurre llamarme? Le dije que la gente que me rompió la pierna puede tener el teléfono pinchado. Y no me interesa que sepan nada de mí, ni de usted.

Ella ni se molestó en replicarle. Estaba furiosa después de lo que le había revelado el inspector Machuca.

—¿Por qué no me dijiste que el padre Zanetti te pasaba información?

—¿Información?

—Sí. Todo el serial que publicó usted sobre la iglesia de los narcos se la proporcionaba Zanetti después de que el cura rompiera relaciones con el Zar. De haberme dicho determinadas cosas sobre el padre, mi investigación habría avanzado más. Pero he tenido que esperar a que Machuca me las contara.

—No podía revelarle el origen de la información. Antes la muerte que la fuente, querida. Yo tengo mis principios, aunque no lo crea. Y también lo hice para protegerle.

—¿Protegerme?

—Sí, ya tenemos bastante con un tipo tirado en la cama con la tibia y el peroné hechos papilla. Aunque veo que eso no le apiada, a juzgar por el tono que está usando esta mañana conmigo.

—Está justificado. Tampoco me contó que el padre Zanetti también ha escrito sobre Frida Kahlo. Para un hombre que ama tanto a la mexicana como usted, que ha leído todo lo que se ha escrito sobre ella, me parece increíble que no conozca el ensayo que publicó el cura.

—¿Ensayo?

—Sí, no se haga el tonto. Se titula *El surrealismo y Frida*.

Se produjo un silencio de muchos segundos en la conversación. Daniela se imaginó al periodista removiéndose en la cama, sin saber dónde poner su pierna hecha cisco ni cómo detener las acusaciones de la detective.

—Pensaba que le tenía como aliado, que podía hacer una excepción. Pero con usted me he dado cuenta de que no se puede confiar en ningún hombre. Con ustedes, no hay excepciones.

—Cuando acabe todo esto, entenderá por qué tuve que guardarme alguna información.

—¿Sabe la sensación que tengo? Que he perdido el tiempo escuchando embobada las historias que me contaba del romance entre Frida y Trotsky, que no es más que eso, un folletín rosa. Y ahora el tiempo se me va acabando. Y lo único que sé es que una persona intocable tiene mi cuadro y que lo consiguió gracias a la mediación de un cura.

—Pues ya sabe lo que tiene que hacer: verlo de nuevo. Espero que le hable al padre Zanetti mejor que a mí. Ser bonita no le autoriza a emplear ese tono conmigo. Adiós, Daniela.

Y colgó. La detective se quedó confundida, con la sangre hirviéndole. La conversación con Freddy Ramírez no le había aclarado nada. Solo le había marcado el siguiente paso que tenía que dar. En efecto, igual no era mala idea visitar al padre Zanetti.

Pero, cuando salió del atasco de Insurgentes y se internó en Tepito, vio algo que la estremeció.

CUARENTA Y CINCO

HABÍA TANTA GENTE DENTRO DE LA PARROQUIA QUE nadie se fijó en la presencia de un policía como Figueroa. A las nueve de la noche, una hora antes del comienzo de la ceremonia, era imposible dar un paso.

El Obispo no esperaba otra respuesta de los fieles. Otros 31 de octubre, la misa que abría el Día de Difuntos había congregado a muchas personas. Hoy, simplemente estaban todas. Porque no era solo una misa, era una reivindicación. De la Santa Muerte, del barrio, injustamente atacado. Le habían intentado arrancar lo más sagrado: a la Santita. Por eso todo el barrio estaba allí dentro, buscando con los ojos al Obispo, que ahora estaba encerrado en su despacho, mirando con avidez la pantalla del ordenador. Zoila se ha asomado un instante. El Obispo la ha echado del despacho. No quiere que nadie lo interrumpa y menos ahora. Está a mitad de un correo electrónico que debe enviar con urgencia.

Cuando los fieles lo ven, con sus clásicas vestiduras de color verde, prorrumpen en una salva de aplausos. El

clima es casi de mitin político. Figueroa, encajonado entre
una señora con un tatuaje de la Santa en la espalda y un
chico que levanta una imagen de la Flaca más grande que
él, piensa en López Obrador, que ha vuelto a convocar a
sus votantes. Los quiere de nuevo el domingo en la plaza
del Zócalo. Pinche Peje, lo insulta Figueroa, moviendo los
labios.

Una mujer pasa a su lado ofreciendo un vaso de chocolate. Figueroa lo acepta. Dos personas atienden un inmenso recipiente del que no paran de salir vasos y vasos
de chocolate. Otros fieles regalan paletas y cigarros de marihuana en agradecimiento por los milagros cumplidos. El
Obispo observa todo satisfecho. Es la misa más importante del año, una auténtica fiesta, y debe haber regalos para
todo el mundo, porque los feligreses se han portado bien
con la Santa y la Santa les devuelve el favor. Figueroa huele a marihuana. Un hombre manipula un cigarro encendido y baña con su humo a un chico que lleva tatuada la
imagen de la Santa Muerte más grande que ha visto jamás
en su vida. Cuando acaba la operación, deposita lo que le
ha quedado de cigarro de marihuana junto a una Santita
hecha de madera, que ya ha recibido otros regalos: una
botella de tequila y tres billetes de cien dólares. El Obispo
intercambia una sonrisa cómplice con Zoila. Dos mona-
guillos, vestidos de gris, lo escoltan. La ceremonia está a
punto de empezar.

La voz poderosa del Obispo llena la parroquia. *¡Se
ve, se siente, la Santa está presente!* La techumbre de ura-
lita del santuario hace que los cánticos resuenen con
fuerza.

—¡Y Cristo, que es Dios por los siglos de los siglos!

Figueroa dice amén. No presta atención a la primera lectura de los Evangelios. Prefiere fijarse en el esqueleto de la Santa Muerte, alzado en su altar, completamente vestido de blanco, como nunca había visto así a la Santita. Bella, y al mismo tiempo, terrible. Un viejecito con los dos brazos cortados está arrodillado frente a ella. Figueroa no necesita acercarse mucho para darse cuenta de que le está hablando.

El Obispo reclama desde el púlpito una oración.

—Pidamos por nuestros hermanos presos, porque pronto encuentren el camino de la libertad.

Inmediatamente empieza la homilía.

—Me alegra veros por aquí, a todos. Por un momento llegué a pensar que el número de nuestros enemigos era tan grande que no podríamos con ellos. Cuando los ataques a los altares de la Santa fueron constantes y continuos, temía que nos estuviéramos quedando solos, pero poco a poco me he dado cuenta de que solo tenemos un enemigo. Lleva sotana y viene de Roma.

En la parroquia se oye un murmullo de aprobación.

—Ese enemigo, con la complicidad de un Gobierno que se niega a reconocernos, ha violado hasta siete altares de la Santa Muerte. Pero no vamos a combatir el mal con el mal. Por eso difaman los que nos han querido colgar lo de las pobres difuntitas. ¿Quiénes somos nosotros para vengar ataques a la Santa? No somos nosotros, ni tampoco ella, quien debe actuar, sino el ángel de la Santa Muerte como ejecutor de la voluntad divina y, si algo ocurre este Día de Difuntos, es porque el ángel cumplió una orden de Dios.

Figueroa intenta leer entre líneas. Pero está tan aturdido, apretujado allí dentro de la parroquia, que le cuesta trabajo hasta respirar. Y mucho más imitar a la gente que le rodea que, al acabar el padrenuestro, se persigna con la vela que llevan encendida, para terminar besándola por la parte en la que está impresa la imagen de la Santa. Mientras lo hace, Figueroa le pide que, por favor, le ayude a encontrar al asesino de las muertitas del desierto, que sea él quien dé con ese cabrón.

El reloj marca las once y media de la noche. Figueroa ha recibido, igual que el resto de creyentes, una manzana que sustituye a la hostia sagrada en la ceremonia católica. La muerde con desconfianza. El Obispo llega al momento de la eucaristía y pide a continuación a los fieles que junten sus manos para darse la paz. Figueroa ve cómo la señora que lleva el tatuaje de la Santa Muerte en la espalda le estrecha su mano. Luego la levanta y la agita antes de rozarla con un brazo de la persona que tiene más cerca. La escena se repite en toda la parroquia acompañada por las palabras del Obispo desde el púlpito: *Mi mano está llena de tu bendición*.

El bullicio sigue hasta el final de la ceremonia. El silencio solo se hace cuando el Obispo se acerca al altar y le dirige unas palabras a la Santa. Son palabras que nadie oye, solo la Santa Muerte, que empieza a moverse, sostenida en su trono por varios fieles que llevan el pecho desnudo, lleno de tatuajes.

El Obispo consulta el reloj. Parece satisfecho con la información que le transmiten las agujas.

A esa hora ya ha debido de llegar el correo electrónico que ha mandado.

La imagen de la quinta muchacha muerta ha aparecido en la pantalla a las doce en punto de la noche del Día de Difuntos. A esa hora el inspector Machuca debía de estar viendo el último resumen informativo que emite Televisa. Le gustaba irse a la cama conociendo las novedades deportivas que había deparado el día. Pero lo único que tiene encendido es el ordenador. La máquina le marca la fecha: uno de noviembre. El inspector no se fija en eso. Toda su atención está puesta en la muchacha.

La reconoce.

Es Cora.

La pobre desgraciada, luchadora hasta el final, había estado forcejeando con su asesino durante un minuto largo. Pero el desenlace había sido el mismo de siempre, estrangulamiento, con la diferencia de que, ahora sí, el inspector se siente terriblemente impactado. Apenas puede soportar la imagen que le muestra la cámara, un primer plano de las manos de un hombre. Sujeta una aguja. Los dedos empiezan a manipularla, profesionalmente. Dos o tres veces Machuca está a punto de apartar la vista del ordenador. Se le revuelven las tripas. Afortunadamente, el tatuador es rápido. La figura de la Santa Muerte queda dibujada en pocos minutos en la piel suave de Cora. Machuca ya sabe qué es lo que sigue. Lo ha visto muchas veces, pero ninguna como esta. Sobre el pecho desnudo de la chica unas manos velludas depositarán la tarjetita. En nombre de Dios. Y la imagen morirá, fija en esas palabras, por debajo, a modo de subtítulo, unas palabras troceadas. *Me obliga el diablo.*

Machuca se pregunta por qué Dios, o el que sea, siempre se lleva a los buenos, nunca a los malos. Por eso le robó a su hija, por eso le ha quitado a Cora. Ahora solo le queda Daniela.

El inspector siente que se ahoga. Sale a la calle. Nota el ambiente cargado por algo extraño y no es la humedad densa que transporta el aire. Tiene que caminar varios minutos para darse cuenta de lo que pasa. Es el silencio, ese silencio denso, pesado, que se ha hecho dueño de la noche. No se oye el petardeo de un coche, ni el ladrido de un perro, ni las músicas festivas de cualquiera de los garitos que abren hasta las tres de la mañana. A Machuca le entra sed, ese silencio le ha dado sed. Se acuerda de la barra del Manhattan. Le apetece una Sol, beberla mientras ve bailar sobre la tarima a Cora. Se acerca al *pub,* dando fuertes zancadas que le sitúan enseguida en la calle sucia en la que está situado el Manhattan. Busca su característico neón azul, pero no lo encuentra. El inspector cree que se ha equivocado de calle. Está a punto de volver sobre sus propios pasos, pero advierte que no está en un error. El único error es que el Manhattan tenga sus luces apagadas el Día de Difuntos.

No hay bullicio, no hay voces, no hay músicas. Solo hay silencio. Oye sus propias pisadas.

Aunque lo intenta, no puede dejar de pensar en el cuerpo destrozado de Cora. Es una muerta más, pero no cualquier muerta: la quinta. Machuca se reprocha haber caído en esas cavilaciones esotéricas. ¿Qué más da si es la quinta, o la decimoquinta? Ya nada se podía hacer por ella.

Machuca nota que le falta el aire, que no le entra en los pulmones. Se detiene en seco.

El silencio de la noche queda interrumpido por un murmullo que llega muy apagado. Machuca cree por un momento que es una ilusión de sus oídos, pero no. El murmullo crece.

Machuca husmea el rumor. Apura el paso. Ahora está completamente seguro de que lo que oye es real, tan real como la cabeza de su hija Lucía abierta como un melón sobre el asfalto, o la imagen de la piel tatuada de Cora, también muerta para siempre. Ha cruzado varias calles. Está tan cerca que el murmullo se ha despedazado en una oración que se repite monótonamente. *¡Gloria, gloria, aleluya, la Santa avanza ya!*

Machuca dobla la esquina. Lo que ve le hace comprobar que lleva su pistola cargada.

Son muchos hombres y sostienen velas encendidas. Son tantas que parece que se ha hecho de día, creando un círculo de luz en torno a la figura central.

Y allí está ella, vestida de novia, elevada sobre el trono, totalmente de blanco. La Santa Muerte.

La acompañan en el trono el rojo de miles de claveles y el naranja del cepanzuchitl, la flor de muertos.

A Machuca le late fuerte el corazón.

Los hombres pasan a su lado, pero no parecen verlo. Lo ignoran. Solo están pendientes de que no se apaguen las velas que llevan encendidas y de que la Flaca siga su camino guiada por el Obispo. Varios hombres situados justo delante del trono avanzan de rodillas, como haciendo penitencia. Machuca contempla cómo a la procesión se van sumando, desde todas las calles, afluentes compuestos por mujeres, niños, incluso Figueroa, al que descubre cuidando de que no se apague su vela. Y ni siquiera eso parece sorprender a Machuca. Desde hace un mes en Tepito no ocurre nada normal. Aquello, por tanto, no le pilla de sorpresa. A fin de cuentas, Figueroa siempre ha sido raro.

Toda la ciudad parece que quiere unirse a la fiesta. Machuca piensa en el padre Zanetti. Si el padrecito viera aquello, se convencería de que hay una crisis de fe. ¿Cuántos católicos se habían pasado al otro bando? ¿Cuántos habían cambiado a la Iglesia romana por la Santa Muerte? A juzgar por lo que estaba viendo, todos. Machuca detiene los ojos en el costoso manto que cubre la Santa Muerte. ¿Sería él alguna vez capaz de rezarle? No. Una vez ya creyó en algo, pero su hija está muerta. Ya no cree en nada. Por eso se siente estúpido, por segunda vez desde que abandonó la casa. Da media vuelta. Y entonces la ve.

Hay alguien que está más rezagado, quizá espiándolo. Es Daniela Ackerman.

Lo mira sin sorpresa. Machuca piensa preguntarle qué diablos hace usted aquí. Pero se frena antes de formular la pregunta. A él también podían hacérsela y no sabría qué responder.

Se miran a los ojos. Machuca se da cuenta de cómo en el rostro de ella han asomado signos de cansancio. Él también se siente tremendamente cansado. Sí, aquello de las bailarinas está destrozándolos a los dos. Desde que las descubrió, por muchos esfuerzos que hiciera, no podía ser indiferente a nada. Ni al amor ni a la muerte. Le dirige una sonrisa tímida. Pero ella no se la quiere devolver.

395

Simplemente le adelanta. No quiere que la procesión la deje atrás.

Machuca se pone de nuevo a su altura. Puede aspirar el perfume de su pelo, recogido esta noche en una cola de caballo.

—¿Sabe a dónde se dirigen?

El inspector se encoge de hombros. Daniela responde a su propia pregunta.

—A la parroquia del padre Zanetti.

Machuca se queda callado durante unos segundos. Daniela interpreta ese silencio como una demostración de que el inspector no tiene ni idea de por qué tanta gente está ahora acompañando a la Santa Muerte, y no descansando en sus casas o llenando garitos de mala muerte como el Manhattan.

—Ha comenzado el Día de Difuntos. Quien crea en mí, no morirá para siempre, dice Jesús. Es la celebración de la vida. Esta procesión es la celebración de la muerte.

Machuca no entiende absolutamente nada. Daniela le habla exactamente igual que alguna vez le ha hablado el Obispo, que sigue encabezando la extraña procesión.

A lo lejos ya se divisa la parroquia del padre Zanetti.

CUARENTA Y SEIS

EL INSPECTOR MACHUCA ESTABA YA UN POCO CANSA-do de anónimos. Primero había sido esa escueta nota aparecida sobre los esqueletos de la Santa Muerte: en nombre de Dios. Y ahora tenía sobre la mesa de su despacho otro mensaje: *el asesino es mujer*. Había llegado a la comisaría dentro de un sobre de burbujas que no contenía nada más, solo eso.

En cualquier otra situación, el inspector lo habría mandado al departamento de grafología para que analizaran allí la intensidad del trazo o la altura de cada letra, aunque fuera para que la evaluación científica demostrara que se trataba de la broma de un loco. Pero en vez de eso cogió el papel donde iba el mensaje, lo hizo trizas y lo tiró a la papelera. ¿A quién se le había ocurrido que era una mujer la que estaba matando a las bailarinas? No iba a prestarle atención a tonterías como aquella.

Tenía cosas más importantes de las que ocuparse. Por ejemplo, hace tres días que le había llegado un informe. Se lo había pedido a la sección de delitos informáticos. Machuca no había hecho muchos amigos en la profesión, pero uno de ellos trabajaba ahí, en pleno paseo de la Reforma, al lado del hotel Imperial. Era un tipo serio, pero eficiente, que tenía nombre de tipo serio y eficiente. Se llamaba Fonseca. Consideró que era el momento de echarle un vistazo a lo que había escrito.

Figueroa lo ayudó a descifrarlo. Fonseca había recopilado la dirección IP de todos los ordenadores desde los que se habían colgado las imágenes de las bailarinas muertas. El asesino jugaba al despiste y había utilizado hasta tres máquinas distintas.

La primera dirección correspondía a un ordenador situado en un cibercafé próximo a la parada de metrobús en Chilpancingo. El individuo que lo atendió no supo o no quiso darle mucha información. A su local entraba una media de doscientos clientes cada día. Darle una descripción de cada uno de ellos era imposible. Machuca miró a Figueroa. En efecto, poco más podían sacar de allí. La única posibilidad era colocarse delante de un ordenador y esperar a que pasaran las horas para que apareciera alguien que pudiera, por su pinta, por su nerviosismo, resultar sospechoso. Dar con una aguja en un pajar seguro que sería más fácil.

La segunda dirección que venía en el informe de Fonseca era de otro cibercafé. Tampoco tuvieron mucha suerte. Estaba de bote en bote. Un montón de chicos, casi todos adolescentes, tecleaban frenéticamente delante de las pantallas de los ordenadores. La clientela era exclusivamente menor. Al inspector se lo confirmó un puesto de golosinas que el dueño del ciber atendía al mismo tiempo que controlaba los minutos de uso de cada ordenador. Allí no había mucho que rascar, le dijo Machuca a Figueroa. No le parecía que entre esos chiquillos pudiera estar el asesino. Le preguntó al dueño por última vez si había visto un rostro raro, sospechoso, de un adulto, en las últimas semanas. El otro negó con la cabeza mientras le vendía a un chaval, que llevaba una gorra calada al revés, tres palitos de regaliz y unas nubes de algodón.

—¿A dónde vamos ahora? —preguntó el inspector.

—Al parque Melchor Ocampo, en la delegación Cuauhtémoc —respondió Figueroa leyendo la última dirección que venía en el informe.

Machuca dirigió el Mustang hacia allí, desganado. Se sentía muy cansado, con pocas esperanzas. Si no fuera porque quería darle una sorpresa a Daniela Ackerman descubriendo al asesino, habría dado media vuelta y hubiera tirado para su casa. Necesitaba dormir por lo menos doce horas seguidas.

Cuando Machuca aparcó el coche se dio cuenta de que había estado allí antes. No era exactamente un cibercafé, sino una mezcla de cafetería y confitería que ponía a disposición de sus clientes un par de ordenadores por si querían consultar Internet. El sitio se llamaba Café de París. Tenía una particularidad: el dueño se dedicaba a hacer fotos a todas las parejas que cruzaban la puerta del local y luego las colgaba en la pared, a modo de álbum de visitas. El hombre se llevó una sorpresa al ver al inspector Machuca y se dispuso a atenderlo con deferencia.

—Inspector, ¡cuánto tiempo sin verle por aquí!

—La ciudad, la ciudad me absorbe. Demasiados muertos y todos me caen a mí.

—Pues todavía tenemos esos dulces de chocolate y trufa que tanto le gustan.

Figueroa miró con estupor a su jefe, como si le hubiera revelado que era homosexual y que solo le iban los tíos. Acababa de descubrir uno de los secretos mejor guardados: el inspector era goloso.

—No tengo tiempo de merendar.

—Lo echo de menos, inspector. Por cierto, hace unos días estuvo por aquí su amiga y se dejó esto.

—¿Amiga?

—Sí, esa que siempre llevaba los vaqueros tan ceñidos.

Figueroa intercambió con el inspector una sonrisa pícara. ¿Quién era esa amiga a la que llevaba su jefe a merendar pastelitos de chocolate y trufa?

Machuca agarró lo que le daba el otro. Era un lápiz informático.

—No se preocupe. Yo se lo daré.

—Está muy cambiada su amiga. ¿Se ha puesto silicona en los labios, no? Y todavía tiene peor carácter que antes. Me montó un pollo porque me demoré un poco en traerle otro tequila. Porque su amiga le pega duro al Herradura. Bebe como un hombre.

Machuca asintió. No tenía ninguna razón para llevarle la contraria al dueño de la confitería. Además, su mente estaba trabajando a toda velocidad. Es verdad, él había estado allí varias veces con Chacalita en el Café de París. Fue poco después de la muerte de su hija. Se sentía tan solo que aceptaba cualquier compañía, incluso la de la fiscal. Luego llegó el episodio de su piso en Chapultepec, con aquel polvo a medio rematar, y jamás volvieron a la confitería, o mejor dicho, él no volvió. Ella parece que sí.

El inspector balbuceó alguna excusa ante el dueño del local, que insistió en servirle los dulces de chocolate y trufa, y salió a la calle. En la mano llevaba el *pendrive*. Miró a Figueroa. No supo si pensaba lo mismo que él, pero Machuca lo tenía claro: ahí dentro, en ese pequeño aparatito, podía ir la resolución del caso del *Monte de las hormigas*.

Durante el viaje de vuelta a la comisaría, Machuca no habló con Figueroa, a pesar de que su ayudante estaba extrañamente locuaz y le quería dar conversación. Lo dejó en su casa y se fue directamente a la comisaría. A esa hora, las diez de la noche, solo había un agente de guardia. Lo saludó con un gesto breve antes de perderse en su despacho.

Encendió el ordenador, que tardó en arrancar. Era un trasto viejo, pero al final le pudo insertar el *pendrive* y abrió una carpeta. Estaba llena de fotos de hombres desnudos en posiciones insinuantes. El inspector creyó reconocer la cara del Chino en una de ellas, pero descartó la idea por disparatada. Prefirió seguir rastreando por otros archivos que contenía el *pendrive*. Halló un icono, y el inspector pinchó encima y encontró hasta cinco archivos. Fue revisándolos, uno a uno, y todos eran iguales. Coincidían en su brutalidad atroz, en la violencia abominable que Machuca ya había visto en Internet desde que apareció la primera imagen colgada. Ahí estaban. Ivonne, Jacqueline,

Veronique, Johanna, Cora. Y todas iban acompañadas por la maldita frase, *Me obliga el diablo*.

La fiscal, la fiscal de la Procuraduría General de Justicia de la República, la pobre fiscal Chacalita, la borracha Chacalita, había llegado muy lejos, mucho más lejos de lo que nadie, ni siquiera ella, pudo jamás imaginar.

Ahora solo faltaba detenerla.

CUARENTA Y SIETE

EVELYN LLEVA TANTOS DÍAS ENCERRADA EN CASA QUE le cuesta reconocer las calles que tantas veces ha pateado. El hedor a podredumbre le parece incluso más intenso que nunca, hasta hacerse insoportable. Así que aprieta el paso. Tiene que hablar cuanto antes con el padre Zanetti. Le han dicho que es generoso, que es muy comprensivo, que escucha a las personas. Ella nunca ha hablado con él, pero es el momento. No ha hablado con él porque nunca se había atrevido siquiera a pisar su parroquia. Toti se lo impedía, le decía que solo podía rezarle a la Santa Muerte, pero Evelyn no le hacía caso en todo a Toti y, cuando él se iba a matar gente por ahí, ella le pedía a Dios que lo cuidara. Y que también cuidara de ella.

Todavía es de noche y las pocas luces que hay encendidas le descubren a Evelyn un paisaje desolado. Montoneras de basura se alinean en las aceras, sin que nadie se interese por ellas. Un coche pasa a su lado y el conductor le suelta alguna obscenidad. Se sorprende de que haya gente despierta a esa hora casi de la madrugada. Hasta en eso ha cambiado el barrio, que ni siquiera se concede unas horas de tregua durante el sueño. Ahora trabaja las veinticuatro horas del día. Evelyn tardará aún seis montones de basura más en darse cuenta de que hoy es el Día de Difuntos. Día de fiesta, día en el que no se duerme.

Cae en la cuenta de que el padre Zanetti igual estará durmiendo. Son ya pasadas las doce y no podrá atenderla. Pero Evelyn no puede esperar a que se haga de día. No puede esperar ni un segundo más, sobre todo después de la última visita del Chino. Fue a eso de media tarde. Venía con una alegría nueva. Entró en la casa en la que vive Evelyn con una botella de champán.

—Venga, que hay algo que celebrar. He hecho un trabajo perfecto, ya verás, a partir de ahora vamos a vivir como reyes —le dijo.

Iba tan contento que hasta parecía que ya hubiera descorchado otra antes. Pero ni siquiera esperó a abrir esta botella para compartirla con Evelyn. La empujó a la cama y la desnudó violentamente. Evelyn se dejó hacer, porque sabía que no tenía otra salida, no había otra escapatoria. El Chino se entusiasmó tanto que ni siquiera pudo darse cuenta de que Evelyn lloraba, lloraba, intentando que él no lo notara. A cada nueva embestida salvaje del Chino, le llegaba el pensamiento de Toti. Su cuerpo descoyuntado, su risa espontánea, capaz de aparecer en cualquier momento, sin que nadie, ni siquiera el propio Toti, la esperara. Evelyn tensó los músculos, pero no de placer, como sin duda pudo interpretar el Chino, a punto de reventar dentro de ella, sino de miedo, de terror a Dios, que seguramente la castigaría por aquello. Le estaba faltando el respeto a un muerto, le estaba siendo infiel, con su mejor amigo además. Porque ¿era su mejor amigo, no? Evelyn cerró los ojos para no contemplar el espectáculo del Chino boqueando, preparando un alarido final. De buena gana se hubiera tapado también los oídos, pero la culpa no era de él, sino de ella, se reprochó. Sintió asco, por sí misma, y necesidad de ir al baño. Pero sabía que ni estando tres horas encerrada en él podría limpiarse de tanta suciedad con que la estaba manchando el Chino, con la que ella manchaba a Toti, estuviera donde estuviera.

Ahora también notó cómo unas gotas de sudor le empapaban el cuerpo. Pero no eran las del Chino, eran suyas. Llevaba más de media hora caminando a un ritmo fuerte. Corría para llegar cuanto antes a la parroquia, para descargarse de esa culpa que la agobiaba, pero también para alejarse de ese sonido que parecía haber tomado las calles de Tepito, más omnipresente aún que el olor a basura que todo lo invadía. Los rezos eran persistentes. Por un instante, en la intersección de Toltecas con Granada, pudo apreciar la imagen de la Santa Muerte, elevada sobre un trono que sostenía un grupo de hombres. Alrededor, una nube de fieles, ajenos a todo, solo pendientes del avance de la Santa y de que no se apagaran las velas que llevaban encendidas desde que salieron de la casa en la que vivía la Niña Blanca. Ni siquiera repararon en Evelyn. Por un momento pensó que el Chino podía estar también ahí. Temió que la viera, a esa hora, sola por la calle. Evelyn empezó a correr.

Cuando entró en la parroquia era aún de noche. Pero el padre Zanetti parecía esperarla. Lo encontró arrodillado en un banco. Aguardó a que terminara de orar para acercarse a él. Entonces sus ojos se cruzaron. Él no se sorprendió por aquella visita a esas horas.

—Buenas noches, padre. ¿Puedo confesarme?

El padre Zanetti tenía el pelo alborotado, como si hubiera vuelto hace nada de una fiesta, o como si hubiera pasado una mala noche. Evelyn pudo leer en sus ojos que estaba preocupado por algo. Tenía unas ojeras muy profundas. En una esquina se movió una sombra que permanecía agazapada. Evelyn distinguió la figura de un hombre tan alto que hasta llegaba a los altavoces que había colgados en las paredes.

El padre Zanetti pidió que la acompañara. El confesionario estaba a unos pocos metros. Antes de que el cura se colara en él, aún pudo ver Evelyn cómo se movía la sombra de ese tipo alto a la manera que lo son los gigantes que aparecen en los cuentos infantiles. Estaba completamente segura de que andaba espiándola y sintió que también podía oír lo que le iba a decir al padre. Por eso escogió el tono más bajo para hablarle, tan bajo que apenas era audible incluso para el cura.

La confesión fue larga, dificultosa. Evelyn la interrumpió varias veces con un llanto copioso que no tenía forma de detener. El padre Zanetti aplicaba el oído a la celosía, pero todo era muy difícil, hasta que se hizo imposible. Y no porque Evelyn hablara en un hilo de voz sin vida, sino porque desde la calle empezó a llegar un murmullo creciente. Al padre Zanetti no le hizo falta abandonar el confesionario para darse cuenta de lo que estaba ocurriendo. Era el Día de Difuntos. Había que sacar en procesión a la Santa Muerte.

Las informaciones que le habían llegado eran correctas. No lo habían engañado. Los seguidores de la Santa Muerte estaban ahí, a unos metros de él, desafiándolo con sus rezos y oraciones, la figura satánica de la Santa Muerte a unos pasos de la casa de Dios. Los rezos se hicieron tan fuertes que incluso el padre Zanetti creyó que iban a allanarla. Comprobó que llevaba, oculta en la sotana, la pistola *Star.* Si daban un paso más, estaba dispuesto a salir a recibirlos a balazo limpio. ¿Qué se habían creído? Durante un par de minutos estuvo considerando esa posibilidad. Pero intentó descartarla, mantenerse sereno. Tenía que acabar su tarea. Evelyn merecía la absolución. La miró y la sintió muy lejos de allí, Dios sabe dónde. Ahora hablaba en un tono alto, como si ella también quisiera apagar el rumor poderoso que llegaba desde la calle. Le pedía perdón a Dios, pero sobre todo le pedía perdón a Toti, le decía que tenía que perdonarla, igual que al Chino, tenía que perdonarlos a los dos. Y es como si ya hubiera olvidado que tenía, al otro lado de la celosía, al padre Zanetti, hablaba para sí, y para todo el mundo, a voz en grito. Y poco a poco la voz de Evelyn fue ganándole la partida al rumor que procedía de la calle, hasta quedarse sola. El trono de la Santa Muerte no fue empujado al interior de la parroquia. Giró en redondo y tomó rumbo hacia Tepito. Tenía que volver al barrio bravo.

Evelyn se calló como si también adivinara el viaje de vuelta de la Santa Muerte. ¿Le acompañaría también en ese viaje el Chino? Pensó de nuevo en él. ¿Qué es lo que había querido decirle ayer por la tarde con aquello que los dos iban a ser a partir de ahora muy felices, porque había terminado un trabajito que le iba a dejar mucho dinero para gastar, que el Zar se había portado de maravilla con él? Durante unos segundos solo se oyó la respiración acompasada de Evelyn.

Por las vidrieras empezaron a colarse los primeros rayos del día. Evelyn levantó la vista. Escuchó un fuerte ruido y miró arriba. Pensó que alguna vidriera había estallado, rota por una pedrada, arrojada por algún fiel de la Santa Muerte. Pero no, seguía allí, filtrando la luz del exterior. Entonces escuchó un sonido de tronco rajado, como si alguien estuviera arrancando a jalones los bancos de madera. Después, el primer estruendo. Luego, ya se quedó sorda, mucho antes que el padre Zanetti, que aún tuvo tiempo y conciencia para darse cuenta de lo que era aquello. Aquello era la guerra. Porque el mármol de Carrara estallaba como un grano de maíz colocado en la sartén, proyectándose hacia todos los sitios. Porque los bancos de madera de roble volaban por los aires, como pájaros desorientados, queriendo huir despavoridos de la parroquia. Pero era imposible. Porque las detonaciones eran constantes, una detrás de otra. El olor a pólvora lo ocupó todo. El padre rezó. *Venid en su ayuda, santos de Dios; salid a su encuentro, ángeles del Señor*. Rezaba y rezaba, sabiendo que ya no tenía nada que hacer, salvo eso: rezar.

Rezó por él y lo hizo también por Evelyn.

La buscó, pero ya no la encontró. Evelyn ya no era Evelyn; ya no era la hembra con las tetas bien puestas que todo el mundo quería tocar; ya no era la chica con la que soñó tantas noches el Chino, tantas como para volverse completamente loco y llenar de dinamita la parroquia del padre Zanetti porque quería tener un nuevo futuro con ella; ya no era la novia del Toti. Era más que eso. Era alma que se alza hacia la inmortalidad. *Y a nosotros, que lloramos su muerte, dígnate confortarnos con la fe y la esperanza de la vida eterna. Dale Señor el descanso eterno y brille para ella la luz perpetua...*

CUARENTA Y OCHO

MACHUCA LA ESPERÓ EN EL RELLANO DE LA ESCAlera. Sin levantar sospechas, logró convencer a un vecino para que le abriera la puerta de su edificio situado en la zona más exclusiva de La Condesa, junto a un palacete *art déco*. Esta visita no tenía nada que ver con la anterior que había hecho, poco después de la muerte de su hija Lucía.

Tomó el ascensor y llegó al tercer piso. La tuvo que esperar más de una hora. A la fiscal, por lo que se ve, le gusta trasnochar, pensó el inspector mientras jugueteaba con un encendedor que Daniela Ackerman se había dejado olvidado en su despacho. Desde ese momento se había convertido en su amuleto.

Llegó contenta, como si viniera de una fiesta. Pero la felicidad se le borró de la cara nada más descubrir la figura del inspector Machuca sentada en las escaleras.

—¿Qué hace usted aquí? ¿Acaso no tiene casa donde dormir? —preguntó ella metiendo las llaves en la cerradura.

—Quería verla.

—¿Y eso? Ya quedó claro hace mucho tiempo que entre usted y yo no habría nada. Tuve que estar muy desesperada para invitarlo a esta casa. Nunca ha merecido pisarla, inspector.

La fiscal estaba crecida. Tenía la cara que tiene todo el mundo cuando le han hecho bien el amor.

—Tengo que darle algo.

La fiscal empujó la puerta y encendió una luz halógena que iluminó el pasillo. Su silueta se perfiló sobre el parquet de su casa. Era una madera especial, de teca de Birmania, que a Chacalita le había costado un dineral. Brillaba como un espejo. Un sonido acústico le avisó a la fiscal de que había desconectado la alarma.

—¿Ha dicho que tiene que darme algo?

—Sí, una cosa que se olvidó en un cibercafé. ¿Se acuerda del Café de París? Usted bebía tequila mientras yo comía pastelitos de chocolate y trufa.

La fiscal frunció el ceño como si le hablaran de un pasado muy remoto. No, no le gustaba nada la visita del inspector Machuca. Y mucho menos cuando él abrió el puño y le enseñó una pieza pequeña, de color blanco: era un *pendrive* que ella echaba de menos. No tenía ni idea dónde se lo podía haber dejado olvidado, pero jamás pensó que alguien estuviera dispuesto a dárselo en mano, y menos Machuca. Ya lo creía perdido para siempre.

Chacalita lo miró aparentando sorpresa.

—Pensé que usted se conocía de memoria el Código Penal. Y ahí viene que matar está castigado con la máxima pena. Para saber eso no hace falta ni siquiera pisar la facultad de Derecho.

—¿Qué está diciendo?

—En un desfile de elefantes es muy difícil fijarse en las hormigas. Y eso es lo que me ha pasado a mí. He estado tan entretenido con todos esos elefantes que no he prestado atención a una hormiga, la hormiga que ha sido la que ha montado el lío y la que explica lo que ha pasado en esta ciudad últimamente.

—Pero ¿qué dice? Habla muy raro hoy.

—Que hasta un tonto como Félix es más listo que yo. Hasta él se ha dado cuenta de lo que pasaba antes que yo.

—¿Félix?

Pero el inspector no estaba ya para más discursos ni para más reflexiones filosóficas. Con un movimiento rápido rescató de la sobaquera una Magnum y apuntó con ella a la fiscal. Ella se quedó impávida, incluso relajada, como si tuviera claro desde hace mucho tiempo que tarde o temprano el inspector acabaría colocándole una pistola delante. Nunca lo había tenido por un hombre inteligente.

—¿Qué le habían hecho esas pobres chicas como para quererlas muertas, fiscal?

—¿Qué es lo que dice?

—Sí, me refiero a las cinco muchachas que han aparecido en el *Monte de las hormigas.*

—¡Ah, eso! Yo no he estrangulado a nadie en mi vida. Y jamás he tenido en mis manos nada parecido a una pistola como la que lleva usted ahora en la mano. Solo puedo ser culpable de haberle ofrecido mi amistad. Veo que no la ha valorado.

—Usted y yo nunca hemos sido amigos, fiscal.

—Dicen que los tiburones comen de todo, incluso a los de su especie. Hoy me estoy dando cuenta.

—No se confunda, Chacalita, yo no soy de su especie.

—¿Y por qué no aprieta el gatillo?

—Porque las bailarinas me lo impiden.

—¿Ha montado todo este número de venir a mi casa y enseñarme su pistola por culpa de esa puta de Cora? ¡No sabía que lo pasara tan bien con ella! ¿Por qué hace esto?

—Porque los muertos también se merecen una explicación.

—Los muertos no quieren explicaciones, solo paz. Y los vivos lo único que tenemos que hacer es dejarlos tranquilos.

—Esas chicas eran demasiado jóvenes para morir.

—Nunca se es demasiado joven para morir, inspector. Y usted que vive aquí en México DF trabajando de policía debería saberlo mejor que nadie.

—Que viva en esta ciudad de mierda no significa que yo me conforme con ella, ¿entiende?

Pero la fiscal no entendía nada. Ni entendía por qué Machuca no apretaba el gatillo y daba rienda suelta a su rabia ni por qué tantas sirenas de la policía se ponían a aullar al mismo tiempo, haciendo imposible su diálogo con el inspector, si es que Machuca y la fiscal habían sostenido alguna vez en todo este tiempo algo que se pudiera calificar de diálogo.

Una tropa de agentes, encabezada por Figueroa, llegó al tercer piso de aquel edificio lujoso de La Condesa, en medio de un estrépito de voces y botas de cuero.

La silueta de la fiscal se reflejó por última vez sobre el parquet esmeradamente encerado de su casa. En la muñeca llevaba dos esposas.

CUARENTA Y NUEVE

HABÍAN SIDO UNAS HORAS CARGADAS DE TENSIÓN para Machuca, en las que los acontecimientos le exigieron a su mente ir más rápida de lo que seguramente podía, y sin duda que alguna de las decisiones tomadas sería equivocada. Pero hecho estaba. Ya no había tiempo para arrepentirse. Se sentía muy cansado y todavía no había terminado todo el trabajo, aún tenía pendiente hacerle una visita a Sousa. Al menos, le debía una explicación y una disculpa. Haberlo colocado como sospechoso había sido injusto. Esperaba que se encontrara mejor de su afección pulmonar. Ojalá a partir de ahora las autoridades le prestaran más atención a Azcapotzalco. En definitiva, que la muerte de Cora y de las otras bailarinas hubiera servido para algo. Tan pronto como pudiera, hablaría con Sousa.

Cuando Daniela empujó la puerta de su despacho y descubrió la cara del inspector, notó que le habían caído encima diez años, de golpe. Y eso que su rostro se iluminó al ver la figura de la detective irrumpir en su despacho. Estaba particularmente bella.

—Buenas tardes. Y enhorabuena, ¿no?

Machuca se encogió de hombros, como si quisiera quitarse importancia, o no tuviera claro que lo que había hecho fuera lo correcto. La fiscal Chacalita había pasado a disposición judicial. Yeremi llevaba un par de días sin hacer un tatuaje. Y el Chino andaba prestando declaración a unos metros de ellos.

—Explíqueme qué es lo que ha ocurrido.

Daniela estudió con detenimiento al inspector. Tenía el rostro demacrado. Solo se había sentido así de cansado cuando murió su hija. Cuando eso ocurrió, estuvo cuatro días sin pegar ojo. Se lo impedía la pregunta que lo iba a atormentar el resto de sus días: ¿Por qué se suicidó Lucía?

—He pasado dos horas con el Chino. El tipo es un poco retraído, pero al final se le ha soltado la lengua. Tampoco tenía otra opción dadas las circunstancias. Acomódese, que la cosa va para largo. Y prepárese, la historia que le voy a contar no es demasiado bonita.

Daniela dejó descansar su espalda en la silla. Se llevó una mano a la barbilla y se dispuso a escuchar.

—Allá voy. El origen de toda esta película es el cuadro que usted vino a buscar acá, el de Frida Kahlo. El Zar quería tenerlo a toda costa y para eso diseñó un plan aparentemente sencillo. Dado que, gracias a la información del padre Zanetti, había encontrado la galería en la que se guardaba el lienzo, la cosa era tan sencilla como robarlo. Más fácil hubiera sido llegar con el dinero que hiciera falta y comprarlo. Pero el Zar pensaba que le correspondía, en legítimo derecho, y además no quería que su nombre o el de alguno de sus conocidos apareciera en ninguna factura, o ligado de ninguna de las maneras al cuadro. Así que le dio instrucciones muy concretas al Chino y al Toti indicándoles que acudieran a Babel para recuperarlo. Solo les puso una condición: que no hubiera muertos. Tenía que ser un trabajo limpio para que nadie pudiera señalarlo a él con el dedo. Quería mantener en la más estricta intimidad que él tenía ese cuadro y nadie en el mundo podía saberlo. Pero el día del robo las cosas se torcieron.

El inspector se levantó de la silla para tirar a la papelera un vaso de plástico del segundo café de máquina que se tomaba aquella mañana.

—Le explico lo que pasó ese día según me ha contado el Chino. Nada más ver subir al Toti al Ford Probe, nota que algo va mal. El Toti ha elegido el peor día para apretarle a la blanquita. Va de cocaína hasta las cejas, pero el Zar confía ciegamente en él y le ha dado toda la responsabilidad: es el Toti el que debe robar el cuadro mientras el Chino espera fuera con el coche arrancado. Total, que el Toti entra en Babel y lo recibe el galerista. No sabemos si lo trata con deferencia o no, pero al muchacho, por la razón que sea, no le cae bien. Además, no está para responder a cortesías. Quiere su cuadro y punto. En el hombro lleva un macuto de lona. Cualquiera podía pensar que era para guardar el cuadro de Frida. Pero no. Encañona al galerista, pero no lo hace con la Magnum con la que siempre realiza sus trabajitos, sino con un AK-47 que saca del macuto. Cree que así va a intimidar más al otro, que así no se le va a resistir de ninguna de las maneras y que le va a dar el cuadro sin rechistar. Pero el galerista se hace el duro y se lleva el primer culatazo y hasta que no empieza a sangrar como un cerdo no le dice dónde está el lienzo. Está oculto detrás de otro, en una esquina. El Toti va a buscarlo y se encuentra en el camino con otro cuadro que le llama más la atención. En él aparece una mujer desnuda. Quizá por la cocaína, por los nervios o por su forma tan especial con la que ve el mundo, cree que ese cuerpo desnudo no es otro que el de su novia.

—¿Evelyn?

—En efecto. Pura alucinación de un loco. Y a partir de ahí se monta una historia en la cabeza: alguien ha visto el cuerpo de su Evelyn y lo ha pintado. Ese alguien debe pagar por ello y, en el lenguaje del Toti, en su rudimentario código, solo puede hacerlo de una manera: muriendo. Y también debe pagar el galerista por exhibirlo al público. Busca de nuevo en su macuto y saca una estatuilla de la Santa Muerte, idéntica a cualquiera de las que usted haya visto en cualquier mercadillo, con la única diferencia de que está en manos del Toti. Y eso cambia todo, porque agarra la imagen y empieza a atizarle con ella al pobre hombre, con toda la fuerza del mundo. En menos de un minuto de la cabeza del galerista solo queda una pulpa gelatinosa. Acto seguido, sin inmutarse, como si el tiempo se le hubiera detenido, guarda la reproducción de la Santa en el macuto y saca cinco velas. Las coloca rodeando el cuerpo ya sin vida del galerista, las enciende y le reza a la Santa, agradeciéndole que todo haya salido bien. A continuación se levanta y busca el cuadro que supuestamente representa a su novia. Enfunda el AK-47 y lanza una granizada de proyectiles.

Esa era exactamente la secuencia de los acontecimientos, tal y como la había visto repetida varias veces Daniela Ackerman en la grabación que le dio el funcionario de la fiscalía en el segundo piso del hotel Fontán.

—Y ustedes encontraron los casquillos que un día usted me mostró en este mismo despacho.

—Así es. Usted pensará que el Toti es el más loco de esta historia. Pero se equivoca. Hay alguien todavía más loco.

—¿Quién?

—La fiscal Chacalita.

Daniela Ackerman animó con un gesto a Machuca para que siguiera contándole. Estaba intrigadísima.

—Lo peor que le pudo ocurrir a la fiscal era que la cámara de seguridad de la galería funcionara. Al Toti, ofuscado como estaba, se le olvidó desactivarla para que no quedara ninguna huella, como le había pedido expresamente el Zar. Y toda la secuencia de los hechos fue recogida por una cámara interior. En la investigación preliminar del robo, la fiscal se hace con la grabación pero, en vez de adjuntarla al expediente, se la guarda.

—¿Para qué?

—Ahora verá. Para ese momento ya ha aparecido Ivonne, la primera bailarina en la refinería. El encargo se lo ha hecho ella a un sicario de tercera categoría al que le ha pagado unos pocos pesos. Pero el crimen trasciende y llega a los periódicos, que le tienen muchas ganas a la fiscal. No paran de tacharla de incompetente. Además, el hecho de que coincide con los ataques a la Santa Muerte, en vez de quitarle fuerza, se la da, porque la prensa conec ta los dos casos y los lleva a primera plana. La fiscal sabe que pronto le van a pedir resultados, que ofrezca pistas del asesino. Pero, obviamente, no puede hacerlo porque todas esas pistas llevarían a ella. Entonces se le ocurre un plan. Se entrevista con el Zar y le ofrece un pacto.

—¿Un pacto?

—Sí. Le dice que ella conserva la cinta en la que uno de sus empleados, y no uno cualquiera, sino su favorito, roba y mata a un galerista. Si esa grabación se hace pública, sería un escándalo mundial, entre otras cosas porque hay un cuadro de Frida Kahlo de por medio. Y le ofrece un acuerdo: ella no sacará a la luz esa grabación a cambio de que el Zar le haga un regalo.

—¿Qué regalo?

—Un chivo expiatorio. O sea que le ofrezca a cualquiera de sus muchachos, al que menos cariño le tenga, para cargarle esa muerta, y las siguientes que vengan, porque su plan no se limita a cargarse una bailarina.

—No me cuadra. Por muy fiscal que sea, a un individuo como el Zar no se le puede chantajear con una amenaza tan burda.

—No tan burda. Le dice también que esa grabación descansa bien escondida en una caja de seguridad y que ya ha dado instrucciones para que, si a ella le ocurriera algo, lo que sea, sea difundida mundialmente. Tenía al Zar bien cogido por los huevos. Además, la prensa iba a creer que cualquiera de los hombres del Zar, a modo de gamberrada, se dedicaba a matar mujeres. Un muerto más o un muerto menos a sus espaldas, en el caso del Zar, es lo de menos.

—¿Y qué pasó a continuación?

—Que la fiscal no solo consigue que el Zar le preste a cualquier matachín, sino a uno en concreto, y sin necesidad de que el narco se lo ponga en bandeja de plata: el Chino. Este individuo había tenido la mala suerte de que ella había visto todo lo que había pasado la mañana en la que mataron al Toti. Había sido culpa suya por no acelerar cuando debía hacerlo. Chacalita fue a buscarlo a su casa y lo amenazó con contarle todo al Zar. Si eso ocurría, con el afecto que el capo le tenía al Toti, el Chino era hombre muerto. Así que no tuvo más remedio que acceder. Su primer trabajo fue acostarse con ella. Se había encaprichado del Chino desde el primer día que lo vio en el sótano de Yeremi. El segundo fue eliminar al sicario que había matado a las primeras bailarinas. Que sea fiscal no significa que no conozca los bajos fondos, sino más bien todo lo contrario. No se fiaba de él ni de su promesa de que no se iba a ir de la lengua. De hecho, él le subió la tarifa por cada muerta futura. Al fin y al cabo era un simple sicario. El Chino era otra cosa: un sicario al que tenía sometido completamente a su voluntad. Y así fue cómo fueron cayendo todas las bailarinas. Ivonne, Johanna, Jacqueline, Veronique, hasta llegar a Cora. La lástima es que todavía no he encontrado la grabación de lo sucedido en la galería Babel. Esa es la pieza que me falta para completar el rompecabezas.

—¿Cómo llegó a saber, con absoluta certeza, que era Chacalita la que había organizado todo? Hay que tener valor y pruebas muy contundentes para detener a una fiscal.

—Sobre todo aquí, Daniela, en esta ciudad. La primera pista llega a través del pinchadiscos del Manhattan, ya le he contado. Es él el que manda el anónimo afirmando que la culpa de lo que le está pasando a las bailarinas es de una mujer. Luego, siguiendo las pesquisas de las direcciones IP de los ordenadores usados para colgar las imágenes de las bailarinas, llegamos a la famosa confitería en la que Chacalita se dejó olvidado su *pendrive*.

—¿Y el mensaje con el que acompañaba las imágenes?

—¿Lo de *Me obliga el diablo*? Para mí que era otra forma que tenía la fiscal para despistarnos, de que pensáramos que la culpa de lo que estaba pasando con las bailarinas era una pelea entre Dios y el diablo, entre seguidores de uno y de otro, algo esotérico o religioso. De esa forma, nadie iba a señalarla a ella, por mucho que la fiscal se atreviera a tatuarse el tridente del diablo en su hombro y lo fuera luciendo delante de todos. Sin embargo, después de acostarse con él, le contaba todas esas tonterías al Chino, que es el que nos ha dado esa clave. Y cuando, después de montar las imágenes, a Chacalita se le iba la mano con el tequila, por algún mecanismo mental que igual un psicólogo explicará mejor que yo, dejaba esas extrañas palabras mezclando al diablo en todo el asunto, ella sabrá por qué. Por eso, cuando se enteró de que yo estaba tirando de ese hilo, de la frase que aparecía junto a las imágenes colgadas en Internet, rápidamente vino a buscarme a mi despacho para que lo soltara, porque no se fiara de que pudiéramos descubrirla, aunque fuera por casualidad. Fue el día en el que ustedes dos se encontraron en el pasillo.

Daniela Ackerman recordaba perfectamente la mirada con la que la fiscal la taladró.

—¿Cómo una mujer es capaz de disfrutar viendo la imagen de otra mujer siendo asesinada? ¿Cuánta mierda puede tener en la cabeza para hacer eso? —lo interrumpió Daniela con cara de asco.

—Eso pregúnteselo a Freud. Pero le daré una pista: la fiscal siempre ha tenido envidia de las chicas más bonitas y, sobre todo, más jóvenes que ella. Por eso se empeñaba en maquillarse hasta lo grotesco, en hacerse tatuajes. El último, qué paradojas, uno de la Santa Muerte. Todo, el maquillaje, los tatuajes, hasta un *piercing,* para ser joven… Quería ser como ellas, pero llegó un día en el que se dio cuenta que nunca lo conseguiría, y entonces le pidió al Chino que hiciera un trabajo aún más indigno que acostarse con ella. El trabajo de matar.

El inspector Machuca sentía la boca seca. Daniela asco, mucho asco.

—¿Y por qué colgaban las imágenes en Internet?

—Eso también era cosa de la fiscal. Imagino que sentía un placer suplementario al poder compartir con el mundo entero sus fechorías. Para despistarnos, evitó utilizar su propio ordenador y se iba a cibercafés. En uno de ellos, un día en el que el tequila la volvió a traicionar, dejó olvidado un lápiz informático que contenía los archivos de todas las grabaciones. Y otra cosa: hace unos días me encontré al Chino en el Manhattan y noté cómo hacía todo lo posible por esconderme sus manos. Me había dado cuenta de que su pulso temblaba. Y por eso, en las grabaciones colgadas en Internet, la imagen es al principio nítida, porque la cámara la maneja Yeremi, que tiene buen pulso, el necesario para realizar un tatuaje. Pero, cuando el Chino acababa su tarea de dejar sin vida a la pobre bailarina, Yeremi le cedía la cámara para que siguiera grabando mientras él tatuaba, y en ese momento la imagen se vuelve temblorosa.

—¿Y por qué tatuaban la efigie de la Santa Muerte en todas las chicas muertas?

—Una pista falsa. Quería cargarle el mochuelo al Obispo. Pero, aparte del Chino, al que chantajeaba, hay otros nombres. Uno de ellos nos lo hemos encontrado al registrar la casa de la fiscal Chacalita cuando la hemos detenido. En medio de un libro, haciendo de separador, había una tarjeta con el número de teléfono de Yeremi. Esa tarjeta es de hace algún tiempo, cuando el tipo no tenía demasiada clientela y tenía que anunciarse para conseguirla. Eso nos hace pensar que la relación entre los dos, la fiscal y el tatuador, viene de muy atrás. Y le diré otra cosa: la fiscal le siguió pidiendo a Yeremi que le hiciera más tatuajes y este no dudó en utilizar la misma tinta altamente tóxica que usaba para las bailarinas. Fuentes, del Instituto Forense, me dijo que, en dosis elevadas, la tinta podía ser letal, porque tenía un componente que solo se encuentra en el veneno de la serpiente de cascabel. Y Yeremi, según ha contado el Chino, estaba hasta las narices de la fiscal y quiso matarla poco a poco. Por eso vi cómo Chacalita se mareaba un par de veces, por culpa de la tinta que Yeremi, poco a poco, le iba metiendo en el cuerpo. Pero, al margen de sus diferencias, son ellos dos los que montan ese espectáculo macabro de tatuar a las chicas después de que murieran. La fiscal pensó que, para cargarle el muerto a la Santa, lo mejor era dejar una señal inequívoca para despistar a todo el mundo. Una señal que sirviera como prueba de que eran los fieles de la Santa Muerte los que andaban detrás de todas esas muchachas abandonadas en el desierto. ¿Y qué mejor señal que un tatuaje? Nunca se borra. Y tenía al hombre adecuado para hacerlo, no solo porque es el mejor dibujante de todo Tepito, sino porque estaba dispuesto a hacer el trabajo si le ponían una cantidad de dinero adecuada. Y para Yeremi la única cantidad adecuada es la que es alta. La fiscal ya lo había probado, cuando por cinco mil pesos le arrancó dónde vivía el Chino. El tatuaje de las muertas le costó más dinero. Pero lo pagó feliz. Y Yeremi lo recibió mucho más feliz, y todo en nombre de la Santa Muerte. Colocarla como excusa para justificar muertas. La han usado con fines ilícitos, directamente criminales. Porque la Santa no es más que una creencia, una creencia que alcanza a todo tipo de personas. No solo al narco, también a la madre que pide salud para un familiar, como esa mujer que me visitó hace poco en la comisaría, desconsolada porque la Santa había sacado a su hijo de la cárcel y ella no había podido evitar que le destrozaran su altar. Hasta Figueroa le ha pedido a la Santa que le ayude a ser famoso. El problema no es la Santa. El problema es el mal uso que se haga de ella. Seguro que a Dios no le ha gustado nada estar en medio de todas las guerras que se han librado invocando su nombre. Igual le pasa a la Santa Muerte.

—¿Y cómo es que el Obispo era el que atacaba los altares de su propia religión, digamos que, autolesionándose? Eso es lo que no entiendo de ninguna de las maneras.

—Muy fácil. Destrozando los esqueletos, bate de béisbol en mano, conseguía atraer la atención de mucha gente que no habría tenido en cuenta a la Santa Muerte de otra manera. En definitiva, buscaba publicidad. El asunto no tardó en llegar a los periódicos, y no solo los de acá, los de México. La forma en la que se producían esos ataques trascendió y le dio una dimensión internacional al culto de la Santa Muerte. De hecho, entre sus planes figuraba rebautizar esta religión como Santa Muerte Internacional y a tal efecto quería construir una catedral con tanto lujo como la iglesia del padre Zanetti. Y de paso, el Obispo conseguía aparecer ante la opinión pública como víctima: no solo las autoridades le denegaban el registro como institución religiosa, sino que incluso sus altares y parroquias eran atacados sin misericordia. Y de esta forma el Obispo conseguía un tercer objetivo: ajustarle las cuentas al padre Zanetti que, actuando en nombre de Roma, era el culpable de todo. Por eso el Obispo se tomaba también la molestia de escribir esa frasecita de "en nombre de Dios" que tantos quebraderos de cabeza nos ha dado.

Daniela se pasó la mano derecha por la barbilla, pensativa.

—¿Y el guardaespaldas de Zanetti?

—Nunca ha pisado la refinería. Y nunca acompañó ni al Chino ni a Yeremi a esas excursiones. Efectivamente, junto a la cuarta muerta aparece una huella hecha por un zapato del 46. Ese zapato se lo puso expresamente el Chino, siguiendo la idea de la fiscal, con el fin de incriminar al guardaespaldas del padre Zanetti. Para ese momento, las cosas empezaban a torcérsele a Chacalita y, aunque jamás pensó que fueran a descubrirla, prefirió curarse en salud.

—¿Qué va a pasar con el Zar?

—Hay que esperar a lo que diga la fiscal a los jueces, pero no va a ser fácil imputarlo. Las pruebas que tenemos no son demasiado sólidas y el Zar es como una culebra que siempre se te escapa entre las manos en el último momento.

Una sombra de rabia cruzó por el rostro de Daniela.

—No ponga esa cara. Usted debe saber a estas alturas que el Zar es intocable.

—Quizá con este CD todo sea más fácil.

Daniela Ackerman metió las manos en el bolso. Había preferido que el inspector Machuca actuara autónomamente antes de darle el CD del funcionario. Y la verdad, no lo había hecho mal. Hasta la detective se había mostrado sorprendida. Ahora era el momento de entregarle la prueba definitiva, la que le permitiría meter entre rejas al Zar y exigirle que devolviera el cuadro de Frida Kahlo que había robado de la galería Babel.

—¿Qué es esto?

—El billete de entrada del Zar en la cárcel. Solo hace falta que usted se lo dé. Ahí está la grabación de todo lo que pasó en la galería. Y coincide con el testimonio que le ha dado el Chino.

—¿Quién demonios se la ha dado? Me he vuelto loco persiguiéndola.

—Mi amigo Freddy Ramírez tiene un lema: la muerte antes que la fuente. Permítame que preserve el secreto.

El inspector especuló mentalmente con la posibilidad de que hubiera sido el periodista el que le aportara la
grabación. No le parecía una idea descabellada.

—¿Qué piensa hacer ahora, inspector?

—Si esta grabación contiene lo que usted dice, la
añadiremos a la declaración del Chino. Pero le aviso que
todo va a ser difícil y lento. De momento, el Chino ya no
se pasea en su Ford Probe. Lo están interrogando. Es un
auténtico desecho humano. Lo de la chica esa, la tal Evelyn
con la que andaba de novio, le ha afectado más que su
propia detención. No olvide que fue él quien puso los cinco kilos de dinamita que hicieron saltar por los aires la
parroquia en la que se estaba confesando su novia. Ese era
el gran trabajo que le había exigido el Zar: arrancar de la
parroquia todo el mármol de Carrara que le había regalado al padre Zanetti. Esa era la buena acción que tenía que
hacer el Zar, la que le había pedido el Obispo para reconciliarse con la Santa Muerte, que estaba ofendida por la
extraña muerte del Toti. Curioso esto de las grandes misiones y la extraña pareja que formaban Toti y el Chino:
uno de ellos, en el robo de un cuadro, mata a un galerista;
el otro, a su novia. Uno, por gusto. El otro, por accidente.
Más occisos. Más difuntos para la lista. En esta ciudad ya
no se puede vivir. Se ha convertido en la ciudad de las
muertas.

Machuca miró de nuevo el CD que le había dado la
detective. No paraba de darle vueltas a una pregunta.

—¿Quién coño le ha dado esto, Daniela?

Daniela Ackerman le respondió con otra.

—¿Y qué hay del padre Zanetti?

—Si sale del hospital, y un buen cirujano es capaz de reconstruirle la cara, podrá volver a ejercer de cura. Ya, al menos, no necesitará guardaespaldas por miedo a que el marido celoso de una feligresa lo riegue con plomo. Además, ya no le queda ninguna factura pendiente con Roma, ni quizá ganas para frenar un culto que se extiende como una mancha de aceite. El fenómeno de la Santa Muerte es imparable. Para darse cuenta de eso, no hace falta llevar sotana ni saber latín.

El teléfono no paraba de sonar. Machuca optó por descolgarlo. Ahora quería medir el efecto que sus palabras habían tenido en Daniela. Pero lo impidió Figueroa, que entró en el despacho con un documento en la mano.

—La firma del Chino.

Su voz era atropellada. Machuca apenas podía entender lo que decía. Y mucho menos Daniela. Y le interesaba mucho, porque las noticias que traía le afectaban directamente a ella.

—El Chino ha confesado que participó en el robo del cuadro de la galería Babel. Y que, después de obligarle a matar a las mujeres, la fiscal quería que lo volviera a robar, esta vez de las manos del Zar. Bebía tanto, o estaba tan engolosinada con el dinero, que incluso estaba dispuesta a robarle a su socio y protegido, al Zar, al mismísimo Zar.

Hasta una fiscal borracha sabía que ese cuadro valía millones de dólares, mucho más de lo que jamás pudo imaginar el pobre dueño de la galería de arte. Chacalita lo quería. Como antes lo quisieron los trotskistas. Como antes lo quiso el Zar. De una manera obsesiva. Pero no llegó

Gregorio León

a tiempo de completar el nuevo chantaje que le planteó al Chino. O me traes el cuadro, o le cuento al Zar lo que te pasó con Toti.

Para la fiscal había habido algo peor que el tequila: la ambición.

Y el Chino sigue vivo. Seguramente, por poco tiempo, porque, aunque ha conseguido a duras penas que su jefe no se entere de lo que pasó aquella mañana dentro de un Ford de seis cilindros y ciento sesenta y tres caballos, no podrá evitar que algún tipo lo madrugue dentro de la cárcel, allí donde solo tendrá de aliada a la Santa Muerte. La única esperanza cuando ya no hay esperanza. Pero el Chino solo tiene un favor para ella, solo uno. Un último favor: que el tipo que lo va a atacar, con un cuchillo bien afilado, con un cable bien duro, con lo que sea, acabe pronto, porque él ya no tiene ganas de ponerse nunca más al volante de su Ford Probe, porque Evelyn ya no está para él ni para nadie.

Y aún confía en que su historia de sueños quebrados no sirva para que algún músico con escaso talento le haga un corrido. Pero ni siquiera en eso se va a salir con la suya.

El inspector se tomó un respiro. Notó cómo Daniela estaba procesando toda la información que le ha caído de golpe. Estaba a punto de formular un comentario, pero Machuca se le adelantó.

—Yo también tengo una pregunta para usted. O una reflexión. ¿Ha visto la curiosa forma que tuvo el galerista de esconder el cuadro de Frida Kahlo?

—No le debe extrañar. El método se llama superposición. Es una variante del repintado. Se han llegado a encontrar, debajo de pinturas de ínfimo valor, Van Gogh auténticos. Son cuadros fallidos del pintor holandés, que se deshizo de ellos cambiando la tela pintada por otra nueva. Hoy por hoy, la forma más sencilla de ocultar un cuadro es pintar encima. El galerista se inspiró en esa idea para ocultar el autorretrato que le rechazó Trotsky.

Machuca no pareció muy convencido por la explicación de la detective. Eso de que repintaran un cuadro, como si fuera un coche viejo, no terminaba de verlo. Daniela tampoco parecía totalmente satisfecha con las explicaciones del policía, sobre todo, porque el famoso cuadro estaba todavía lejos de sus manos. El inspector había acabado su trabajo. Pero Daniela, no.

—O sea, lo que me ha querido decir con la explicación de sus pesquisas es que para conseguir mi cuadro debo arrancárselo de las garras al Zar.

—Ni siquiera él lo tiene ya.

—¿Cómo dice?

—Ese cuadro está ahora caliente, más caliente que la tarde en la que dejó un muerto en Babel. Primero, porque, después de lo ocurrido en la parroquia del padre Zanetti, hay muchos dedos apuntando al Zar, y lo más importante, porque el Chino ha contado lo que pasó aquel día de la calle Revolución. Y el cuadro le quema en las manos al Zar, que se ha adelantado a una posible orden judicial para entrar a su mansión, y ha sacado de ella el cuadro que más quiere de toda su colección, el que le costó la vida a su padre.

El rostro de Daniela cambió. El corazón empezó a golpearle con fuerza en el pecho. Ahora que estaba a punto de agarrarlo, aunque fuera jugándose una última partida a vida o muerte con el Zar, el cuadro volvía a desaparecer delante de las narices de Machuca. Pensó que había sido una estupidez darle el CD en el que venía toda la secuencia de acontecimientos ocurridos en la galería Babel. Total, ¿para qué? Estaba a un paso de insultarlo. Él pareció adivinarle la intención.

—Al menos, sabemos quién lo tiene.

—¿Quién?

—Su abogado. Marcelo Estéfano. Creo que usted lo conoce.

Daniela estuvo a punto de negarlo. No, ella no conocía de nada a ese hijo de puta. Pero el inspector no le iba a creer. Hoy veía a Marcelo muy diferente al inspector. Ahora que lo contemplaba, con gesto fatigado, quizá derrotado para siempre, empezó a pensar que aquel policía, después de todo, no era un mal hombre.

—Lo estamos buscando desde hace un par de días, pero de momento ha sido imposible localizarlo. Ni ha aparecido por el bufete, ni por su casa, ni por ninguno de los locales que suele frecuentar en busca de mujeres. Es como si se lo hubiera tragado la tierra, justamente ahora que se ha aclarado todo y él es señalado como culpable.

—¿Por qué está tan seguro de que eso es así, de que él tiene el cuadro?

—¿Lo va a disculpar de nuevo, señorita? Creo que ya lo hizo una vez en su vida. Y nos sería de mucha ayuda que usted intentara localizarlo.

Daniela vaciló durante un minuto que se le hizo muy corto a ella y muy largo al inspector. Al final asintió con la cabeza.

—Mucha suerte.

Aquello sonó a deseo sincero, pero también a despedida. Daniela se acercó a él. Le dio lástima ver su rostro repentinamente avejentado, pero lo que hizo no fue por pena, sino porque le apetecía.

El beso fue tímido.

Había poca luz en el despacho, tan poca como para saber si fue en las mejillas o en los labios.

CINCUENTA

P ENSÓ QUE NO SE PRESENTARÍA, A PESAR DE QUE LE
había asegurado que sí a través de su teléfono móvil. Pero Daniela conocía mejor que nadie que él
era un profesional de la mentira.

Había quedado con Marcelo donde la primera cita,
en el Starbucks del Parque Alameda, justo en la avenida
Juárez, en pleno corazón del Distrito Federal. Daniela estaba tan nerviosa como aquel día en el que iba a oler por
vez primera a un hombre que se colaba en su ordenador
todas las noches, a la una de la madrugada, a través de
una *webcam*.

Vio a una mujer que llevaba en la mano una bolsa de
la librería Gandhi, con varios libros dentro. Daniela se
dijo que tenía que echarle un vistazo a esa tienda antes de
marcharse de la ciudad. Le habían dicho que era la mejor
librería de todo México. Pero antes tenía tareas pendientes, la más importante de ellas, arrancarle toda la verdad a
Marcelo Estéfano, si es que el tipo se dignaba a aparecer.
Encendió el segundo cigarrillo y estaba a punto de perder

la esperanza cuando lo vio entrar en la cafetería. Con los mismos aires de galán que el primer día. Con la misma sonrisa de seductor. Con el mismo "buenas tardes" dulce y seguro de hace tres años.

—Buenas tardes —respondió Daniela aceptando su beso en la mejilla.

—Sigues oliendo igual de bien.

—Es verdad. Tú ya lo sabes. En mi vida hay dos palabras mágicas que siempre me acompañan: Emmanuel Ungaro.

—Podías haber avisado de que estabas por aquí —le reprochó él, de una forma tan suave que no se sabía si era una crítica o un principio de galantería.

—No estaba aquí.

—Ya lo sé. Andabas perdida en Azcapotzalco. Tú sabrás qué hacías tan lejos de mí, qué se te había perdido allí, en la refinería.

—Tú lo sabes.

Marcelo sonrió de manera ambigua. Se quería hacer el tonto y, al mismo tiempo, demostrarle a Daniela que sabía cada uno de los movimientos que había hecho.

Daniela no estaba por la labor de perder el tiempo. Bastante lo había perdido hace casi un año.

—No sabía que trabajabas para el Zar.

—Ni yo que te interesan sus cosas.

—Bueno. Es normal. Siempre hemos sido dos desconocidos. Incluso cuando teníamos algo en común y me decías cursiladas como esa de que el sol vivía en mi pelo.

—¿Por qué empleas el pasado imperfecto? Eso de teníamos, decías y vivía, suena como a una historia muy antigua, a algo muy remoto.

—Porque todo pasado es imperfecto.

De nuevo en la boca de Marcelo la misma sonrisa inconcreta. Apenas una ligera curva que le tuerce la boca. Sabe que Daniela no ha venido en son de paz, igual que sabe que no va dejar de molestar con lo del maldito cuadro. Por eso ha sido el Zar el que le ha dicho que coja el toro por los cuernos, que se ocupe personalmente de llevar a esa chica al aeropuerto y meterla en el primer avión que salga para España. O la metes en un avión o en la cajuela de un auto. Tú verás. Eso le ha dicho el Zar sin darle opción a réplica.

—A veces te empeñas en cosas imposibles —le dice Marcelo—. Tú siempre quieres la Luna. Y eso no puede ser.

—¿Ah, no? Pues vaya una mierda.

Caen unos segundos. Marcelo agarra la edición de *El Universal* que alguien ha dejado olvidada sobre la mesa. La hojea nerviosamente, como si se buscara algo en concreto. La primera página va dedicada a Felipe Calderón, que tomará posesión de su cargo de presidente dentro de unas semanas, a pesar de todas las maniobras del líder de la izquierda, el Peje. Marcelo consulta la edición de un vistazo. Luego la cierra satisfecho. Los periodistas de momento no han sido tan listos como para implicarlo a él. Ni lo implicarán. Jamás. Se siente cien veces más astuto y más vivo que ellos. Su único problema es Daniela.

—No te puedo dar eso que buscas.

La frase ya la había oído Daniela salir de su boca, pero en otro contexto. Aquella vez las palabras llevaban una carga de dinamita. Hoy eran solo una obviedad. Marcelo no iba a traer el cuadro pintado por Frida Kahlo colgado del brazo, como si fuera una caja de bombones. Pero para eso están las negociaciones.

—Hay una torre muy alta a punto de caer. Y no me refiero al piso treinta y siete de la Latinoamericana, donde llevas a todas tus conquistas. El Zar puede estar a un paso de la cárcel. Y detrás irás tú. Que entregues ese cuadro puede ser un gesto de buena voluntad a los ojos de Machuca.

Marcelo no puede evitarlo. Suelta una sonora carcajada nada más oír el nombre de Machuca. Como si hubiera oído el mejor chiste de su vida.

—¿Quién es Machuca? Mira, ese cuadro es toda la vida del Zar. A su padre lo mataron por tenerlo en sus manos. Y el Zar moriría acribillado a balazos, como su padre, antes de soltarlo. Además, le corresponde por derecho.

Daniela se ve obligada a hacer una mueca burlona al oír eso. Vaya, vaya. Así que le corresponde ese cuadro por derecho. El mismo que tiene un carterista. Consulta el reloj. Marcelo comprueba que se ha puesto nerviosa. No sabe por qué, ni tampoco parece interesarle demasiado. Se abre un nuevo silencio embarazoso que solo es capaz de romper el abogado.

—¿Nos vamos?

—¿A dónde?

—Tú, de vuelta a Madrid. Yo, a mi despacho. Los dos tenemos mucho trabajo por delante.

Los dedos de Daniela tamborilean sobre la mesa, como sopesando la oferta que acaba de lanzarle el hombre por el que estuvo a punto de dejarlo todo. De nuevo quiere darle una patada en el culo. Pero las historias no siempre se escriben de la misma manera.

El estrépito de una sirena apaga todas las conversaciones del Starbucks. Dos coches se detienen frente a la puerta principal del centro comercial, cerrándola. Marcelo mira a Daniela sin entender nada. O entendiéndolo todo. Entiende la sonrisa de triunfo que de pronto aparece en su rostro. La forma en la que se echa para atrás el pelo. La mirada satisfecha. Las sombras grises que ya siente detrás. Todo lo entiende.

—Levante las manos.

Y entonces, solo entonces, se acuerda de que salió de su lujoso apartamento de la colonia Polanco con su traje de diez mil quinientos pesos, con su perfume Calvin Klein y su sonrisa seductora. Pero se olvidó de su pistola. Y, sobre todo, olvidó la sed de venganza que puede tener una mujer que un día lo amó. Lo amó mucho, más allá de todos los límites. Lo tenía claro viendo ahora su rostro de odio. Es lo último que verá de Daniela, antes de que los agentes de la policía estatal lo saquen esposado del Starbucks sin darle tiempo ni siquiera a que pruebe el café que ha pedido.

CINCUENTA Y UNO

EL CUADRO ESTABA ESCONDIDO EN CASA DE UNA DE sus amantes, una de las tantas con las que se acostaba Marcelo Estéfano, el abogado del Zar, alias el Chilango, el ex de Daniela Ackerman. Allí iba a estar hasta que se enfriara un poco, hasta que capeara el temporal. Ahora ya está en manos de la fundación Casa Azul. El cliente que había llamado hacía un par de meses a Vargas para decirle que ofrecía hasta tres millones de euros por el cuadro de Frida Kahlo lo ha donado a esa institución. El tipo, un hombre de sienes plateadas y acento americano, según le explicó a Daniela Ackerman su jefe, había sido generoso.

La obra recuperada es el cuadro estrella de la exposición que ha arrancado en el Palacio de Bellas Artes con motivo del centenario del nacimiento de Frida Kahlo. Un cuadro único en toda la colección.

Daniela Ackerman no quiso perderse la inauguración de la exposición. Había despertado mucha expectación y siempre se encontraba una nube de personas rodeando el cuadro que ella había logrado encontrar. Ahí lo tenía. Llevaba una frase escrita por Frida, la dedicatoria que le escribió a León Trotsky: "A Trotsky, sangre nueva para mis venas". Aparecía Frida, con todo su esplendor, luminosa, sosteniendo en la mano derecha un colibrí, el amuleto del amor. La tela llevaba un par de agujeros en la parte inferior, justo a la izquierda. Los había hecho la ametralladora Thompson manejada por el agente Donovan el día en el que el Güero entró en la Casa Azul para robar el cuadro.

—Mami, ¿por qué el cuadro está roto? —le preguntó un niño a su madre, viendo los dos agujeros, los ojos curiosos de cualquier niño del mundo fijos en el lienzo.

La madre se encogió de hombros. Daniela Ackerman se sintió poderosa. Solo ella, y poca gente más, conocían la historia en su totalidad. Y todo se lo debía a Freddy Ramírez.

Después de pasear por las salas del Palacio de Bellas Artes, decidió salir a la calle. Y en ella se encontró el mismo alboroto que a la entrada. Cientos de personas se habían concentrado a las puertas del Palacio para protestar por la presencia de políticos del PAN en la inauguración de la exposición. Se formó un tumulto que a duras penas pudieron controlar los agentes de seguridad. Gritaban ¡cucarachas, cucarachas! a los dirigentes panistas, acusándolos de apropiarse de una figura emblemática de la izquierda. ¿Acaso una tela roja con el dibujo de la hoz y el martillo no había cubierto el féretro en el que fue enterrada la artista? ¿Acaso aquello no le costó la dimisión al director del Palacio de Bellas Artes? ¿No había luchado Frida hasta la extenuación de sus fuerzas contra toda forma de fascismo, con la misma vehemencia con la que había luchado contra el dolor de su espalda? ¿Qué hacían entonces esas cucarachas de la derecha entrando al Palacio con sus trajes cortados a medida y sus pelos untados de gomina?

Quizá hace tres años, cuando todo en México la deslumbraba, empezando por la sonrisa blanca de Marcelo, Daniela se hubiera sorprendido. Pero ahora lo único que sentía era placer, el mismo que, sin duda, recorrería a Freddy Ramírez. Que el gran amor de su vida, Frida, generara discusiones medio siglo después de ser enterrada era la prueba más visible de que el periodista aún tenía razones para amarla. ¿Había sido Frida el único amor real de Freddy? Durante unos minutos Daniela jugó con esa posibilidad. Y esperaba plantearle la pregunta mucho antes de llegar a los postres.

Haciendo tiempo recordó la llamada que había recibido de Vargas. Le estuvo contando cómo había caído el Zar. Gracias a la prueba que, con mucho valor y mucho coraje, el funcionario de la fiscalía le había dado en el Fontán, gracias a esa grabación que consiguió Daniela Ackerman, había sido resuelto el caso de la galería Babel, y el Zar iba a tener que dar a partir de ahora muchas explicaciones. Además, ella había servido de cebo para atraer a un personaje como Marcelo Estéfano, que estaba en paradero desconocido para la policía. No tardó en responder a su llamada, pensando en que igual no era mala idea meterse de nuevo en la cama con ella. Luego contó más detalles de toda la operación. Vargas, que conocía mejor que nadie a su detective, le insistió en Marcelo. Sabía de sobra los sentimientos que le había despertado el mexicano y quería estar seguro de que estaban ya completamente muertos. Ella le aseguró que sí, pero Vargas no le creyó del todo. Se despidió de Daniela felicitándola de nuevo y pidiéndole que no se demorara y cogiera el primer avión. Le esperaba su afecto y un talón con el diez por ciento.

Daniela le tenía cariño a su jefe. Ahora ella miraba impacientemente la entrada del restaurante. Tenía muchas preguntas para Freddy Ramírez. Ardía en deseos, por ejemplo, de que le contara por qué razón le había ocultado que él conocía la existencia del estudio publicado por el padre Zanetti, *El surrealismo y Frida*. Estaba muy intrigada por eso.

Pero, aparte de formularle muchas preguntas, quería también contar cómo había sido la investigación en los últimos días hasta dar con el cuadro de Frida Kahlo. Seguro que el periodista, lo veía venir, insistiría en que le diera todos los detalles, con pelos y señales, de la detención de Marcelo. Pero no le iba a escatimar ninguno. Se lo merecía. Había sido lo más parecido a un aliado que había tenido en esta historia. Era un pésimo escritor, con esas frases azucaradas y cursis con las que le contó los amores de Frida y Trotsky, pero un buen periodista. Y un mal compañero de velada. Porque, de momento, se estaba retrasando. Claro, hay algo peor que el tráfico de Madrid: el de México DF. Lo disculpó. El lugar era bonito. La música ambiente apenas se notaba. El aire acondicionado no estaba demasiado alto. Y la carta prometía. Lubina al ajillo.

Daniela quiso ganar tiempo realizando su elección y jugando a adivinar lo que elegiría Freddy.

También quería tenerlo delante para ver la reacción de sus ojos cuando le soltara la conclusión a la que había llegado la pasada noche mientras intentaba conciliar el sueño, todas las emociones de los últimos días agolpándose en su mente. Vargas le había dicho en Madrid que el mexicano era el tipo que más había querido a Frida después de Diego Rivera. Daniela recordó todas las conversaciones que tuvo con Freddy Ramírez desde aquella primera cita en que lo vio desahuciado en una cama. En ellas, Rivera nunca quedaba impune. ¿Por qué? ¿Por qué llegó a convertirlo en colaborador de Ramón Mercader para acabar con Trotsky? ¿Por qué había transformado en prueba acusadora una simple *boutade* del muralista? Además, había llegado a mentirle. En una de las conversaciones le dijo que Frida y Diego Rivera habían sido espiados por la Dirección General de Seguridad. Pero ese departamento no nació hasta 1945, mucho después de que Trotsky fuera asesinado. ¿Por qué esa mentira y otras que colocan a Rivera como culpable?

Daniela lo tenía claro.

Por celos.

Freddy Ramírez no le había perdonado a Diego Rivera que maltratara emocionalmente a Frida de la manera en que lo hizo, yendo de cama en cama. Daniela se imaginaba al periodista con los ojos detenidos en una lámina de *Unos cuantos piquetitos*, confundiendo el puñal teñido de sangre que acaba de matar a una pobre mujer desnuda con otro puñal, el que clavó Diego Rivera, infidelidad a infidelidad, engaño a engaño, en el corazón de Frida, causándole un dolor más intenso que el que sintió aquel día en el que el pasamanos de un autobús urbano le atravesó la pelvis.

Celos, mucho más hondos que los que llegó a sentir el mismísimo Trotsky, viendo como Frida se le escapaba en noches de tequila y corridos. Celos, quizá más auténticos que los que a ella misma le había despertado Marcelo, cuando lo llamaba desde España y nunca lo encontraba en casa.

Daniela echó un vistazo de nuevo a la puerta de entrada. No entraba nadie.

Encendió el tercer cigarrillo de la noche.

Pero no le pudo dar ni una calada. Cuando se lo llevaba a los labios, escuchó una detonación seca, como si dentro del restaurante se hubiera quebrado el tronco de alguna de las plantas exóticas que lo decoraban. Pero el grito espantado, de animal que no ha podido burlar su destino y ha sido cazado, vino de fuera.

Entonces comprendió que Freddy Ramírez no acudiría.

Y, por alguna extraña intuición que solo parece estar al alcance de las mujeres, Daniela supo que lo único que le quedaba por hacer allí era pedir la cuenta.

México DF 2006-Murcia 2010

Querido papá:

Solo faltan diez días para cumplir mis dieciocho años, pero ese cumpleaños no lo voy a celebrar, jamás. No aspiro a que me entiendas, porque los mayores no entendéis casi nada, y tampoco sé si reprocharte que seas un hombre o pedirte perdón por esto que voy a hacer. Me tuviste tan cerca en aquellas tardes deliciosas de coca-colas y helados de chocolate en el Vips de Chilpancingo, y sin embargo, tan lejos. Me preguntaste la última vez por qué estaba tan seria, si es que el gato me había comido la lengua, y no era ningún gato, era una noche, una noche que jamás debió existir y que llevo clavada en mi corazón como una espada tan honda que ni siquiera me permite respirar.

Mira papá, llegó un día en el que ya no quise ir más contigo a comer helado de chocolate y prefería irme a bailar, por eso, a la mínima oportunidad, me escapaba al Manhattan, soñaba con ser una de esas bailarinas de piernas delgadas. Yo miraba las mías, gordas y feas, y dudaba que algún día pudiera subirme a una tarima de esas, hasta que apareció él, me invitó a una chela. Las mujeres lo miraban, y me miraban a mí, muertas de envidia, sobre todo cuando otro día me volvió a invitar. Yo sabía que él era alguien im-

portante en el Manhattan, alguien con mucha lana, sobre todo para llevarme a cenar a esos restaurantes en un auto que tenía hasta asientos de cuero y vidrios polarizados, y tenía un reloj carísimo, de oro, debía ganar un chingo de lana para tener todo eso, pero a mí no me importaba, lo único importante era que me había prometido que yo también bailaría, que sería estrella de la tarima, y yo me veía ahí arriba, donde nada es importante, porque todo queda por debajo de ti.

Tú no podías imaginar nada, porque ni siquiera yo imaginaba, solo me dejaba llevar, mecida por el sueño de ser un día una de ellas, ser deseada, ahí arriba, en la cima del mundo.

Hasta que llegó la fiesta, el día de mi debut, me dijo él. Era una casa tan grande que me perdí varias veces, y tenía una alberca que parecía un mar inmenso, recuerdo que había un montón de chicas y todas eran muy lindas, y me miraban con desprecio, allí en el jardín, bebiendo sus consumiciones. Yo les tenía mucho odio, quería que alguien me sacara de allí, y fue él, que me agarró, pero esta vez no lo hizo con delicadeza, como cuando me envolvía con sus brazos antes de comerme a besos, lo hizo con brusquedad, de un jalón, estaba enfadado por algo, me apretó con fuerza las muñecas hasta hacerme daño. ¿Tú no sabes por qué me llaman el Zar?, me preguntó. Tenía el rostro muy serio y no reía, solo lo hizo cuando me empujó con violencia a una habitación. Dentro había cinco hombres, vestidos con chamarras y zapatos de piel de iguana. Tenían una radio, con la música saliendo de las bocinas, muy fuerte. Yo no entendía absolutamente nada.

Él me dejó en el centro de la habitación, a apenas un metro de una cama deshecha, sucia, y se dirigió a la puerta, sin parar de reír. Yo protesté, le dije que qué coño era esto, y él me respondió que tuviera calma, porque este era mi día, el día de mi debut, un día que jamás olvidaría, y me dio tal madrazo que caí al suelo y perdí el conocimiento. Cuando lo recuperé, él ya no estaba en la habitación, solo quedaban los cinco hombres, ya no llevaban las chamarras puestas, ni nada, solo deseo, deseo de macho, y quise perder el conocimiento de nuevo, pero solo lo conseguí al acabar el último de ellos, mi sangre mezclándose con su sudor y su respiración de animal salvaje.

Dicen que algunas mujeres aparecen en una fosa, o en el desierto, yo tuve suerte, me dejaron en una cuneta. Es falso que aquella noche me quedara con Guadalupe estudiando, no, estuve muriéndome. Pero Dios no quiso acabar el trabajo, y por eso estoy aquí, para ponérselo bien fácil, porque sé que nunca más podré mirar a los ojos de nadie sin sentir miedo, porque en cada hombre veré ese deseo sucio que descubrí en las miradas de aquellos cinco desconocidos.

Y es ahora que he descubierto que la libertad no está ni siquiera encima de una tarima, a tres metros de altura, la libertad es esto, poder decidir cuándo irse para siempre, mi derecho como ser humano, y sobre todo, como mujer.

Espero que, si no me comprendes, al menos, me perdones algún día.

Se despide Lucía, siempre tu hija.

AGRADECIMIENTOS

A Diego Pedro López Nicolás, que siempre está al lado, aconsejándome sobre libros y sobre mujeres, que (¿para qué nos vamos a engañar?) es lo único realmente importante de esta vida, el amor a ellas. *El último secreto de Frida K.* creció en la penumbra del Candela, entre manchas de café.

A Aimée, que ya no es rubia ni Miss Universidad de La Habana. En su casa de México DF, al lado de la avenida Insurgentes, escribí el último capítulo. Esta novela le debe mucho a ella.

A Jacinto Nicolás, que me regaló el apellido Ackerman para mi detective.

A Fernando Vera, que leyó la primera versión, como siempre.

A Sergio González Rodríguez, que me contó cientos de secretos del narcotráfico. Es uno de los tipos más valientes que he conocido. No todo el mundo es capaz de adentrarse en Ciudad Juárez. Como los mejores periodistas, que alguno hay fuera de las novelas, tiene cojones y fuentes.

A Fernando Avedoy, de Televisa, que me acompañó al corazón de Tepito a descubrir los misterios de la Santa Muerte una mañana en la que yo había dormido muy poco.

Al escritor Rafael Ramírez Heredia. Sus alumnos de la escuela de escritores de Coyoacán y yo lo echamos de menos.

A los responsables del Museo Casa Azul, que me dijeron hasta el perfume preferido por Frida Kahlo.

A Leonardo Padura, que me transmitió su pasión por Trotsky mientras compartíamos un café irrepetible que me preparó en su casa de Mantilla, en La Habana.

A Hayden Herrera, que ha escrito la biografía más completa de Frida Kahlo. Tampoco quiero olvidar la recopilación de cartas escritas por la pintora *Ahí les dejo mi retrato*, publicadas por Lumen, y mucho menos el documental *Asaltar los cielos*, de Javier Rioyo, imprescindible para entender quién fue Ramón Mercader y por qué hizo lo que hizo.

A Pedro, de la librería Caballero, y a Javier, que revisaron el texto al derecho y al revés, buscándome las cosquillas. Y me las encontraron muchas veces.

He limitado deliberadamente el uso del argot mexicano. Entre llenar la novela de lana, chavos, órale, güey, pinche o chamba, y utilizar un lenguaje eficaz, elegí lo segundo. Tú como lector debes determinar si acerté.

El último secreto de Frida K. no pretende ser un libro de historia ni un documento novelado. Los hechos siempre deben estar al servicio de la ficción, supeditados a ella, como sostiene Mario Vargas Llosa. Y por eso aquí han cambiado de espacio o fecha según convenía a la narración. Por ejemplo, cuando es asesinado por Ramón Mercader, Trotsky lleva ya casi tres años fuera de la Casa Azul. Eso era lo de menos. Lo importante es que acabó teniendo relaciones con Frida, como le confesó personalmente la mexicana al guardaespaldas Jean van Heijenoort, cuyo libro *Con Trotsky, de Prinkipo a Coyoacán* me ha sido tan útil. Y esa historia afectiva y sexual entre un hombre que hizo triunfar una Revolución y una pintora única como Frida fue el germen de esta novela, escrita con la misma pasión con la que hago todo en la vida.